KB073359

표지 사진

412

도서출판 에니텔

탑건 : 초대 교장의 회고록

원제

TOP GUN :
AN AMERICAN STORY

ISBN : 979-11-986914-0-8 (03390)

초판인쇄 20-APR-2024
발간 30-APR-2024

I 저자 댄 페더슨
II 역자 이동훈
III 발행인 이동훈
IV 도서출판 에니텔

30 APR 2024

저자 및 역자 소개

저자 **댄 페더슨(Dan Pedersen)**

1935년생. 1953년 미 해군 입대. 1969년 3월 미라마 해군 항공 기지에서 전설적인 <탑건> 프로그램을 출범시킨 9명의 해군 장교 중 최선임자였다. USS <행콕(CVA-19)> 함으로 1회 전투 파견, USS <엔터프라이즈(CVN-65)> 함으로 3회 전투 파견되는 등 베트남 전쟁에서 전투 임무를 수행했다. 비행대대장, 비행단장, 군수지원함 함장, 항공모함 함장을 역임하고 대령 계급으로 퇴역했다.. 총 비행시간 6,100시간, 항모 착함 1,014회, 39개 기종 조종 등의 경력을 세웠다. 현재 샌 디에고에서 아내와 함께 살고 있다.

역자 **이동훈**

1978년생. 2003년 중앙대학교 철학과 졸업 후 <월간항공> 취재 기자, <이포넷> 한글화 사원, 과학지 <파퓰러사이언스> 외신 기자를 거쳐 현재 자유기고가 겸 번역가로 활동 중. 저서로 <전쟁영화로 마스터하는 2차세계대전>, 역서로 <마스터스 오브 디 에어>, <댐버스터>, <영국 전투>, <대공의 사무라이>, <6·25 전쟁 미 공군 항공전사> 등 다수. 감수서로 <전투기 메카니즘 도감> 외 다수.

Top Gun: An American Story

Korean edition is published by arrangement with Hachette Books, an imprint of Perseus Books, LLC, a subsidiary of Hachette Book Group Inc., New York, New York, USA through Duran Kim Agency.

일러두기

✓ 이 책은 항공분야를 다루는 특성상, 현재 서방권 항공우주산업의 표준 도량형인 미국식 인치파운드법 도량형을 기본으로 표기하고, 괄호 안에 미터킬로그램법 도량형으로 환산한 값을 적고 있습니다. 마일은 항공분야를 다루는 이 책의 특성상, 별도의 설명이나 단서가 없는 한 모두 해상 마일(1.852km)로 간주하고 환산하였습니다.

✓ 등장인물 풀네임의 가운데 “”안에 들어간 단어는 해당 인물의 법정 중간명이 아니라, 별명 또는 호출 부호(콜 사인)를 가리킵니다.

✓ 이 책 본문에 실린 모든 사진의 저작권은 별도의 출처 표기가 없는 한 저자에게 있습니다.

메리 베스를 위하여

신이여. 과거와 현재와 미래의 모든 해군 항공 장병들을 축복하소서.

한국 독자들에게 보내는 저자의 인사말

Dear Korean readers,

Sincerely hope you enjoy the reading of this book and a history of the beginning of Topgun and my career. Topgun is now 55 years since its beginning and stronger than ever as a graduate school in the United States. Thank you for your years of being great hosts to American Naval Aviation and especially our aircraft carriers. We greatly value your country as our ally and wish you continued freedom and success.

Dan Pedersen

Topgun One 1969

존경하는 한국 독자 여러분

이 책에는 <탑건>의 창설 과정과 저의 이력이 담겨 있습니다. 부디 즐거운 일독 되기를 진심으로 바랍니다. 올해(2024년)로 창설 55주년을 맞은 <탑건>은 미국 전투 조종사들의 대학원으로서 날로 발전하고 있습니다. 또한 미 해군 항공대, 특히 항공모함 전단이 한국에 방문할 때마다 융숭하게 환대해 주셔서 매우 감사합니다. 저희 미국은 매우 소중한 동맹국 한국이 계속 자유와 번영을 누리기를 바라고 있습니다.

댄 페더슨

탑건 원 1969

목차

추천사

1997년 겨울이 시작되기 전, 중등(기본) 비행교육과정을 입과하면서 치른 학과시험에서 과락을 맞았던 게 기억난다. 그때 어느 교관께서 "너는 수료하기 힘들겠다."라고 하시면서 측은하게 나를 바라보던 시선까지 기억이 날 정도로, 이제 막 제트기의 원리를 알기 시작하던 시절에 하늘 같은 교관님께서 말씀하신 한 마디에 받았던 스트레스가 정말 엄청났던 것 같다. 고등비행교육까지 잘 마치고 줄곧 전투조종사로 살아왔던 지금 돌이켜 보면, 그 당시에는 노력을 많이 안 하는 학생으로 교관님께 비쳤을 것 같고, 그래서 수료하기 어려웠을 것으로 예상하셨을 것이다.

처음 이 책을 받고 나서 '양이 많네', '그냥 자기 자랑의 나열이겠지'라는 선입관을 가지고 읽기 시작했다. 중등교육 과정 교관께서 나의 수료 가능성에 대해 비관적으로 생각하셨던 것처럼, 나도 이 책에 대해 좋지 않은 시선을 가지고 첫 페이지를 넘기고 있었다.

하지만 첫 느낌과는 달리, 이 책을 읽어가면서 조종이라는 분야는 국적을 떠나서 참 비슷하다는 것을 느꼈다. 우리 공군 조종사들이 배워야 할 점이 많다는 것도 알게 되었다. 그래서, 나는 이 책은 우리 공군 조종사들이 꼭 읽어 볼 필요가 있고, 그 밖의 전투분야 근무 인원에게도 권할 가치가 있다고 생각하게 되었다. 그 이유에 관해 얘기해 보고자 한다.

이 책의 가장 좋은 점은 우리 조종사들이 실전에 필요한 기술의 중요성을 간접 경험할 수 있다는 것이다. 예전에도 걸프전 당시 F-15로 적기를 격추한 사례를 다룬 기사를 본 적이 있지만, 실질적으로 체감하거나 공감하기는 어려웠다. 저자(이하 댄)가 비행훈련 과정 중 큰 실수를 했으나 각고의 노력으로 만회하여 우수한 성적으로 수료한 과정, 소련의 AA-2 미사일 개발의 시초가 된 사이드와인더 미사일 불발 사건 설명, 미 국방부와 해군이 장거리 미사일 개발 주력하면서 근접 공중전(Dog Fight) 무용론을 제기, 이에 따라 신세대 전투기에 기총을 미장착하는 사례까지 경험을 바탕으로 기록하고 있다. 그런 기조에도 불구하고 댄은 근접 공중전 훈련이 반드시 필요하다고 느꼈고, 위스키 291이라는 훈련 공역을 다른 조종사들과 공중 기동 연습훈련장으로 사용하면서 <탑건> 스쿨 창설의 기반을 다지고 있었다. 물론 미군은 다른 나라 군대보다 항공기와 훈련 공역을 풍부하게 가지고 있다는 장점이 있다. 그러나 우리 공군도 강조하는 요요기동(수평기동을 수직기동으로 전환), 수직기동과 함께 추력을 줄이면서 적기 뒤쪽으로 진입하는 기동 등 여러 가지 공중 기동을 개인적인 훈련 비행을 통해 스스로 습득, 실제 전투에서도 적용하고 조종사 간에 토론하며 전투기동을 발전시키는 모습은 우리 공군이 이런 훈련을 해야 하는 이유를 충분히 알려준다. 이렇게 연마된 댄의 공중 전투기동능력은 향후 '탑건 스쿨'의 초대 교장이 되는 기반이 되었을 것이다.

특히 댄은 조종사 구출 작전 중 헬리콥터를 엄호하는데 기총이 없어 적 지상군의 맹공격을 받았던 경험을 얘기하면서 "F-4 팬텀 Ⅱ에 기관총을 탑재하지 않은 해군을 죽도록 원망했다"라고까지 말하고 있다. 장기적인 안목 없이 현재만을 생각한 결정이 얼마나 큰 악영향을 주는지 알 수 있다. 우리 공군도 이렇게 단편적으로 결정하는 것이 없도록 무기체계 전력화 과정 중 신중하게 접근해야 할 것이다.

또한, 교전규칙의 중요성도 알 수 있다. 존슨 대통령은 베트남 전쟁에 과도하게 간섭, 미군의 손발을 꽁꽁 묶는 비현실적인 교전규칙을 만들었다. 특정 지역으로 진입하지 못한다던지, 명확하게 적기임을 확인했음에도 미군에 적대적으로 비행하기 전에는 교전할 수 없는 등의 규칙이 대표적이었다. 댄은 이미 당시에도 이러한 제약 때문에 미군이 북베트남과의 전쟁에서 이길 수 없음을 깨닫고 있었다. 이 책에는 상황에 맞는 교전규칙과 정책 결정자들의 판단의 중요성은 물론, 실제 조종사들이 교전규칙을 적용하기 위한 노력에 대해 잘 묘사되어 있다. 우리 공군 조종사들에게도 상황에 맞는 교전규칙의 중요성에 대해 빠르게 깨우칠 수 있다.

책을 통해 미군의 스패로우 미사일의 능력이 아주 나빴다는 것도 알게 되었다. 심지어 댄이 베트남을 떠나기 전 있었던 세 번의 전투에서 13발의 스패로우 미사일을 사격했으나 명중한 것은 한 발도 없었다. 이후 스패로우 미사일의 요격능력은 결국 개선되기는 했으나, 전투기에 기총까지 제거하게 만든 주력 미사일이 이런 저조한 능력을 갖췄다는 것을 보면, 이 또한 베트남전의 결과를 미리 보여주는 것 같다. 미군보다 실사격 경험이 적은 우리 공군도 (예산을 고려해야겠지만) 실사격 기회를 가급적 늘려서 조종사들의 기량을 향상시키는 동시에 무기체계에 대한 검증 기회를 부여하고, 미군의 스패로우 미사일의 초기 실패 같은 경험을 할 경우의 보완 대책에 대해서 획득 단계부터 고려해야 할 것이다.

또한, 댄이 주장한 스텔스 전투기 무용론을 결코 간과해서는 안 될 것이다. 비스텔스 전투기도 상황에 따라서는 유용하게 활용할 수 있다. 제29전대 근무 시절에 F-5를 조종하여 KF-16과 교전했던 사례를 들겠다. 우리는 KF-16의 능력을 잘 알고 있었기에, 격추당하지 않도록 기동하면서 압박했다. 마지막에는 공역시간 상 이대로 계속 진입하면 격추되리라는 예상을 하면서도 훈련 목적상 교전을 계속했다. 만약 이것이 실전이었고, 우리 F-5가 공중급유가 가능한 모델(캐나다 공군에서 운용했다)이었다면, KF-16도 격추당하지 않는다는 보장은 없다.

댄도 "적기의 성능을 확실히 알아야 한다… 단, 적의 기량과 기체 능력이 최상일 것이라고 가정해야 한다."라고 했듯이, 전투에서는 지식과 역량이 뛰어난 조종사라면 누구든지 승리를 거둘 수 있음을 명심할 필요가 있다. 바꿔 말하면, 국방예산의 증액이 점점 어려워져 가는 요즘, 스텔스 전투기만이 만능인 것처럼 생각하는 것은 위험하다는 것이다. 당연히 우리 공군도 많은 예산이 투입되어야 하는 F-35 전투기만을 고집하지는 않는다. 또한 비스텔스 전투기들을 F-35 스텔스 전투기보다 덜 중요하게 여기지 않았으면 한다. 댄은 "전자전 장비가 구비된 F-5N 수백 대와 월간 40시간을 비행하는 조종사만 있으면, 스텔스기를 보유한 어느 나라 공군이건 무력화시킬 수 있다"라고 할 정도로, 과도한 비용을 들여 적은 대수의 스텔스 전투기를 도입하는 것에 대해 부정적인 인식을 하고 있다. 댄의 말에 전적으로 동의하는 것은 아니나, 군 전력은 획득 비용과 성능을 고려하여 상황에 맞게 갖춰져야 한다. 우리도 고비용이 투입되는 전력에 대해서는 향후 요구 성능을 고려하여 많은 고민을 해야 한다.

이 책은 전투 경험, 공중전투기동 및 항공기 능력에 대한 언급은 물론 조종사들의 인간적인 고민에 관해서도 얘기하고 있다. 댄이 비행 훈련 수료를 위해 매진하다가 여자친구와 헤어지게 되는 사건, 전역을 고민하는 과정, 가족들과 헤어져서 항공모함에서 살아야 하는 어려움, 자신과 직접적인 관련이 없는 마약 중독자 병사의 사망 사건으로 진급 누락을 당한 이야기 등은 우리 공군 조종사들의 고민과도 맞닿아 있다. 때문에 인력관리 부서에서도 이 책을 참고할 수 있을 것으로 생각한다.

처음에는 양이 많아 지루해 보인다는 선입관이 들었으나, 막상 책을 열어보니 이런 다양한 내용 덕택에 분량이 그렇게 길게 느껴지지 않았다. 오히려 전투를 준비하는 부분, <탑건> 스쿨 개교 과정 중의 여러 에피소드, 항구마다 들르면서 스트레스를 풀던 모습 등의 흥미로운 부분에 대해서는 더욱 자세하게 기술해 주었으면 싶을 정도로 흥미진진하게 읽었다.

특별하게 생각나는 아쉬운 점은 없으나, 저자가 고령임을 감안한다면 기억의 왜곡으로 인한 내용상 오류는 약간 있을 것으로 생각된다. 하지만, 우리가 느낄 수 있는 실전적인 경험, <탑건> 스쿨에 대한 해군 내의 견제, 조종사 생활의 어려움 및 조종사와 항공기의 능력을 정확히 알고 전투를 준비하는 과정 등 여러 부분을 다시 읽어보고 싶고, 저자와 대화를 해 보고 싶을 정도로 관심을 끄는 아주 좋은 내용으로 구성되어 있으므로, 우리 조종사들도 한 번쯤 읽어볼 필요가 있다는 것을 다시 한 번 강조하고 싶다.

— 공군 항공우주전투발전단 분석평가처장

공군 대령 박상현

<학력 및 주요 경력>

공군 사관학교 43기 졸업

연세대학교 대학원 졸업(석사)

뉴질랜드 지휘참모대학 CSC 졸업

미국 합동참모대학 JCSC 졸업

제29전대 제192전술개발비행대대 비행대장

북부사 전술항공통제관(TCD)

제8전투비행단 항공작전과장

제239특수비행대대 블랙이글스 대대장

합참 전략기획부 군사전략과 공중전략담당

주영 공군무관

공군본부 정책실 대외정책과장

공군본부 기획관리참모부 전략기획과장/차장

서문

해군 전투기 무기 학교에서 근무한 사람들은 마치 친형제처럼 굳게 뭉쳐 있다. 지난 50년간 이 학교는 탁월함의 상징이자 항공전사의 전설로 남았다. 조종사들은 이 학교를 <탑건>이라고 부른다. 이 학교는 어떻게 만들어진 곳일까? 나는 어쩌다가 여기서 근무한 것일까? <탑건>은 과연 무엇을 얼마나 잘 했던 것일까?

우리의 여정은 이 책에 매우 잘 묘사되어 있다. 그것도 우리의 전통을 이루는 오래된 원칙에 기반한 혁신적인 지도력으로 이 학교를 이끌었던 사람의 손으로 말이다. 댄 페더슨은 얼핏 보면 불가능해 보이던 목표를 이루기 위해 자신의 직까지 걸었다. 그가 이룬 성취는 50년이 지난 현재까지 굳건하다.

내가 "양크(페더슨의 별명)"를 처음 만난 것은 1968년이다. 당시 나는 캘리포니아 주 미라마 해군 항공 기지에 주둔한 해군 제121전투비행대대(VF-121)의 교관이었다. 이 기지는 <파이터타운 USA>라는 이름으로도 잘 알려져 있다. 다른 기종의 승무원들을 당시 최신예 전투기이던 F-4 팬텀의 승무원으로 기종 전환시키는 것이 우리 임무였다. 그들은 6개월간의 교육 과정을 거쳐, 어디서건, 밤이건 낮이건 날씨가 어떻건 상관 없이 흔들리는 항공모함 비행 갑판에서 발함해 임무를 수행할 수 있는 팬텀 승무원으로 거듭났다.

당시 나는 24살 먹은 중위였고 두 번의 베트남 전쟁 전투 파견을 겪었다. 나는 내가 복무하고 있던 해군 전투비행대 장병들의 세계에 경외감을 품고 있었다. 댄은 키가 6피트 3인치(190cm)에 달하는 당당한 체격이었다. 그의 담갈색 눈은 강렬한 눈빛을 쏘아댔다. 자신감이 넘치던 그는 마치 존 웨인과도 같았다. 한 다리 건너면 모르는 사람이 없을 만큼 좁은 해군 전투비행대 세계에서 그의 능력과 경험은 이미 정평이 나 있었다. 거의 언제나 레이밴 선글라스를 쓰고 다녔던 그는 그야말로 전쟁영화에 나오는 전형적 전투 조종사 같았다.

VF-121의 전술학 교관이던 그는 자신에게나 타인에게나 엄격하고 집요하고 까다로웠다. 높은 행동 기준을 세우고, “전투에서 2등에게는 죽음 뿐이다.”라는 말을 귀에 못이 박히도록 해댔다. 그러나 그는 유머감각도 뛰어났고, 늘 솔선수범하는 지도자였다. 그리고 뭐든 의문문으로 말하는 법이 별로 없었다. 예외는 그가 교육생에게 걸어가서 이렇게 말할 때 뿐이었다.

“이봐 친구. 비행 준비는 되었나?”

댄이 새로운 전투 비행학교를 세우는 임무를 부여받자, 모두가 그 인선의 탁월함을 인정했다. 조지 패튼 장군은 이런 멋진 말을 했다. “전쟁은 무기로 싸우고, 사람으로 이긴다.” 지정학적 복잡성과 섬세한 제5세대 전투기 및 무기체계를 갖춘 오늘날에도 승리는 무기를 조종하는 사람이 좌우한다. 이러한 뛰어난 인적 자원을 생산하는 것이 바로 <탑건>의 임무다.

또한 현 상황에 도전하는 것 역시 <탑건>의 임무다. 이를 위해, 댄은 8명의 젊디 젊은 초급 장교를 선발했다. 그들은 모두 특이한 경험을 하고, 뛰어난 능력과 열정을 갖고 있었다. 댄은 선구안과 지도력으로, 우리의 나아갈 방향을 제시했다. 그는 이러한 발언으로 사람들을 독려했다. “우리가 이제까지 해냈던 것 이상의 것을 시급히 해내야 합니다." 우리는 "양키의 재능"을 활용했다. 열심히 공부하고, 전투 경험을 되돌아보고, 문제의 해결법을 연구한 것이다. 베트남 상공에서 우리 형제들이 너무 많이 죽어가고 있었다. 우리는 그런 상황을 개선할 힘이 있었다.

지난 50년간 <탑건>은 그 탁월성을 유지해 왔다. <탑건> 졸업생들은 해군에서 가장 혁신적이고 적응력이 높으며 가장 큰 성취를 이룬 전사가 되었다. 또한 부하를 아끼면서도 강한 동기 부여를 할 수 있는 지휘관이 되었다. 과거 <탑건> 교육 기간은 4주였으나, 이후 12.5주로 늘어났다. <탑건>은 해군과 해병대 전투 비행대대를 위해 공중전 기동 및 무기 체계 사용 훈련을 실시하고 있다. 또한 함재 전투 비행대대를 위해 전개 전 고등 훈련을 실시하고 있다. 예상되는 위협에 맞서 신전술도 연구개발하고 있다. <탑건>의 개교 이념은 이제까지 잘 지켜지고 실천되고 있다. <탑건> 지휘관들이 시대를 막론하고 보여준 뛰어난 지도력 덕택에 <탑건>은 자원 부족, 해군 내의 질투, 정치적 올바름을 맹신하는 출세 제일주의자들의 공격에도 불구하고 아직 존속하고 있다.

나는 <탑건>의 젊은 현역 교관들을 만날 기회가 있었다. 그들과 나는 복무 시기도 사용 장비도 달랐다. 그러나 <탑건>의 사명은 그 때나 지금이나 변하지 않은 것을 확인할 수 있었다. 다름아닌 전쟁터의 제공권을 확보하고, 지상과 해상의 전우들을 지원하여 그들의 생존을 보장하는 것이다.

그 동안 무수한 이야깃거리를 만들어 온 <탑건>이었지만 그 시작은 미약했다. 그러나 지금 와서 그 때를 되돌아 보면 여러 가지 사실을 새삼 깨닫게 된다. <탑건>을 창설한 9명의 장교 중, 그 후로 50년간 자신들이 항공사의 전설로 남을 것임을 예측한 이는 없었다. 또한 자신들이 미국과 세계의 항공 전술의 흐름을 바꿀 것임을 예측한 이들도 없었다. 자신들이 항공기와 무기 체계 설계는 물론 조종사 훈련 프로그램에도 영향을 주게 될 것임을 예측한 이들도 없었다.

오늘날 미 해군에서 사용하는 항공기와 무기체계의 복잡성과 능력 역시,

그 9명의 장교들이 당시 상상하던 수준을 아득히 뛰어넘고 있다. 또한, 오늘날 전쟁터의 복잡성과 조종사에게 제공되는 정보의 양도 감당이 어려울 만큼 엄청나다. 그러나 시대가 흘러도 <탑건>을 이루고, <탑건>을 가치있는 존재로 만드는 인적 요소는 변하지 않았다. 즉, <탑건>은 언제나 청년 초급장교들에 의해 운영되고 있다. 그것도 아래와 같은 사람들이 아니면 안 된다.

- 임무에 대한 열정과, 극한 상황에서도 평상심을 발휘할 수 있는 사람
- 솔선수범을 통해 지도력을 발휘할 수 있는 사람,
  즉 부하를 아끼고 격려하며 대신 책임을 지려는 사람
- 매우 어려운 환경에서도 작전할 수 있는 뛰어난 항공 정신을 지닌 사람
- 자신보다 훨씬 더 위대한 조직의 일원이라는 점을
  겸손하게 여길 줄 아는 사람
- 누구도 흠 잡을 수 없을만큼 자신의 직무에 통달한 사람
- 아무리 오랜 시간과 큰 노력이 들더라도,
  성공을 향해 매진할 수 있는 직업윤리를 확립한 사람
- 언제건 최적의 실력을 발휘할 수 있도록 힘든 훈련을 견디고,
  사소한 것 하나도 흐트러뜨리지 않는 극기심이 뛰어난 사람
- 성실하고, 적응력이 뛰어나고, 혁신적이고,
  현상에 도전할 의지를 갖춘 사람
- 오랫동안 보여준 성과로 신뢰감을 쌓은 사람

극도로 철저한 동료 검토 속에 이러한 품성은 더욱 더 강하게 길러진다. 엄격한 선발 과정과 가혹한 훈련만이 <탑건>의 명성과 전통을 미래까지 유지시켜 줄 것이다.

<탑건>에서 근무하는 젊은 장교들을 만나보니, <탑건>의 전통은 잘 지켜질 것이며 미국의 미래도 밝다고 확신하게 되었다. <탑건> 출신자들의 전우애 또한 오늘날까지 굳건하다.

이 책은 <탑건>의 창설자가 <탑건>의 창설 및 발전사를 이야기한 최초의

작품이다. 댄은 명실공히 '<탑건>의 대부'다. 이 책은 댄의 세대에 속한 전투 조종사들의 회고록 중 단연 최고다. <탑건>의 뛰어난 실력, 그리고 그 실력을 오늘날까지 전수한 비법을 인정하는 사람이라면, 이 책을 반드시 읽어봐야 할 것이다.

— 다렐 "콘도르" 개리
탑건 창설 멤버

프롤로그

2018년 캘리포니아 주, 팜 사막

현재(2018년) 내 나이는 83세다. 그러나 비행기 소리만 들리면 아이처럼 하늘을 본다. 가끔씩은 배기연을 뿜어내며 2대씩 짝지어 날아가는 수퍼호넷도 보인다. 엄청난 엔진 소리와 함께 아음속으로 날아가는 그들을 볼 때면, 처음으로 F4D 스카이레이(이 항공기는 나중에 나온 F-4D 팬텀 II와는 완전히 별개의 기종이다. F4D는 1962년 3군 공통 장비 명명법이 적용되기 이전의 형식명칭으로, 해당 명명법이 적용된 후에는 F-6으로 형식명칭이 바뀌었다.-역자주)의 후기 연소기를 작동시켜 노스 섬의 활주로를 박차고 이륙해 2분만에 고도 5만 피트(15km)에 도달했을 때처럼 온 몸이 짜릿하다.

항공기만큼 화끈한 것은 없다. 비행 모습을 보기만 해도 내장까지 떨려온다. 다른 어디에서도 찾기 어려운 황홀감에 온 몸이 젖어든다.

우리는 거의 언제라도 원하는 시간에 비행할 수 있었고, 원하는 비행 방식을 사용할 수 있었다. 그건 어떤 사람을 아느냐에 달려 있었다. 근무 시간 이

외의 시간에도 새로운 비행 경험을 하고 싶다면, 비행기 열쇠를 쥐고 있는 정비 통제 과장 같은 사람에게 부탁을 해야 한다. 말 잘 하면 그는 윙크를 해 주면서 즐거운 비행을 허락해 줄 것이다. 어찌되었건 우리는 해군 조종사였으니까.

가끔씩은 이 동네의 팜 스프링스 항공 박물관에서 이륙한 제2차 세계대전의 F6F 헬캣 전투기도 우리 집 위로 날아온다. 올려다 보고 이런 생각을 한다. 그래, 저것도 노스 섬에서 몰아봤어. 낡은 테일 드래거(Tail Dragger: 주착륙장치가 앞쪽에 달려 있고, 후방 동체의 작은 착륙 장치로 유도 주행 시 방향을 조정하는 항공기를 통틀어 부르는 표현-역자주)지만 조종하는 느낌이 정말 좋았지. 그 박물관은 P-51 머스탱도 한 대 가지고 있어서 주말마다 비행시킨다. 그 항공기의 비행 모습을 보면 예전에 몬테레이에서 했던 포커 게임이 생각난다. 그 때 나의 상대는 어떤 치과 의사였다. 나는 그 의사를 내리 이겨서, 단돈 1센트도 남기지 않고 철저히 털어 먹었다. 그러나 그는 전의를 잃지 않았다. 게임을 계속할테니 돈을 빌려 달라고 했다. 듣자하니 그는 개인 소유의 격납고는 물론, P-51 머스탱도 2대나 있다고 했다. 그래서 나는 그에게 돈을 빌려줄테니 P-51을 태워 달라고 요구했다. 그는 승낙했다. 그리고 그 후로도 나는 그 의사를 두 번이나 더 이겼다. 물론 그 의사의 P-51도 두 번 조종해 보았다. P-51은 제2차 세계대전에서 독일 공군을 무찔렀던 멋진 항공기다.

아버지가 돌아가시자 나는 어머니를 워싱턴 주 포트 앤젤레스로 보냈다. 나는 F-4 팬텀 전투기를 타고 시에라 네바다 산맥과 캐스케이드 산맥을 거쳐 북쪽으로 비행했다. 비행 중 고도는 500피트(150m)를 넘긴 적이 거의 없었다. 원시의 모습을 간직하고 있는 황야와 호수, 강을 제외하면 아무 것도 보이지 않았다. 산꼭대기 상공을 선회하고 있자니 지상에 있던 어떤 순간보다도 더욱 큰 자유와 생동감을 느꼈다. 나는 항공기를 휘드비 섬에 착륙시키고, 어머니와 함께 주말을 보낸 후 일요일 오후에 부대로 복귀했다.

이 동네에는 제트 레인저 등 헬리콥터들도 날아다닌다. 거품기 같은 그 비행음을 듣노라면 시킹 헬리콥터를 몰고 샌 디에고를 이륙해 워싱턴 주까지 해안을 따라 파도에 스칠 듯 낮게 날던 때가 생각난다. 해안에 있던 사람들, 해수욕을 즐기던 사람들, 카약과 서핑보드를 타던 사람들, 모두가 헬리콥터 로터 소리가 들리자 고개를 들어 하늘을 보았다. 그런 추억들을 돌이켜 보고 있노라면, 정말 축복받은 삶을 살았다는 느낌이 든다. 지극히 소수의 사람에게만 허락된 삶이었기 때문이다.

해군이 아닌 어떤 곳에서 그런 일을 할 수 있겠는가?

물론 나는 지금은 조종을 하지 않는다. 조종은 늙으면 못 하는 일이다. 아무리 열정이 커도 말이다. 물론 다렐 개리 같은 사람도 있다. <탑건>의 창설 멤버이고 올해 74세인 그는 아직도 그의 자가용 비행기인 소련제 야크 전투기를 몰고 스턴트 비행을 즐긴다. 그 항공기는 과거 우리의 적이었던 북베트남 공군에서도 조종사 비행교육용으로 썼던 기종이다. 다렐은 곡예비행단의 단장이기도 하다. 단원들은 주로 전직 미군 조종사들이지만 영국 조종사도 한 명 있다. 다렐은 이런 말을 입버릇처럼 한다.

"먹고 자고 싸는 데 시간을 써야 하는 것도 아까워요. 잠은 죽으면 실컷 잘 수 있잖아요."

이런 사람을 어찌 미워할 수 있는가? 다렐, 멜, 스티브, 스매시, 스키, 루프, J.C., 지미 라잉 등 우리 창설 멤버 9명은 피를 나눈 형제와도 같다. 민간 사회에서는 보기 드문 기질과 취향, 능력과 열정을 가진 사람들이다. 아마도 적들에게 포위되어 승산이 없는 상태에서도 오직 자존심을 지키기 위해 배짱 있게 싸우고, 그 과정에서 굳은 전우애를 쌓았기 때문일 것이다.

1960년대, 미군은 전쟁터에 맞지 않는 항공기와 믿을 수 없는 무기를 가지고, 민간인 정치가들의 잘못된 지휘를 받아 베트남에서 싸워야 했다. 중요한 것들이 수도 없이 망가져 버렸다. 그러나 우리는 비행을 사랑했다. 항공모함 승무원 대기실과, 노스 섬에서부터 필리핀에 이르는 주둔지 술집에서 쌓았던 전우애를 귀하게 여겼다. 해군은 뜨거운 열정과 헌신성, 추진력을 갖춘 사나이들의 집합소였다. 진정한 베트남 항공전이 시작되자, 우리는 수개월간의 힘든 시기를 겪었다. 그리고 전우애의 더 깊은 의미도 알게 되었다.

롤링 선더 작전은 1968년에 시작되었다(이는 원서의 오기로, 실제로는 1965년에 시작되어 1968년에 종료되었다.-역자주). 폭격 목표물은 당시 국방부 장관이던 로버트 맥나마라가 손수 골랐다. 우리는 매일같이 항공기와 승무원들을 잃어가면서도 그 목표물들을 폭격했다. 양키 스테이션(당시 미 항공모함이 작전하던 통킹 만 해역)에서 작전하던 우리들은, 빈 의자들로 둘러싸인 사관실 테이블에 앉는 것이 어떤 기분인지 알게 되었다. 돌아오지 못한 조종사 중, 그 최후가 명백히 밝혀지지 않은 사람은 절반이나 되었다. 적의 지대공 미사일이 발사되었나 싶더니 다음 순간 불타는 미군 항공기가 정글을 향해 곤두박질하고 있더라 하는 정도였다. 가끔씩은 탈출해 착지한 조종사가 적의 순찰대를 피해 가며 무전으로 구조를 요청하는 소리도 들을 수 있었다. 그러나 미군 헬리콥터가 현장에 가면 북베트남 군이 진치고 있는 경우도 많았다. 그들은 당연히 우리 헬리콥터와 엄호기에 사격을 가해댔다. 조종사 1명을 구하려다가 그 조종사는 물론, 구조하러 간 조종사 3명까지 더 잃는 경우도 많았다.

우리는 전우만을 위해 비행하지 않았다. 전우의 가족을 위해서도 비행했다. 비행단의 조종사들은 대부분 기혼자였고, 아이가 있는 경우도 많았다. 전우를 돕는 것은 곧 전우의 가족을 돕는 것이었다. 우리 모두는 샌 디에고, 리무어, 휘드비 섬에 있는 전우의 가정에 전사 통지관이 찾아가는 일이 없게 하기 위해 기꺼이 목숨을 걸었다.

적의 손에 우리 조종사가 사라지면, 그의 가족들은 큰 타격을 입었다. 거기에 대한 글은 거의 찾아볼 수 없다. 그러나 우리 모두는 남편을 잃은 부인들과 아버지를 잃은 자식들에게 미안하고 안타까운 마음을 전했다. 또한 남겨진 가족들의 평안을 진심으로 기원했다. 한 가지 확실한 것은, 사람의 죽음으로 인한 상실감을 없앨 방법은 없다는 것이다. 그 고통은 유가족들을 평생동안 괴롭힐 것이다. 그래도 누군가는 "시간이 지나면 다 낫는다."는 옛 속담을 들먹일지 모른다. 헛소리 마라. 50년이 지나도 잃어버린 가족을 얘기할 때마다 눈물을 터뜨리는 사람들을 많이 보았다.

그런 아픔에서 헤어날 길은 없다. 그 아픔과 함께 살아가는 방법을 배울 뿐이다. 그 아픔은 자신의 일부가 된다. 그리고 양키 스테이션의 조종사들은 그 아픔 때문에 전우를 위해 자신의 생명을 희생하기도 했다.

물론 누구나 이런 고통을 견딜 수 있는 것은 아니었다. 양키 스테이션에서 나는 정신을 놓아버린 조종사들을 보았다. 조종사가 갑자기 알 수 없는 이유로, 비행을 스스로 포기하는 경우도 있었다. 심지어 항공기가 캐터펄트 위에 올려져 곧 발함하기 직전의 순간에도 그런 일은 일어났다. 그들은 북베트남이 소련의 도움을 받아 하노이 주변에 배치한 방공망에 직면할 용기가 없었던 것이다. 드문 경우지만, 그런 시련을 매일 직면하기보다는 조종휼장을 반납하는 편을 선택하는 조종사들도 있었다. 전역하고 여객기를 몰면 죽을 일은 드물테니까.

미국은 통킹 만에 21척의 항공모함을 보냈고, 그들의 총 작전일수는 9,100일이 넘는다. 롤링 선더 작전 3년 동안 미 해군은 항공기 532대를 손실했다. 베트남 전쟁 기간 중 미 해군의 작전 중 항공 승무원 손실은 전사, 실종, 전쟁포로를 모두 합쳐 644명이다. 미 해군과 해병대, 공군이 베트남 전쟁 중 손실한 고정익기는 총 2,400여 대다. 물론, 우리들은 그 손실을 몸으로 겪었다. 다렐 개리는 훈련 중 라 호야에 집 2채를 구해서 9명의 동료와 함께 살았다. 첫 양키 스테이션 전투 파견 이후, 그 중 돌아온 인원은 6명 뿐이었다.

더욱 안 좋은 건, 우리는 전쟁에서 지고 있다는 점이었다. 국방부가 정해 준 표적을 제거해 봤자 전쟁의 전황에 전혀 기여하는 것 같지 않았다. 아군의 손실은 늘어만 갔고, 북베트남의 MiG 전투기들도 우리 군 항공기들을 사냥하기 시작했다. 북베트남은 중국과 소련 공군을 참조하여 강력한 공군을 건설했다. 그러나 우리는 그들을 소련 공군과 같은 수준으로 여기지는 않았다. 때문에 그들의 항공기가 우리 군 항공기를 격추하기 시작하자, 미 해군 전체는 충격에 빠졌다. 6·25 전쟁 당시 북한 공군은 개전 불과 수개월만에 괴멸하고 말았다. 그런데 그로부터 10년이 지난 베트남 전쟁에서, 북베트남 공군 MiG 전투기들은 미군에게 고전을 강요하고 있었다. 북베트남 전투기 2대가 격추당할 때마다 미군 전투기 1대가 격추당하는 식이었다. 과거의 전쟁에서 적에게 일방적인 희생을 강요하던 미군의 긴 전통으로 볼 때, 도저히 받아들일 수 없는 격추 교환비였다. 제2차 세계대전에서 미 해군 조종사들은 중부 태평양의 일본군을 괴멸시키며 도쿄까지 진격했다. 특히 헬캣 조종사들은 미 해군의 공대공 격추 전과 중 3/4을 세웠으며, 격추 교환비는 19:1에 달했다. 그러나 베트남 전쟁은 도저히 이길 수 있는 싸움이 아니었다. 그래서 해군 당국은 관료주의적 최선책을 실행했다. 어찌되었건 과거와 마찬가지 방식으로 계속 싸우기는 한 것이다. 사소한 것 하나까지 워싱턴 D.C.로부터 일일이 간섭당하던 우리는 똑같은 실수를 계속 저질렀다. 그 결과 미 해군 항공대는 마비 직전까지 갔다.

1969년 1월, 직설적인 성격의 항공모함 함장 프랭크 올트는 해군 참모총장에게 보고서를 한 부 써 보냈다. 해군 전투기 전술과 무기 체계의 중대 결함을 자세히 지적하는 내용이었다. 그의 불만 사항은 엄청나게 길었다. 해군은 이를 시정하기로 결정했다. 유감스럽게도, 당시 해군 고위 지휘관들 중 상당수는 이 문제를 해결하는 것보다 자신의 보신을 더 중시했다. 그래서 그들은 일종의 공중전 대학원, 즉 우리들의 <탑건> 창설을 인가함으로서, 자신들이 문제 해결을 위해 뭐라도 하는 척 해 보이려고 했다. 존슨 대통령과 맥나마라 국방장관 시절의 해군 당국은 위험을 무릅쓰고서라도 문제를 진정으로 해결하는 것보다는, 해결하는 척하는 것을 더 좋아했던 것 같다. 그래서 <탑건>의 초대 교장 자리는 당시 비교적 젊은 하급 장교였던 내게 돌아갔다.

1968년 하반기 미라마 해군 항공 기지의 버려진 트레일러에서, 나와 함께 <탑건>을 창설했던 8명의 장교들은 자신들이야말로 세계 최고의 조종사이며, 자신들의 항공기와 무기 역시 세계 최고라고 굳게 믿은 채로 베트남 전쟁에 뛰어들었다. 그러나 북베트남 군은 그 믿음이 틀렸음을 알려주었다. 우리는 이기는 법을 알기 위해서라면 어떤 일이라도 할 준비가 되어 있었다.

우리가 사랑하던 세계가 위기에 처해 있었다. 어찌되었건 우리는 그 위기를 극복하는 데 기여해야 했다. <탑건>을 창설한 우리 중, 마땅히 해야 할 일보다 자신의 보신을 더 중요하게 여긴 사람은 하나도 없었다. 우리는 고정관념에 맞섰다. 질문하고, 해답을 연구했다. 불필요한 행정 작업은 무시했다. 불필요한 규칙도 무시했다. 필요한 것은 빌리던가, 거래를 하던가, 정 안되면 훔치기라도 해서 어떻게든 손에 넣었다. 결국 우리는 자부심과 헌신만으로 혁신을 이루었다.

나는 독자들에게 그 창설 멤버들에 대해 말하고 싶다. 해군 전투 조종사의 세계에 대해서도 알리고 싶다. 우리 선배들은 과거의 전쟁에서 찬란한 영광을 거두었다. 그러나 베트남 전쟁 발발 이전 여러 해 동안 해군 항공대는 그 영광을 다 까먹고 말았다. 검증되지 않은 기술에 미래를 맡기고 말았다. 그 와중에도 우리 중 극소수의 사람들은 물려받은 전통과 기술을 보전하고, 교범에서 볼 수도 없고 전혀 공개적으로 거론된 적도 없는 비행술을 선보였다. 무엇보다도, <탑건>의 창설 시기부터 현재까지 전해 내려오는 그 전통을 이야기하고 싶다. <탑건>이야말로 헌신적인 소수의 사람들이 세상을 바꿀 수 있다는 산 증거다. 오늘날은 도저히 해결할 수 없을 것 같은 큰 문제들이 가득한, 매우 큰 불확실성의 시대다. 우리 창설 멤버들도 1968년에 같은 현실에 직면했다. 그러나 <탑건>은 그러한 현실도 바꿀 수 있다는 산 증거다.

물론 그 과정에서는 큰 비용이 발생했다. 그 점 역시 알아 주기 바란다. 당시 해군 조종사는 직업도 경력도 아닌, 구도자적 소명이었다. 해군 조종사는 모든 것이 잘못 돌아가는 중에도 자신의 임무를 그 어떤 것보다도 사랑하고 거기에 헌신해야 했다. 비행에 삶의 가장 높은 우선 순위를 부여한 결과, 그 외의 모든 것은 망가져 버렸다. 우리 조종사들은 우리 나라에서조차도 이방인이 되었다. 고향 친구들과도 말을 섞을 수 없었다. 다렐 역시 이 사실을 오클랜드에서 열린 고등학교 동창회에서 실감했다. 그는 이미 고등학교 친구들과는 닮은 점이 하나도 없었다. 군 경험 때문에 친구들과 어울릴 수 없게 되어버린 그는 바로 비행기를 타고 그의 전우들이 있는 새 집으로 돌아갔다. 그는 두 번 다시 동창회는 가지 않았다.

옛 친구들과의 관계에서만 이런 일이 벌어지는 건 아니었다. 가족 역시 비행과 장교로서의 책임에 밀려 늘 뒷전이었다. 잘 생기고 몸매 좋고 전도까지 유망한 전투 조종사와 결혼했다는 데서 오는 부인들의 낭만도, 남편이 바다로 나가고 나면 희미해지기 일쑤였다. 남편이 나가서 (항공기와) 바람을 피는 것을 용납할 수 있는 부인이 몇이나 있겠는가? 남편이 바다에 나가 있는 동안, 매일 밤 그녀들의 속은 이유도 모른 채 타들어갔다. 아내들은 남편 때문에 걱정스러웠다. 언제 전사 통지관들이 현관문 앞에 나타날지 몰랐다. 초인종이 울릴 때마다 그녀들은 무서워 움츠러들었다. 늦은 밤 전화벨이 울리면 공황에 빠졌다. 그 모든 것이, 우리가 다른 어떤 것보다 비행을 우선시했기에 겪어야 했던 업보였다.

어느날 밤 나는 첫 함장직을 인수받기 위해 군함에 타고 있었다. 갑자기 내게 전화가 왔다. 전화를 건 사람은 당시 8세였던 아들이었다. 어떻게 내 직통번호를 알고 전화를 한 것이었다. 전화를 받자 아들의 울먹이는 소리가 들렸다. 아이는 내게 가지 말라고 애원했다.

"아빠, 제발 가지 마… 다른 친구들은 다 집에 아빠가 있는데 나만 없어."

내 마음 속에서는 그 목소리가 계속 메아리쳤다. 아들도 나도 그 대화를 아직까지 잊지 못한다.

해군 조종사라면 누구나 그런 일을 당해 봤을 것이다. 그것이 우리의 현실이었다. 가정에 충실하지 못한 것이야말로 29년간의 군 경력 중 유일하게 후회스러운 부분이다.

나는 이 책을 통해, 할리우드 영화에서 보여주지 않는 전투 조종사들의 속내를 보여주고 싶다. 영화에서는 우리들을 발 킬머가 영화 <탑 건>에서 연기한 캐릭터 <아이스맨>처럼 묘사하는 경우가 너무나도 많다. 냉정하면서도 유능한, 스릴에 몸을 맡긴 속도광의 이미지가 그것이다. 영화 속의 전투 조종사들은 뭐든 실제보다 훨씬 멋있게 살아간다. 파티도 더욱 화끈하게 하고, 여자도 더 잘 꼬신다.

이 책은 그런 환상을 깨 줄 것이다. 우리도 피와 살로 이루어진 인간이다. 우리가 사는 세계는 너무나도 위험하다. 한때 의기양양한 우리도 그런 현실에 직면하면 가슴이 마구 뛸 정도로 공포를 느낀다. 물론 전투 조종사들은 외부인에게는 그런 티를 내지 않으려 한다. 아마도 어느 정도는 우리의 잘못 때문에 그런 부분도 있기 때문일 것이다. 그러나 내 생각은 다르다. 우리 전우들이 함대에서 이룬 성취가 빛나는 것은 우리 역시 다른 사람과 마찬가지로 평범하고 나약한 인간이기 때문이다. 우리는 다만 그 나약함을 극복하고 살아남았을 뿐이다. 하이퐁 항구 상공에서 미사일을 피하거나, 열대 폭풍 속에서 항공모함에 착함을 시도할 때, 실수는 곧 죽음이다.

나는 더는 비행을 할 수 없다. 그러나 내 마음은 아직 창공에 있다. 나는 아직도 마당에 누워 하늘을 가르는 제트기들을 볼 때마다 그 속도와 고도를 어림짐작한다. 집에서 항공기들을 너무 많이 봤기 때문에, 그 비행 시간표를 외울 정도다. 항공기가 제 시간에 나타나지 않으면 그 이유가 궁금해질 정도다. 조종사가 사정이 있어 탑승이 늦었는가? 유도로가 막혀서 제 시간에 이륙을 못 한 게 아닌가? 내 나름대로 하늘에서 살아가는 방법은 이것 외에도 많다. 물론 제트기를 몰고 하늘을 날았던 기억은 언제나 내 삶에서 가장 달콤하고 황홀한 추억으로 남아 있을 것이다.

제1장

입장료

1956년 12월, 남 캘리포니아 주 상공

기온은 화씨 65도(섭씨 18.3도), 하늘은 맑다. 집으로 가는 길의 하늘은 온통 새파랗다. 내가 12월의 캘리포니아를 얼마나 좋아하는지 아무도 모를 거다. 눈이 오지 않으니 보도에서 주택 진입로까지 눈을 치우려고 삽질을 할 필요가 없다. 마지막 햇빛이 LA 일대를 황금빛으로 물들이는 동안 뒷마당에서의 크리스마스 저녁식사 계획이나 짜면 된다.

록히드 사에서 제조한 T-버드(T-33 항공기의 별칭-역자주) 제트 훈련기의 무광회색 조종석에 앉아 있던 나는 전후 주택 건설 붐으로 인해 새로워진 교외 지역의 풍경을 내려다 보았다. 오렌지 과수원들은 사라져 가고 있었고, 그 자리에는 작은 분홍색 집들과 말뚝 울타리들이 여러 블록에 걸쳐 모여 있었다. 고도 20,000피트(6,000m)에서 내려다 보니 마치 레고같아 보였다.

저기서 구두를 닦았는데 말이야. 휘티어의 <리>의 이발소에서 말이지.

나는 계기판을 닦으려 아래의 풍경에서 눈을 돌렸다. 고도계, 대기 속도계,

선회 및 경사 지시계, 수직 속도계… 나는 순식간에 그 모든 계기의 측정값을 다 읽었다. 최고의 조종사들에게 훈련받은 덕택에 의식하지 않아도 근육 기억에 의해 계기판을 쓱싹 보고도 그 값을 읽어낼 수 있다.

펜사콜라로 가는 길도 바로 여기서 출발했다. 나는 로스 알라미토스에서 미 해군에 수병으로 입대했다. 그 곳의 해군 항공 기지에는 제2차 세계대전에서 사용했던 골동품 항공기가 잔뜩 있었다. 예비역 비행대대의 견습 기관 정비사로 배치된 나는 F4U 코르세어를 정비했다. 역 갈매기형 날개를 지닌 전설적이고 아름다운 항공기였지만 제트기 시대에는 이미 시대에 뒤진 물건이 되어 가고 있었다. 마침 우리 비행대대는 예비역 비행대대 최초로 제트기를 지급받게 되었다. 젊은 대위가 내 기종 전환 훈련을 도와 주었다. 그는 2인승기에 나를 태우고 비행한 적도 있었다. 그 비행에서 감동한 나는 해군 조종사관후보생에 지원했다. 이 제도는 해군 사병을 모집해 펜사콜라에서 조종장교로 교육시키는 것이다. 그 관대한 대위의 도움 덕택에 나는 시험에 합격했다. 1955년, 나는 로스 알라미토스를 떠나 그 유명한 펜사콜라 해군 항공 교육훈련본부로 향했다.

이제 오랫동안 꿈꾸어 왔던 목표가 코 앞이다. 계속 발전해 나간다면, 언젠가는 가슴에 해군의 금색 조종 휼장을 달고 제트 전투기를 조종하는 날이 올 것이다.

그날 아침 눈부시게 푸르른 LA의 하늘을 휘파람 소리와 함께 가로질렀던 내 항공기. 20년 전 일거리를 찾아 캘리포니아에 몰려왔던 조드와 오키들(Joads and Okies, 1930년대 여러 경제, 환경, 기술적 사정으로 캘리포니아행을 택한 미국 타 지역 농민들-역자주)이 이 첨단기술의 산물을 보았다면, 그 뛰어남에 압도되었을 것이다. 물론 그들의 시대는 이제 끝나고, 우리 앞에는 제트기의 시대가 도래했다. 나는 그러한 시대의 변화를 온 몸으로 만끽하고 있었다.

물론 지상의 사람들에게 이는 아무 의미 없는 일일지도 모른다. 그들은 평시의 생활을 이어나가고 있다. 가족을 돌보고, 힘든 일터와 꽉 막힌 도로에서 짜증을 낸다. 어떤 사람은 모닝 커피를 마시면서, 세상 돌아가는 모습을 엿보기 위해 <로스 앤젤레스 타임즈> 지를 펼칠 것이다. 그날 아침 그 신문의 제1면에는, 그 해 크리스마스에 로스 앤젤레스 군(郡)에서 음주 운전자 896명이 체포되었다는 기사가 실려 있었다. 그 기사 옆에는 일본의 대기에서 방사능을 측정했다는 작은 기사도 실려 있었다. 그것은 소련이 원자탄을 또 터뜨렸다는 소리였다.

당시 부통령이던 리처드 닉슨은 미 공군이 헝가리 난민 수만 명을 미국으로 피신시키고 있다고 밝혔다. 그들은 소련의 폭정을 견디다 못해 부다페스트에서 봉기를 일으켰으나 패배했다. 소련군 전차가 부다페스트 시내를 짓밟자, 살아남은 사람들은 국외 도피를 선택했다.

지상의 사람들은 그 헝가리인들이 겪었던 비참한 생활을 꿈에서도 상상해 본 적이 없을 것이다. 이 곳의 사람들은 잘 정돈된 큰 집에서 살고, 정원도 잘 관리하고 있다. 마을의 보도에는 노는 아이들이 넘쳐나는 평화로운 생활을 즐기고 있다. 그리고 나는 그 평화를 지키는 사람들이 누구인지 작년부터서야 알게 되었다. 고향으로 휴가를 다녀온 후, 나는 냉전으로부터 조국을 지키는 사람들의 대열에 합류할 것이다. 그날 아침은 정말 훌륭했다. 엔진 소음도 내 새 삶을 위한 음악처럼 들렸다. 나는 이전에는 상상도 해 보지 못했던 세계에 뛰어들고 있는 것이었다.

내 아버지는 제2차 세계대전 참전용사다. 육군 통신병과의 일원으로 유럽에서 복무했다. 사령부와 전선 간의 통신을 유지하는 것이 그 분의 임무였다. 1945년 그는 전역하고 일리노이의 고향으로 돌아왔다. 그러나 그 분의 일자리는 이미 사라져 있었다. 유럽 전쟁의 승리에 기여했더니 실직자가 된 것이었다. 그는 가족들을 책임져야 하는 중년 가장인데도 말이다. 당신은 본인이 느꼈던 두려움을 우리에게는 절대 내색하지 않았지만, 캘리포니아로 이주하셨다. 가서 열심히 일하면 모든 문제를 해결할 수 있을 거라고 믿으면서 말이다. 그는 팜 스프링스의 파이프라인 건설 작업을 했다. 뙤약볕 밑에서 하루 12시간씩 막노동을 하니, 스칸디나비아인 특유의 당신의 희던 피부도 무두질한 가죽처럼 시커멓게 되고 말았다. 하지만 그는 결코 불평하지 않았다. 당신은 우리를 위해 열심히 일하셨다. 나는 그 분의 뒷모습을 보며 나도 저렇게 헌신해야겠다고 다짐했다. 그런 생활력 강한 아버지를 둔 것은 내게 축복이었다.

물론 그 분의 일과 나의 일 사이에는 차이점도 있었다. 나는 조종석 안에서 보내는 모든 순간이 즐거웠다. 조종은 엄밀히 말해 내게 일이 아니었다. 자유였다. 비행을 한 번 할 때마다 우리 한계는 넓어지고 능력은 커져갔다. 시험을 칠 때마다 우리는 더욱 성숙한 조종사이자 젊은이가 되어 갔다. 성취는 마약과도 같았다. 함대 배치를 위한 다음 시험대가 너무나도 기다려졌다. 후보생이 솔로 비행으로 항공모함에 첫 착함에 성공하면, 기념으로 넥타이 절단 의식을 한다. 그것을 시작으로, 교육 과정 중에는 기념할만한 순간들이 많이 있다. 펜사콜라에서 1년을 보내면서, 나는 내 자신이 누구이고 무엇을 위해 살아야 하는지 새롭게 자각하게 되었다. 그런 자각은 고향에서는 결코 얻지 못했던 것들이었다.

나는 졸업식 때 메리 베스가 내 옷에 조종 휼장을 붙여주었으면 싶었다. 우리가 처음 만난 것은 내가 고등학교 때, 교회 행사 때였다. 내가 17세, 그녀가 14세 때였다. 남 캘리포니아는 아마 세계에서 미녀들이 제일 많이 모여 사는 곳일 것이다. 그러나 메리의 미모는 그 중에서도 독보적이었다. 머리는 금발이었고, 눈의 색은 마치 2만 피트(6,000m) 고도의 하늘처럼 파랬다. 그녀와 한 마디만 이야기를 나눠 보면, 그녀가 단지 외모만 아름다운 여자가 아니라는 것도 알게 된다. 그녀는 언변과 두뇌도 엄청나게 뛰어났다.

우리는 절도 있게 교제했고, 우리의 사랑이 깊어갈수록 우리 가문 사이도 가까워졌다. 내가 해군에 입대한 이후 그녀는 매일같이 편지를 써 보냈다. 펜사콜라에서 아무리 힘든 교육을 받은 날이라도, 나는 반드시 그녀에게 답장을 한 페이지씩 쓰고서야 취침했다.

나는 로스 알라미토스를 떠나 펜사콜라에 온 이후, 1년간 그녀를 만나지 못했다. 고향을 떠나 해군에 입대할 당시만 해도 나는 전문대에 다니던 어린 애였다. 그러나 그날 아침의 나는 현대적인 제트 훈련기를 조종하는 조종사였다. 비행복 가슴에는 해군 상급 조종 사관후보생임을 의미하는 두 줄의 학년장이 붙어 있었고 말이다. 크리스마스 휴가야 말로 그녀와 가족들에게 내가 진짜 사나이가 되었음을 보여줄 기회였다.

빌과 내가 어빈의 엘 토로 해병 항공 기지로 접근하기 위해 날개를 기울이자 T-버드의 알루미늄제 외피에 캘리포니아의 햇살이 반사되어 빛났다. 주택지대와 오렌지 과수원들 사이에서, 엘 토로 기지의 특징인 이중 십자가형 활주로가 보였다. 엘 토로 기지는 조 포스, 마리온 칼, 존 L. 스미스 등 미국 최고의 전투 조종사들을 키워낸 요람이었다. 그들은 제2차 세계대전 중 태평양에서 일본군에 맞서 싸웠다. 기지가 위치한 오렌지 군 주민들 중 대부분은 그 사실을 몰랐다. 그러나 나를 비롯한 조종 사관후보생들은 조종 훈련을 시작하면서부터 확실히 알게 되었다. 해군 조종사가 되면 그 빛나는 전통을 물려받는다는 점을 말이다.

펜사콜라에서 우리는 SNJ 텍산, T-28 항공기를 조종했다. 그 곳의 첫 아침, 교관이 우리 병사에 들어와 야경봉으로 우리 침대의 철제 골조를 때리면서 우리를 깨웠다. 그리고 수상기용 주기장 옆에 있던 낡은 격납고로 우리를 몰고 갔다. 그 격납고는 해군 항공의 선구자들이 전통을 세운 곳이다. 격납고에서 교관들은 PT 체조를 40분간 시켜 모두의 몸에서 김이 모락모락 나게 했다. 매일 아침이 이런 식으로 시작되었다. 우리가 훈련받던 격납고는, 우리를 위해 길을 열어준 선배들의 혼이 서려 있었다. 그들 덕택에 해군 항공대는 혁신을 주도하는 부대가 되었다. 해군 항공대는 언제나 새로운 발상과 기술, 전술을 고안해냈다. 그런 것들 덕택에 해군 항공대는 전함의 시대를 저물게 할 수 있었다. 산호해 해전과 미드웨이 해전, 마리아나의 칠면조 사냥(1944년 6월의 필리핀 해전에 미군이 붙인 별칭. 미 해군 항공대가 일본 해군 항공대를 상대로 일방적인 압승을 거두었기에 이런 별칭이 붙었다.-역자주)에 이르기까지, 해군 항공대는 미 해군을 지구상 최강의 해군으로 변모시켜 왔다.

펜사콜라 기지의 모든 곳에서 전통과 명예를 느낄 수 있었다. 그 전통과 명예는 우리에게 자신들의 일부가 되라고 손짓했다. 과연 우리도 그 전통과 명예를 이어나갈 수 있을까? 한 가지는 확실했다. 나는 여기서 퇴교하고 대학으로 돌아가, 오리꼬리 머리를 하고 수업료를 벌기 위해 임시직이나 하는 신세는 되고 싶지 않다는 점이었다.

차를 사서 시내에서 시간을 보내고, 트레이더 조스 등 조종사들의 사교장에서 술을 마시는 후보생들도 있었다. 그러나 나는 기지에서 자유시간을 보내는 쪽을 선호했다. 나도 아버지의 직업 윤리를 따라 가급적 열심히 공부하고 연구했다. 나는 수석 졸업하고 싶었다. 그리하여 우리나라에서 만든 최신, 최고성능의 제트 전투기를 조종하고 싶었다.

우리 항공기는 엘 토로를 향해 하강을 시작했다.

우리는 펜사콜라에서 기본 비행 교육을 받고, 텍사스 비빌에서 고등 비행 교육을 받았다. 캘리포니아까지 크로스컨트리 계기 비행을 하는 것이야말로 이 고등 비행 교육의 졸업 시험 격이었다. 이 비행을 마치면 고향으로 휴가를 갈 기회가 주어진다.

우리 항공기는 엘 토로를 향해 하강을 시작했다. 후방석에는 교관 빌 피어슨이 탑승하고 있었다. 그는 인터컴을 통해 비행을 지도했다. 나는 스로틀 레버를 뒤로 당기고, 착륙 패턴에 들어갔다. 착륙장치와 플랩을 내리고, 기수를 들었다. T-버드를 활주로에 착지시켰다. 유도로를 통해 항공기를 운항실 앞 주기장까지 몰고 간 다음에 엔진을 끄고 캐노피를 열었다. 빌은 우리 항공기가 재급유를 받는 동안 냉큼 비행기에서 내려 커피부터 마셨다. 나는 헬멧을 벗고 레이밴 선글라스를 썼다. 펜사콜라 기지 매점에서 구입한 제품이었다. 후보생이 착용할 수 있는 것 중 할리우드 영화 주인공을 연상시키는 소품이었다. 플로리다 주와 텍사스 주에서는 해변에서만 착용했다. 하지만 여기는 캘리포니아 주다.

포장도로 위에는 메리 베스가 서서 나를 보고 있었다. 그녀의 곁에는 우리 부모님도 있었다. 그녀는 앙고라 스웨터와 무릎 아래까지 내려오는 치마를 입고 있었다. 머리는 묶지 않았고 구두는 플랫힐이었다. 얼굴에는 미소를 띠고 있었다. 어쩌면 경외심의 표현일지도 모른다고 나는 생각했다.

나는 안전 벨트를 풀고 조종석에서 내렸다. 나는 카키색 비행복과, 같은 색의 비행 점퍼, 해군 보급품인 단장화를 신고 있었다. 내가 사다리를 다 내리기 직전에 그녀는 나를 끌어안았다. 그녀와는 1년만의 만남이었다. 그러나 그 길었던 이별의 시간도 이제는 한 순간처럼 짧게 느껴졌다. 나는 이 여자야말로 나와 결혼할 사람이라는 데 일말의 의심도 없었다.

빌은 운항실 문에서 그 광경을 보고 있었다. 빌의 손에는 커피가 담긴 종이컵이 들려 있었다. 빌은 6·25 전쟁 참전 용사였고, 오랜 시간을 바다에서 보냈다. 그는 이런 광경을 예전에도 많이 보아 왔다. 그리고 그 광경 속의 사람들이 어떤 기분인지도 잘 알고 있다. 그는 옆에 비켜 서서 내가 그 순간을 만끽하게 내버려 두었다. 나로서는 감사한 일이었다. 휴가는 순식간에 지나갔다.

나는 일리노이 주 몰린에서 1935년에 태어났다. 아버지는 제2차 세계대전 중 육군에 복무하셨다. 부모님은 이민자시라, 나는 우리 집안에서 처음으로 미국 본토에서 태어난 사람이다. <오를라>, 또는 <올레>라고 불리우시던 아버지는 1912년 덴마크 태생이시다. 아버지는 할아버지인 올라프 페더슨, 할머니인 메리 페더슨과 함께 1913년 미국으로 이민 오셨다. 어머니는 영국 맨섬 출신의 이민자 미인 3자매 중 한 분이셨다. 두 분은 고등학교 농구 경기에서 만나셨다.

크리스마스마다 어머니는 주방에서 감자 소세지를 요리했다. 가족들은 크리스마스 저녁마다 뒷베란다에서 그 소세지를 먹었다. 우리 아버지의 먼 조상으로부터 전해 내려온 덴마크식 전통이다. 몰린에서 보낸 어린 시절, 나는 학교가 끝나면 바로 절인 생선이 든 통 등 스칸디나비아식 특산품이 잔뜩 있는 우리 집 창고로 달려왔다. 난로 위에서는 감자 소세지가 든 냄비가 끓고 있었다. 그 냄비에서 뿜어져 나오는 냄새와 온기가 방 안을 가득 채웠다.

내 첫 비행은 1946년에 있었다. 아버지가 유럽에서 귀향하신 지 얼마 안 되던 시점이었다. 아버지는 원래 비행기를 좋아하셨다. 그래서 종전 직전에 B-25 폭격기를 여러 번 타 보기도 하셨다. 어느날 저녁, 아버지는 나를 몰린 공항에 데려갔다. 곧 비행기를 탈 거라고 하셨다. 10살 먹은 나로서는 정말 놀라운 일이었다. 내가 처음으로 타 본 항공기는 제2차 세계대전 전에 생산된 포드 사의 트라이모터 항공기였다. 시끄러운 라이트 사 엔진 3대가 달려 있었고 동체는 알루미늄 골판으로 되어 있었다. 비행은 어둠이 내리는 초저녁에 실시되었다. 비행기를 타고 밤하늘을 날아가는 것이 마냥 신기하게만 느껴졌다.

비빌로 떠나기 전 메리 베스는 내게 크리스마스 선물을 주었다. 포장을 열어보니 금으로 된 도장 반지가 나왔다. 반지의 평면에는 작은 다이아몬드가 끼워져 있었다. 반지의 겉면에는 내 이름의 두문자가 새겨져 있었고, 1956이라는 년도, 그리고 "사랑합니다."라는 말도 적혀 있었다. 반지의 안쪽 면에는 베스의 이름이 적혀 있었다. 당시 그녀는 휘티어 대학의 1학년생이었고, 학생회에서 운영하는 카페테리아에서 일도 하고 있었다. 그녀는 분명 이 물건을 마련하기 위해 빚을 졌을 것이었다.

즐거웠던 휴가는 순식간에 끝났다. 크리스마스가 지나고 며칠 후, 나는 엘토로 기지에 가서 빌 교관을 다시 만났다. 내 오른손에는 베스가 준 반지가 끼워져 있었다. 나는 베스와 헤어지면서 키스했다. 이제 얼마 안 있으면 나는 임관하여 국제 신사인 장교가 될 것이었다. 나는 베스의 아버지께, 베스에게 청혼해도 되겠냐고 물어보았다. 나는 그녀와 해군 장교 생활을 시작하고 싶었다. 마지막 포옹을 했지만 눈물은 흘리지 않았다. 그리고 나서 나는 번개같이 사다리를 올라 조종석에 몸을 실었다. 빌 피어슨과 내가 탄 항공기가 유도로를 주행하는 동안, 아직 사관후보생인 나를 향해 손을 흔드는 그녀의 모습이 보였다.

비빌에 착륙하자, 내가 처음으로 탈 제트 전투기가 비행 대기선에서 나를 기다리고 있었다. 그루먼 사에서 제작한 F9F 팬서 전투기였다. 산전수전 다 겪은 항공기였다. 짙은 파란색으로 칠해진 알루미늄 기체에는 총알 자국을 때운 부분이 점점이 널려 있었다. 교관과 마찬가지로 이 항공기도 6·25 전쟁 참전 용사였다. 재도색된 지 무려 수년이나 지난 도막은 퇴색되어 있었다. 날개는 직선익이고 최대속도는 아음속이었다. 이제는 일선이 아니라 본토로 물러나, 차세대 해군 전투 조종사 교육에 사용되고 있었다.

그 항공기 날개 아래에 서니, 영화 <원한의 도곡리 다리(원제 The Bridges at Toko-ri)>가 생각났다. 그 영화를 몇 번이나 보았던가? 한 10번 정도? 그 영화의 비행 장면은 정말 멋있었다. 영화 속 사랑 이야기는 가슴 아팠다. 그리고 등장인물 대부분이 막판에 죽는다. 그러나 해군 조종사로서 영광스런 미래를 꿈꾸던 나는 그런 장면들은 다 잊었다. 팬서와 처음 만난 날 아침, 나는 조종석에 앉자마자 그 항공기와 사랑에 빠졌다.

팬서는 즐겁게 비행할 수 있는 항공기였다. 제1세대 단발 제트 전투기 치고는 조종 계통에 균형이 잘 잡혀 있고 속도가 빨랐다. 조종석 안에 홀로 앉은 나는 다양한 공중곡예를 해 보고, 탑재된 4문의 20mm 기관포로 공중 예인 표적에도 사격을 해 보았다. 그 과정에서 느낀 전율은 내 욕구를 더욱 키웠다.

조종 훈련의 마지막 단계에 들어가자, 우리가 해야 할 일은 정말 얼마 남지 않았다. 그 중에는 댈러스까지 편대를 지어 크로스컨트리 비행을 한 후 복귀하는 것도 있었다. 나를 포함한 사관후보생 3명이 이륙했는데, 폭풍이 다가오고 있었다. 운고는 1,000피트(300m)도 안 되었다. 우리는 텍사스 주 시골 상공에서 속도를 높이면서, 불과 500피트(150m) 고도에서 밀집 V자 편대를 지어 비행했다. 후속기 2대는 선도기의 행동을 그대로 따라했다. 우리 후방 2마일(3.7km) 거리에서는 교관이 F9F를 타고 따라오면서 우리의 비행을 관측하고 있었다. 시정의 한계에 달하는 거리였다. 날씨가 나빠지면서 시정도 줄어들었다. 그러나 우리는 댈러스에 안착했다. 휴식과 재급유를 취한 우리는 모기지로 복귀하기 위해 그날 오후 이륙했다.

팬서 전투기는 시속 400마일(740km)로 비행했다. 1초만에 미식축구장 두 개 길이를 이동하는 셈이었다. 그럴 때면 한 수, 아니 두 수 앞서 생각해야 한다. 안 그러면 속도에 압도당해 제 때 대응을 못 한다. 항공기에 끌려다니고, 항공기를 따라잡으려 애쓰게 되면 실수를 잘 저지르게 된다. 최고의 조종사는 비행의 흐름을 탈 줄 알고, 늘 항공기보다 한 수나 두 수 정도 앞서 생각할 줄 아는 사람이다. 무슨 일이 발생했을 때 대응할 시간은 매우 짧다. 때문에 우리 3대의 항공기 사이에서 뭔가가 번쩍였을 때 나는 놀랐다. 백미러를 보니 구름 위로 솟아오른 무선 중계국의 붉은 색 충돌 방지등이 보였다. 우리 항공기의 고도는 500피트(150m)였고, 중계국의 높이는 1500피트(450m)였다. 우리들이 중계국과 부딪쳐 죽지 않은 것은 실로 천운이었다.

비빌에 착륙했을 때 우리는 멀쩡했으나 두려움에 몸을 떨고 있었다. 몇 분 후 주기장에 교관이 탄 항공기가 왔다. 나는 그에게 화가 났다. 그는 도대체 어디 있었나? 우리 항공기가 중계국에 들이받을 뻔 할 때 뭐 하고 있었단 말인가?

화를 진정시키자 그가 아무 일도 하지 않은 이유를 알 수 있었다. 일단 조종실에 들어간 전투 조종사는 모든 것을 혼자 책임져야 한다. 타인을 비난해봤자 아무 의미 없다. 스스로의 성장에도 도움이 안 된다. 중계국을 발견해야 했던 것은 다른 누구도 아닌 내 책임이었다.

이 니어 미스를 제외하면, 나는 고등 비행 교육의 마지막 단계에서 동기생들 중 최상위 성적을 거두었다. 자신감 넘치는 젊은 조종사로 성장해 가는 것을 느꼈다. 물론 자만하다가는 반드시 온 우주가 나를 쓰러뜨리려고 덤빌 것이다. 내게도 그런 경험이 있었다. 그 때문에 나는 평생동안 지독하리만치 겸손해졌다.

그날 나는 토니 비아몬트라는 교관과 함께 T-버드로 등급 점검 비행을 할 예정이었다. 비행 계획 및 브리핑에 따르면, 빅토리아 인근 포스터 공군기지로 비행할 것이었다. 그리고 그 날 텍사스 주 상공에는 지면부터 고도 25,000피트(7,500m)까지 두터운 구름층이 깔려 있었다. 시정은 지면에서조차도 최저였다. 지상 관제 레이더가 나오기 전에는, 조종사들은 LFR(low-frequency radio 저주파 무선) 신호를 통해 항법을 실시했다. 이건 1950년대에도 여전히 예비 시스템으로 쓰이고 있었다. 그리고 모든 사관후보생들은 비상시를 대비해 그 사용법을 알아야 했다. 이런 날씨에는 이 시스템이 필요했다.

우리는 곤죽 같은 구름 속으로 이륙했다. 고도 25,000피트(7,500m) 이상 푸른 하늘이 나올 때까지 선회 및 상승했다. 후방석에는 토니가, 전방석에는 내가 앉아 있었다. 빅토리아는 불과 50마일(93km) 거리였다. 포스터 공군 기지 관제탑과 통화한 후 우리 항공기는 하강을 시작했다. 푸른 하늘을 벗어나 회오리치는 짙은 먹구름 속으로 들어갔다. 항공기 날개 끝의 연료 탱크도 잘 안 보일 정도였다.

구름 속에 들어가면 방향 감각을 잃는다. 짙은 먹구름 한복판에서 캐노피 밖을 너무 오래 들여다보고 있으면 어디가 위인지 아래인지도 모르게 되고, 항공기가 똑바로 비행하는지 뒤집혀 비행하는지도 알 수 없게 된다. 바깥의 모습에 홀려 항공기의 날개가 수평을 유지하는지 기울었는지도 알 수 없게 되고, 항공기가 하강하는지 상승하는지 알 수도 없다. 참조할 만한 게 전혀 없으니 조종사는 지푸라기라도 잡고 싶은 심정이다. 야간 비행 때도 같은 일이 일어날 수 있다. 그 때는 계기에 목숨을 맡겨야 한다. 신체의 감각기관이 아닌 계기를 믿어야 한다. 물론 자기 몸보다 계기를 더 믿는 것은 어려울 수 있다.

나 역시 그런 어려움을 겪으면서, 활주로와의 거리와 위치를 알려주는 LFR 신호에 귀를 기울였다. 나는 상황을 파악하고 항공기보다 한 수 앞서 생각하려 애쓰고 있었다.

하강이 시작되자 나는 마음 속 지도에 우리 항공기의 위치를 그려넣어 보았다. 그런 추측은 중요했다. 눈앞을 가리는 구름을 마음 속에서 모두 없애고, 항공기의 위치와 그 아래 놓인 지형을 제대로 알아야 했다. LFR 신호가 그 추측에 도움이 되었다. 항공기 위치를 알려주는 LFR 신호는 A, N, 0(null) 세 가지로, 모르스 부호로 들어온다. 착륙 패턴에 들어서면서 나는 신호의 변경에 귀를 기울였다. 새 신호가 들어올 때마다 마음 속의 지도를 최신화했다.

고도가 약 2,000피트(600m)에 이르렀을 때, 나는 항공기의 항로가 바람을 받아 밀려 있음을 알았다. 즉, 항공기의 진로가 활주로와 일치하는 것이 아니라, 활주로와 수천 피트 간격을 두고 평행한 상태였던 것이다. 활주로 가장자리를 직각으로 스쳐지나가자 모르스 부호가 바뀌었다. 최종 접근을 위해 기수를 돌리라는 신호였다. 나는 한 번 더 기수를 돌리고 이 지시를 실행했음을 확인했다.

여전히 우리를 둘러싼 구름은 두터웠다. T-버드는 난기류에 흔들렸다. 계기를 살피고, 착륙 준비를 하고, 무선 신호에 귀를 기울이는 내 마음은 커 가는 혼란과 불확실에 빠졌다.

마음 속에 그린 지도가 틀린 것일까?

신호 문자가 바뀌었다.

잠깐만. 나는 활주로 어느 쪽 끝으로 접근하고 있지? 어느 방향으로 기수를 돌려야 하지?

나는 자신의 위치를 안다고 생각했다. 그러나 혼란이 일자 자신감이 사라졌다.

결국 나는 잘못된 방향으로 선회했다. T-버드는 활주로로부터 멀어지게 되었다. 나는 몇 초 만에 실수를 알아챘다. 나는 하강을 멈추고 관제탑에 나의 실수를 인정한 후, 원래의 착륙 패턴으로 돌아가게 해 달라고 요청했다.

토니가 주는 눈총에 뒤통수가 따가웠다. 나는 큰일을 낼 뻔 했다. 해군 항공대는 실수가 용납되지 않는 세계다. 조종사가 조금만 실수를 해도 자신을 포함한 여러 사람을 죽일 수 있기 때문이다. 훈련에서도 잘못된 방향으로 잠시만 비행해도 큰일이 날 수 있다.

그날 내가 한 잘못도 마찬가지였다. 토니는 훈련 중단을 선언하고, 기수를 돌려 비빌로 복귀하라고 지시했다. 나는 잔뜩 긴장해 있었다. 또한 자신에 대해, 그리고 자신이 저지른 실수에 대해 크게 화가 나 있었다. 비빌에 와서 착륙 후 비행기에서 내리자 토니는 질문했다.

"무슨 잘못을 했는지 알고 있나?"

"네."

나는 당시 벌어진 일을 설명했고, 내가 실수를 신속히 바로잡았다는 점도 밝혔다.

그는 그 사실을 인정하며 고개를 끄덕였다. 그는 내게 계속 기회를 주고자 했다.

"이 비행을 다시 해 보게."

18개월간의 훈련 기간 중 비행에 실패한 적은 이번 말고는 없었다. 그는 내 얼굴 표정을 보고는 내게 확실히 전달하고자 했다.

"잘 들어. 댄, 누구나 한 번은 실수할 수 있는 거야. 걱정 말라고. 대신 이번 사건을 계기로 겸손해지게."

나는 그 어느 때보다 교범을 철저히 숙지했다. LFR 접근 절차를 공부했다. 매일 기지의 시뮬레이터를 타면서 임무 개요를 숙지했다. 기초부터 충실하게 공부하며 모르스 부호도 다시 외웠다. 이제 두 번 다시 실패는 있을 수 없었다. 성공하고자 하는 열의에 불타는 나머지, 하루에 1분이라도 더 공부하고자 비행과 관련 없는 것은 모두 끊었다. 그렇게 살게 된 첫날 밤, 나는 침대에 드러눕자마자 시체처럼 곯아떨어졌다. 그러나 내 두뇌의 한 구석에서는 뭔가 잊은 게 있다고 경고했다.

메리 베스에게 편지를 쓰지 않았다.

그 날이야말로 사관후보생이 된 이후 처음으로 그녀에게 편지를 쓰지 않은 날이었다.

다음 날도 마찬가지였다. 나는 편지를 쓰지 않고 쓰러져 잤다. 그러나 그녀의 편지는 어김없이 도착했다. 나는 이틀 연속으로 그녀에게 편지를 쓰지 않았다. 그리고 그 이후에도 계속 편지를 쓰지 않았다. 바보스러운 짓이었다.

한 주 내내 나는 공부에만 몰두했다. 내 삶의 목표는 이제 한 가지밖에 남지 않았다. LFR 접근 방법을 숙지하여 다음 비행 때 완벽히 구사하는 것이었다. 나는 그 목표를 달성하기 위해 메리 베스를 비롯한 삶의 다른 모든 것들을 한 구석으로 치워 버렸다. 당시는 그 이유를 설명할 방법도 없었다. 휴대전화도 장거리 전화도 없었기 때문이었다. 무엇보다도, 당시의 나는 너무 비행에만 몰입되어 있었다. 큰 실수였다.

모든 해군 조종사들이 끊임없이 치르는 전투를 이렇게 나도 시작하게 되었다. 일과 사생활 간의 균형을 놓고 벌이는 전투였다. 일은 너무나도 중요하기에 거의 항상 더 높은 우선순위를 차지했다. 물론 민간인들도 일과 사생활 간의 균형을 신경써서 맞춰야 한다. 하지만 민간인들은 어떻게든 균형을 맞출 수는 있다. 반면 해군 항공대에서는 균형을 맞추는 것이 불가능하다. 거의 언제나 일이 더 높은 우선순위를 차지한다.

고향에서 그녀는 매일같이 우편함을 확인해 보았지만 매일같이 빈 상태였다. 처음에는 당혹해하던 그녀는, 깊은 마음의 상처를 입게 되었다. 내 손주들은 이를 고스팅(ghosting)이라고 부른다. 당신의 애인과 어떤 이유로건 떨어져 지내면서도 매일같이 문자 메시지를 주고 받았는데, 갑자기 한 쪽에서 문자를 보내지 않는다고 생각해 보라. 몇 시간 정도만 그러다가 또 보내면 별일 아닐 수 있다. 그러나 그 시간이 길어지고 어느 한 쪽만 문자 메시지를 계속 보내게 되면, 보내는 쪽의 스트레스는 높아진다. 하루가 지나고 이틀이 지나면, 상대방에 대해 궁금해하는 마음은 고통으로 변한다. 어떤 설명도 듣지 못하면 상대방은 문자 그대로 사라지는 것이다. 문자 그대로 유령(ghost)처럼 말이다.

아직 웹스터 영어 사전에 고스팅이라는 말은 등재되지 않았다. 그러나 내가 점검 비행 합격을 위해 미친 듯이 공부하던 1957년의 그 주, 그만큼 내가 메리 베스에게 한 일을 정확히 표현할 수 있는 말은 없다. 재시험을 위해 T-버드에 탑승했을 때, 그 동안의 노고는 보답을 받았다. 나는 비행 중 모든 조작을 완벽히 해내고, 어떤 문제도 없이 착륙했다. 그리고 자신감을 회복한 채로 비빌에 돌아왔다.

토니는 그로부터 2개월 후, 다른 해군 조종사와 함께 LFR 점검 비행을 하다가 사망하고 말았다. 해군 항공대의 생활은 심지어 평시의 훈련에서도 늘 살얼음판을 걷는 느낌이다. 모든 것을 다 투자해야 한다. 극도로 임무 지향적인 불균형한 생활을 해야 한다. 그것은 우리가 비행에 대해 품은 열정 때문만은 아니다. 살아남기 위해서다.

그것은 내 마지막 점검 비행 중 하나였다. 나는 졸업 등수가 내려가지 않은 채로 고등 비행훈련을 마쳤다. 시련을 이겨낸 나는 몇 주만에 메리 베스에게 편지를 썼다. 나는 그 동안 그녀에게 편지를 못 써 보낸 것에 대해 제대로 변명을 할 수 없었다. 내 생각 없는 선택을 무슨 수로 그 편지에 설명할 수 있겠는가? 나는 고향에 돌아가서 그녀를 직접 만나 설명하기로 했다. 나는 그녀가 나를 꼭 만나 주기를 바랬다. 크리스마스에 T-버드에서 내려 레이밴과 베이지색 단장화를 뽐내는 자신감 넘치는 조종사인 나를 말이다. 그래서 나는 가급적 저항이 적은 쪽을 선택했다. 아무 일도 없었다는 듯이 편지를 썼다. 그동안 편지를 쓰지 않은 것에 대해서도 해명하지 않았다. 나는 중단했던 부분부터 다시 시작했다.

1957년 3월 1일, 나는 드디어 조종휼장을 수여받았다. 코퍼스 크리스티에서 열린 비행학교 졸업식은 너무나 결말답지 않았다. 나는 메리 베스가 조종휼장을 달아주기를 바랬다. 그러나 그녀와 우리 가족에게는 텍사스 주까지 비행기를 타고 올 돈이 없었다. 대신 내 룸메이트이자, 나와 같은 날에 졸업한 해병대 조종사인 알 클레이스가 내게 조종휼장을 달아 주었다. 나도 그의 옷에 조종휼장을 달아 주었다.

해군은 나와 알을 포함한 모든 사관후보생을 소위 임관시켰다. 이제 우리는 국제신사인 장교가 되었다. 첫 임지 배정을 놓고 긴장이 높아졌다. 소문에 따르면, 그 해 봄 서해안의 신임 제트 조종사 정원은 매우 적다고 했다. 나는 캘리포니아 주로 배치받기를 바랬다. 고향과 메리 베스에게 가까운 곳에 배치되었으면 했다. 그래서 나는 캘리포니아 주 근무를 요청했다.

인사 명령서를 담은 봉투가 도착했다. 나는 최악의 상황을 예상하면서 봉투를 뜯었다. 그 최악의 상황 중 첫 번째는 비행선 조종사였다. 1950년대 해군은 '똥자루'라는 별칭으로 불리우는 비행선을 운용하고 있었다. 팬서나 T-버드를 조종해 본 조종사 중, 거대한 기낭을 머리 위에 얹고 시속 70노트(130km)로 비행하는 그런 물건을 몰아보고 싶어하는 이는 없다. 고맙지만 그런 항공기는 필요 없다. 두 번째 최악의 상황은 ASW(Antisubmarine warfare, 대잠수함전)용 항공기 조종사였다. 그런 항공기는 다발기고, 한 번 이륙하면 엄청나게 긴 시간 동안 해상 초계를 한다. 기내의 모든 승무원들이 졸음을 참으려고 애를 쓸 정도로 오랫동안 비행한다.

나는 심호흡을 하고 인사 명령서를 보았다. 거기에는 30일 후 샌 디에고 기지에 출두하라는 명령이 공문서 말투로 적혀 있었다.

나는 그 문장을 두 번이나 읽었다. 세 번째로 읽고 나서야 나는 그게 꿈이 아닌 현실임을 알았다.

나는 VF(AW)-3 비행대대로 배치받았다.

V는 공기보다 무거운 항공기를 운용한다는 뜻이다. 최소한 비행선은 아니다.

F는 전투기(fighter)다.

AW는 전천후(all-weather)다.

해냈다. 드디어 제트 전투기 조종사가 된 것이다.

이로서 나는 <탑건>으로 또 한 발자국을 내딛었다.

제2장
첫 부족

1957년 봄, 텍사스를 떠나 샌 디에고 노스 섬 해군 항공 기지

이곳은 캘리포니아 사막이다. 시각은 군대 시각으로 2300시. 민간인 시각으로는 오후 11시 정각이다. 이 시간만 되면 나는, 아내가 키우는 흰 털이 복슬복슬한 말티즈 강아지 2마리를 데리고 수영장 언저리에 나와 앉는다. 이 강아지들은 내가 등받이를 납작하게 눕혀 놓은 휴게용 의자 아래에 들어가 눕는다. 나도 의자 위에 앉아 하늘을 보며 기다린다.

밤하늘의 별들은 내 오랜 친구다. 모든 해군 조종사들은 야간 비행의 경험이 있다. 바다에 나간 항공모함 소속의 비행단에서는 월주기에 맞춰 신임 조종사의 야간 비행을 배정한다. 신임 조종사일수록 만월시에 착함해야 하기 때문이다. 일단 야간 비행을 하고 나서 항공모함의 길이 40피트(12m)짜리 공간에 놓인 제동 와이어에 제동 갈고리를 걸어 무사히 착함하는 데 성공하면(실패하면 죽음 뿐이다), 다음 번 야간 비행은 그믐달이 떴을 때로 정해진다. 월광이 적을수록 야간 비행과 착함은 더 어렵다. 가장 어려울 때는 초승달이 뜨고 악천후

까지 겹쳤을 때다. 야간 항모 착함만큼 해군 조종사의 담력을 강하게 시험하는 시험대는 없다. 그걸 언제나 잘 하려면 특별한 사람이 아니면 안 된다.

달이 아주 작아질 때면, 나는 USS <레인저> 함의 함장 시절이 떠오른다. 우리 함의 비행단은 태평양 모처에서 조막만한 달빛 아래에서 야간 작전을 수행 중이었다. 젊은 조종사 한 사람은 F-14 톰캣을 착함시키기 어려워했다. 착함 접근을 하는 그를 위해 착함 신호 장교(landing signal officer, 이하 LSO)가 그를 3번 와이어로 안내하고 있었다. 나는 그 모습을 함교의 함장 전용석에서 보고 있었다. 그 F-14 조종사는 마치 조종석 안에서 뱀 사냥이라도 하는 것 같이 항공기를 너무 거칠게 몰고 있었다. 그는 상황에 압도당해 심장이 거칠게 뛰고 있을 것이다. 해군 조종사라면 누구나 겪어 본 일이긴 하다. LSO는 조종사에게 착함 접근을 중지하고 재시도할 것을 지시했다. 이를 간단히 말해 <복행>이라고 한다.

그는 재시도했지만 이번에도 착함 실패했다. 그의 머릿속은 지금 엄청나게 복잡할 것이다. 항공기를 항공모함에 안착시키기 위해 공포와 어둠, 계기와 절차와 싸우고 있다. 아무튼 그는 항공모함 갑판을 지나쳐 다시 멀어져 갔다.

그는 밤새도록 <레인저> 함상에 착함을 시도했다. 구름 위로 날아가 공중 급유를 받은 적도 두 번이나 되었다. 결국 나는 무전기를 통해 그 조종사와 통화를 시도했다. 항공모함 함장이 어지간해서는 안 하는 짓이었다. 조종사와의 통화는 보통 에어 보스(air boss: 항공모함 소속 항공 통제관, 격납갑판과 비행갑판, 항모로부터 5해리 반경 내의 모든 항공기 운용과 통제 책임을 진다.-역자주)나 비행대대장이 전담하기 때문이다.

"이봐, 친구. 우리 배는 지금 맞바람을 받고 있고 어디로도 움직이고 있지 않아. 귀관을 위해서 꼼짝 않고 대기하고 있다고. 그런데 자네는 착함 하나도 못해서 밤 새고 있잖아. 조금만 긴장을 풀고 잘 해보라구."

나는 이럴 때가 가장 좋다. 전우를 위해 조언과 격려를 해 줄 때 말이다. 해군 항공대만큼 강한 전우애를 나는 다른 곳에서 느껴 본 적이 없다.

그 조종사는 무려 12번을 시도하고 나서야 간신히 착함에 성공했다. 지금 생각해 보면, 매번의 착함 접근은 담력 시험대다. 항공모함 갑판은 파도로 출렁이고, 어둠 속에서는 수평선도 안 보인다. LSO의 지시와 계기만 철저히 믿고 항공기를 조작해야 한다. 한 번의 실수로도 조종사는 죽을 수 있다. 게다가 항공모함 갑판 착지 시 실수를 한다면 다른 사람까지 죽일 수 있다. 이렇듯 우리는 전시가 아닌 평시에조차 상당한 위험을 무릅쓰고 있다.

그는 12번이나 시도한 끝에 완벽한 착함을 해냈다. 물론 민간 사회에서도 신입 사원에게 12번이나 기회를 주는 사람은 있을 수도 있겠지만, 진짜로 있을지는 개인적으로는 의심스럽다. 그러나 해군 항공대의 방식은 다르다. 우리는 뭘 어떻게 할지를 분명히 아는 사람들이다. 우리는 다음날 밤에도 그에게 비행을 시켰다. 이번에는 마치 그는 엄청나게 경력이 많은 조종사처럼 착함 접근을 한 다음, 제동 갈고리도 3번 제동 와이어에 정확히 걸었다. 이후 그는 해군의 시범 비행대인 <블루 엔젤스>에서도 근무했다.

우리는 항공을 사랑하기에 비행기를 타고 있다. 그러나 우리가 군에 남아 있는 이유는 전우들 때문이다. 이런 전우들만 있다면 그날 밤처럼 힘든 상황도 이겨낼 수 있다.

미 합중국 해군 소위가 된 후 내가 한 첫 번째 비공식적 활동은 자동차 구입이었다. 우리 동기생들은 텍사스 주 코퍼스 크리스티의 장교 회관에서 처음으로 점심식사를 하다가, 우리 중 최소 1명은 차가 있어야겠다고 결정했다. 차를 살 사람을 정하기 위해 주사위놀이를 했고, 내가 당첨되었다.

나는 1957년형 포드 페어레인 신차를 골랐다. 레이븐 블랙과 검정, 콜로니얼 화이트의 3색으로 이루어진 내장과 사이드월을 갖추었다. 영화 <청춘 낙서 (원제 American Graffiti)>에서 튀어나온 차 같았다. 나는 이 차를 타고 텍사스에서 고향까지 갔다. 한시라도 빨리 메리 베스를 만나고 싶었다. 이 차를 타고 그녀의 마음을 다시 사로잡고 싶었다. VF(AW)-3에 출두하기까지는 30일간 휴가가 있었다. 그 휴가를 한시도 낭비하지 않고, 그녀에게 구애하는 데 쓰고 싶었다.

고향에 온 다음날 아침, 나는 휘티어 대학으로 페어레인을 몰고 갔다. 학생회 카페테리아에서 근무하던 메리 베스가 보였다. 그녀는 평소답지 않게 조용했다. 그녀에게 내 새 차를 보여주었지만 뭔가 잘못된 것을 직감했다.

“베스, 무슨 일 있어?”

그녀는 할 말을 찾지 못하고 우물거리다가, 이렇게 대답했다.

“왜 편지를 쓰지 않았어? 한동안 편지를 받지 못했단 말야.”

나는 그 이유를 설명하려고 했다. 그러나 그녀는 바로 말을 이어갔다.

“댄, 나는 새 애인이 생겼어. 네가 편지를 보내지 않았던 그 때 말야. 그는 정말 끈질겼고, 난 넘어갈 수밖에 없었지.”

난 뭐라 할 말이 없었다. 베스의 새 애인은 대학의 미식축구 선수였다. 그들은 만난 지 몇 주 밖에 되지 않았다.

나는 가족들을 만나러 집에 갔다. 그날 저녁 우리 집의 분위기는 침울했다. 나는 우리 동네에 두 주 동안 머무르면서, 내가 어느덧 이 고장의 이방인이 된 것을 알았다. 대부분의 해군 항공대 조종사들은 자기들끼리 전우애를 쌓아갈수록, 조종사가 되기 이전의 삶과는 소원해지는 느낌을 받는다. 나 역시 예외는 아니었다. 그리고 이 때가 내가 그런 느낌을 받은 첫 순간이었다. 우리의 예전의 삶은 마치 낙엽과도 같이 사라져 갈 것이었다. 물론 너겟(Nugget: 신임 해군 항공대 조종사들을 부르는 별칭)들은 아직 민간 사회와 유대가 있었다. 그러나 그들도 고성능 항공기를 조종하는 데 따르는 요구조건, 그리고 그로 인한 구속감을 느끼고 있었다. 조종사들의 생활에는 갈수록 비행, 그리고 비행을 도와주는 사람들만이 남게 되었다. 비행과 상관 없는 사람들과의 관계는 거의 남아나지 않게 되었다.

그러한 과정은 우리 모두에게 가혹했다. 헐리우드 영화 속 해군 조종사들은 여자를 잘 꼬시고, 술을 엄청나게 잘 마시면서도 주어진 상황에 필요 이상으로 감정이입하지 않는 사람들로 묘사된다. 그러나 비행대대에 첫 실무 배치를 받으면 진실은 다르다는 것을 알게 된다. 물론 해군 조종사들도 아름다운 여자들과 환상적인 파티를 벌이기는 하지만, 그건 그들의 삶에서 휴식 시간에 불과하다. 진짜 문제는 그 여자들과 더 깊은 관계를 맺으려고 할 때 터진다. 나 역시 조종휼장을 얻기 위해 내 첫사랑을 희생시키고 말았다.

고향에 머물러 있는 것을 견딜 수 없게 된 나는 정해진 날짜보다 한참 먼저 실무 부대로 가기로 했다. 짐을 싸고 있는데 어머니가 오셔서 이렇게 말씀하셨다.

"댄, 메리 베스는 마음을 굳혔단다. 그 결정을 존중해 주렴."

그녀를 다시 만나 그녀의 마음을 되돌리고 싶었다. 어머니는 그런 내 마음을 꿰뚫어 보고 계셨다.

"그러지는 마렴. 그녀에게 간섭하지 마. 네게는 그럴 자격이 없어. 그녀와는 인연이 아니었던 거야."

페더슨 가의 사람들은 어머니의 말씀에는 절대 거역하지 못한다. 나는 어머니의 말씀을 따르고, 샌 디에고로 갔다.

첫 비행대대에 배속되는 것이야말로 모든 해군 조종사들에게 일생 일대의 사건이다. 그 곳에서 평생지기 친구들도 만나고, 장차 비행에서 요긴하게 쓰일 가르침들도 얻을 수 있다. 다만 한 가지 정신자세만큼은 확실히 해둬야 한다. 앞으로 닥쳐올 도전에 대비해야 한다는 것이다. 그렇지 못할 경우 사고를 겪게 된다. 해군 항공대의 세계는 실수를 절대 용서치 않기 때문이다.

샌 디에고 중심가, 브로드웨이에는 코로나도 페리 선착장이 있다. 나는 거기 가서 페어레인을 페리선 속으로 몰고 갔다. 내 마음은 아직 확실히 정해지지 않았다. 나는 정해진 날짜보다 두 주 먼저 실무 부대에 간 게 아니었다. 고향, 그리고 한 때는 원했지만 이제는 가질 수 없게 된 생활로부터 도망치고 있을 뿐이었다.

노스 섬의 기지 입구에 가니, 초병이 VF(AW)-3으로 가는 길을 알려 주었다. 활주로를 따라 길게 늘어선 제트 공격기, 초계기, 전투기들을 따라 가는 동안, 항공기가 이착륙하는 기척은 거의 느낄 수 없었다. 우리 비행대대는 보안이 매우 삼엄한 자체 단지를 갖고 있었다. 울타리가 쳐져 있고, 군견을 동반한 초병들이 순찰을 돌고 있었다. 그 모습은 비교적 보안이 느슨하던 기지 정문과는 좋은 대조를 이루었다. 나는 그 모습을 보고 이 부대가 매우 특별한 곳임을 처음 알았다.

나는 경비 초소에 인사 명령서를 보여준 후, 대대 단지 안으로 들어가 격납고 옆에 차를 주차시켰다. 나는 벤치 시트 저편으로 손을 뻗어 약모, 그리고 명령서가 든 마닐라 봉투를 움켜잡았다. 그리고 하차한 후 행정실로 들어섰다.

당직 장교는 "승함을 환영하네."라는 따스한 인사말을 건네며 나와 악수했다. 그는 나를 부대대장인 유진 발렌시아 중령에게 안내했다.

해군 부대에 새로 전입한 장병이 부지휘관부터 만나는 것은 해군의 관례다. 부대대장실로 안내된 나는 방문을 열고 들어가서 자기소개를 했다.

얼굴이 둥글고 몸매가 다부지며 머리가 살짝 벗겨진 부대대장은 제2차 세계대전 미 해군 제3위의 에이스 전투 조종사였다. 해군 전투 조종사 세계에서는 살아있는 전설 중 하나였다. 그는 1945년 4월 일본 본토 상공에서, 한 번의 전투에서 적기 6대를 격추한 적도 있었다. 종전 시 그가 자신의 F6F 헬캣 전투기에 그려넣은 격추 마크는 무려 23개에 달했다.

당시 나는 상처받은 마음을 숨기려는 짬찌 소위에 불과했다. 그런데 그런 내 앞에 서 있는 사람은 해군 십자 훈장 1개, 그리고 우수 비행 십자 훈장 6개를 수훈한 인물이었다. 나는 잔뜩 쫄았다. 그러나 발렌시아 중령의 태도는 거만함과는 거리가 멀었다. 그는 내게 인사를 건네며 편히 있으라고 권했다. 그의 긴장감도 허식도 없는 본성이 느껴지는 순간이었다. 이렇게 엄청난 성취를 이룬 사람을 이렇게 가까이서 쉽게 만날 수 있다니 믿어지지 않았다.

부대대장실에서 물러나오자, 당직 장교는 나를 격납고로 데려갔다. 그는 이 부대는 북미 방공 사령부(North American Air Defense Command, 이하 약칭 NORAD)의 구성부대로서, 24시간 경계 태세를 유지하고 있다고 알려 주었다. 이 부대는 미 해군 유일의 해안 방위 전투 비행대대였다. 이 부대는 명령계통도 특이했다. 해군 부대인데도 미 공군의 직접 작전 통제를 받고 있었기 때문이었다. 주야를 가리지 않고 언제나 조종사 2명이 긴급 발진 태세를 갖추고 있었다. 유사시 그들은 5분 만에 이륙이 가능했다. 대기실에는 더 많은 조종사들이 10분 대기조로 편성되어 있었다. 유사시 그들은 격납고의 항공기로 달려가 18번 활주로를 통해 이륙할 것이었다.

이것이 바로 당시 냉전의 실체였다. 미 본토에 가해지는 위협은 소련의 대륙간 탄도탄(intercontinental ballistic missile, 이하 약칭 ICBM)만이 아니었다. 핵 탑재 폭격기도 있었다. 제3차 세계대전이 발발할 경우, 소련 폭격기가 남 캘리포니아를 폭격하기 전에 격추시키는 것이 우리 임무였다.

해군은 우리에게 최고의 항공기와 전자 장비, 인원을 주었다. 매년 열리는 최우수 북미 방공 비행대대 선발대회에서 우승은 늘 우리 부대의 몫이었다. 매년 공군 소장이 노스 섬까지 직접 와서 상장을 수여했다. 공군이 주류가 된 합동사령부에서 해군 부대가 늘 최우수 부대로 인정받고 있는 것이었다. 이는 해군, 그리고 우리 VF(AW)-3에게 엄청난 자랑거리였다.

그날 저녁, 나는 조종사 대기실도 잠시 들여다 보았다. 비행복 차림의 조종사들은 허술한 자세로 쉬고 있었지만, 경보인 클랙슨 소리가 울리면 언제라도 뛰어나갈 태세를 갖추고 있었다. 당직 장교가 말했다.

"자네도 지급받은 비행 장구를 록커에 보관하게."

그러면서 그는 주격납고의 록커를 가리켰다. 그런데 내게 배정된 록커를 열어보니, 그 속은 다른 사람의 물건들이 있었다.

"뭔가 잘못된 거 같습니다."

당직 장교의 얼굴에는 당황한 기색이 역력했다.

"미안해. 비우는 것을 잊었군."

비운다고?

"자네 록커는 예전에 어떤 중위가 쓰던 거야. 그 친구는 좀 전에 사고로 죽었어. 자네는 그 친구 대신으로 온 거고. 록커 안에 있던 물건은 다 꺼내 버려. 그 친구의 나머지 유품은 이미 유족 분들에게 보내 드렸어."

나는 록커로 돌아가서 그 속의 물건들을 바라보았다. 당직 장교의 설명을 들으니 그것들이 예사롭게 보이지 않았다. 낡아빠진 티셔츠가 옷걸이에 걸려 있었다. 선반에는 싸구려 장신구와 화장품들이 있었다. 그 외에도 뭔가 특이한 것이 보였다. 맨 위 선반에서 누군가가 나를 보는 시선이 느껴졌다. 손을 뻗어 끄집어내니 그 시선의 주인은 작은 봉제 쥐 인형이었다. 키는 2인치(5cm) 정도였고 부드러운 회색 털과 꼬리, 큰 눈이 달려 있었다. 전투 조종사의 록커에는 어울리지 않아 보이는 물건이었다.

그 인형은 자식에게 주려던 선물이었을까? 비행 사고 때문에 전달하지 못하게 된 걸까? 혹은 그의 자식이 준 선물이었을까? 혹은 고향에서 기다리는 사람들을 생각나게 해 주는 행운의 부적이었을까? 만약 그렇다면, 그 부적은 제 역할을 제대로 못 한 셈이 된다. 생각하기 조차도 무서웠다.

갑자기 그 인형의 내력을 알고 싶지 않게 되었다. 나는 그 인형을 보고 자신의 태도를 돌아보게 되었다. 그 인형의 주인의 죽음에 비하면 내가 겪고 있던 문제는 모두 개인적이고 사소하게 느껴졌다.

티셔츠와 화장품은 버렸다. 그러나 쥐 인형을 버리려는 순간, 나는 인형을 다시 돌아보았다. 다른 사람의 쥐 인형을 버리려는 나는 대체 어떤 사람인가?

나는 쥐 인형을 내 비행 가방 주머니에 끼워넣었다. 록커에 내 장구를 넣는 동안, 만화 주인공스러운 인형의 눈은 헬멧 옆에서 나를 바라보고 있었다. 나는 선반에 레이밴 선글라스도 올려놓았다. 그리고 록커 문을 걸어잠근 다음 독신장교 숙소의 내 방으로 발걸음을 옮겼다. 그 곳에 짐을 풀어놓은 다음, 비행대대 조종사들을 만나러 대기실로 갔다.

어느 선배 조종사는 미소지으며 격의 없는 태도로 이런 환영 인사를 건넸다.

"미 합중국 공군 최우수 비행대대에 잘 왔네!"

어머니는 언제나 최상의 삶을 추구하라고 말씀하셨다. 실행과 전진. 말로는 참 쉽다. 그러나 지금 나는 나와 마찬가지로 비행에 대한 불타는 열정을 가진 사나이들과 함께 있다. 이들 모두 큰 성취를 이룬, 억세고 도전적인 A급 인재들이다. 이렇게 자신의 힘으로 타인의 존경을 받고, 의미있는 일을 해낸 사람들은 다른 어디에도 없다. 이들은 해군 최고의 조종사들이다. 그리고 그들은 나를 자신들의 일원으로 받아들이려 하고 있었다. 그날 밤, 나는 내가 속해야 할 부족을 찾았다. 그들은 나 역시 최고의 전투 조종사로 단련시켜 줄 것이었다.

제3장
해군 방식

1958년 6월, 노스 섬

긴급 발진 클랙슨 소리를 들은 우리는 바로 움직였다. 미식별기가 접근 중이었다. 18번 활주로로부터 불과 50야드(45m) 떨어진 곳에는 우리 항공기 5대가 긴급 발진 대기 중이었다. 그 조종사들 역시 대기실에서 커피를 마시며 에이시 듀시 게임을 즐기며 이 순간을 기다리고 있었다. 그날 나 역시 그 중의 한 사람이었다. 클랙슨 소리가 울리자마자 우리 조종사들은 비행 대기선까지 전력 질주했다. 조종사들은 항공기 조종석에 오른 다음 18번 활주로로 유도 주행한 다음 이륙하여 끝없이 상승했다.

우리 대대의 운용 기종의 비공식 별칭은 <포드>*였고, 공식 명칭은 (더글러스 사제) F4D 스카이레이였다. 전설적인 항공기 설계사 에드 하이네만이 설계했다. 수평꼬리날개가 없는 공기역학적 걸작품이었다. 공상과학 영화 속

* Ford. 형식 명칭인 F4D의 숫자 4가 영어로는 four이므로, F-four-D가 된다는 데서 유래한 영어식 말장난.-역자주

에서 바로 튀어나온 것처럼 생겼다. 기수는 미사일을, 날개는 박쥐 날개를 닮았다. 매우 화끈한 항공기였기 때문에, 우리 대대에서는 이걸 탈 자격을 얻으려면 일단 구형인 F3D 스카이나이트 기종으로 300시간을 비행해야 했다. 게다가 1인승기라 레이더 조작 및 속도 절차도 혼자서 배워야 했다.

프랫 앤 휘트니 사제 J57 엔진의 굉음을 온 몸으로 느끼며 계기를 점검했다. 속도가 140노트(시속 260km)에 도달하자, 나는 항공기에 약 30도의 상승각을 주었다. 착륙장치를 올린 다음, 표적을 찾기 위해 정해진 벡터로 기수를 돌렸다. 모든 것이 정상적이었다. 스카이레이는 고향을 그리워하는 천사처럼 상승을 계속했다.

나는 조종간을 계속 당겨 상승 각도를 30도에서 60도로 바꾸었다. 수직 상승에 가까워지자, 나는 완벽한 상승 속도를 내기 위해 후기 연소기를 작동, 항공기의 속도를 높였다. 나는 이륙 후 불과 55초만에 고도 10,000피트(3,000m)에 도달했다. 눈 앞에는 소리 없이 떠 있는 별들이 보였다.

이륙 후 2분 36초만에 내 고도는 50,000피트(15,000m)가 되었다. 태평양 상공에서 이만한 고도에 올라오면, 날씨만 좋으면 로스 앤젤레스 훨씬 북쪽의 시에라 네바다 산맥이 보인다. 동쪽으로는 아리조나 주 유마를 지나가는 콜로라도 강도 보인다.

그날 밤, 표적은 내 전방의 낮은 고도 어딘가에 있었다. 라구나 산 레이더 기지, 노튼 공군 기지의 수동 항공 방향지시 본부가 나를 표적으로 유도해 주었고, 결국 나는 내 항공기에 탑재된 탐지 장치로 표적을 발견할 수 있었다. 스카이레이의 기수에는 비밀로 취급되던 레이더가 있었다. 이 레이더는 후드가 달린 원형 음극선관 화면으로 탐지 결과를 출력했다. 주간에 그 장비를 쓰려면 조종사는 몸을 앞으로 숙이고 눈을 후드에 갖다 대야 좌우로 움직이는 레이더파를 볼 수 있었다. 비행 중에 피해야 할 위험한 행동으로 보이는가? 하지만 우리는 익숙해졌다. 웨스팅하우스 사는 자세 자이로에 연결된 선회 및 횡전 지시계를 만들었고, 이 지시계의 측정값 역시 레이더 화면에 출력된다. 때문에 우리는 눈을 레이더 화면에 고정시킨 상태에서도 항공기를 제대로 조종할 수 있었다. 레이더 제어장치는 스로틀 바로 뒤에 있었으므로, 오른손으로는 조종간을, 왼손으로는 레이더를 제어할 수 있었다.

후기 연소기 덕택에 우리는 불과 몇 분 만에 표적에 도달했다. 강력한 레이더 덕택에 가시거리 한참 밖에 있는 표적을 발견할 수 있었다. 레이더 화면에 표적이 보이자 나는 록온(lock on: 레이더 조준) 절차를 시작했다. 레이더 화면에는 작은 원도 나타났다. 조종사는 그 원을 표적을 나타내는 점 위로 옮기기만 하면 된다. 그것으로 표적이 사거리 내에 들어오자마자 사격을 할 준비가 완료된다. 수십 발의 2.7인치 무유도 로켓을 표적에 발사하는 것이다.

스카이레이 항공기가 엘 세군도의 더글러스 항공기 제작사 공장에서 처음 나왔을 때는 4문의 기관포가 달려 있었다. 포당 탄약 탑재량은 65발이었다. 그러나 무유도 로켓탄과 열추적 공대공 미사일이 나오자, 해군은 기관포가 쓸데 없이 무겁기만 한 장비라고 생각했다. 기관포는 제거되었고, 포구에는 페어링을 덮었다. 이제 단추 전쟁의 시대가 열린 것이다.

평시 요격때는 언제나 표적을 육안 식별해야 했다. 그날 밤에도 나는 육안 식별을 위해 표적을 향해 강하했다. 대부분의 경우와 마찬가지로, 이번의 미식별기 역시 미국으로 오는 민간 여객기였다. 나는 여객기의 승객들이 나를 볼 수 있을까 궁금해하며 여객기를 따라 몇 분 간 함께 날았다. 내 항공기의 항법등은 꺼져 있었으므로, 여객기에 탄 사람들이 내 항공기를 봤다고 해도 유령 같은 외곽선 말고는 아무 것도 보이지 않았을 것이다.

이 항공기는 우리나라에 아무 위협이 되지 않았다. 임무 목표는 달성되었다. 노스 섬으로 돌아갈 시간이다. 이 항공기의 후기 연소기는 50,000피트(15,000m) 고도까지 올라오는 데 무려 3,000파운드(1.35톤), 부피로 치면 461갤런(1,744리터)의 연료를 소비한다. 우리 항공기는 빨랐다. TV 드라마 <버크 로저스>의 메카닉과도 견줄 수 있을 정도였다. 그러나 항속거리는 변변치 않았다. 날개 아래에 2개의 외부 연료 탱크를 달아도 말이다. 이 항공기는 단거리 주자였다. 우리가 결코 마주 대하기를 원치 않는 위협에 대응하기 위해 달리는.

노스 섬으로 기수를 돌려 착륙 패턴으로 이행하면서 델 코로나도 호텔 상공을 지나쳤다. 해변 상공을 날 때면 언제나 그 호텔의 수영장을 보곤 했다. 스카이레이로 최종 접근 시에는 최대한 주의를 기울여야 했다. 완벽히 균형이 잡혀 안정적인 T-버드와는 달리, <포드>는 상당히 불안정했다. 이러한 불안정성 때문에 기동력과 횡전 속도가 매우 뛰어난 것이다. 하지만 절대 초보자용 기체는 아니었다. 이 항공기는 항공모함에 착함시키기도 어려웠다. 때문에 너겟들은 구형 항공기로 충분한 조종 시간을 쌓아야 <포드>의 조종 자격을 얻을 수 있었다.

기수를 30도로 들고 착륙을 시도할 때는 시계가 그리 좋지 못하다. 유감스럽게도 스카이레이는 기수를 그만큼 들고 착륙해야 한다. 때문에 에드 하이네만은 바퀴가 달린 접이식 테일 스키드를 이 항공기에 만들어 넣었다. 이 스키드는 착륙장치를 내릴 때 함께 내려온다. 정상적으로 착륙할 경우 이 스키드가 활주로에 제일 먼저 닿는다. 그 다음 뒷바퀴, 마지막으로 앞바퀴가 활주로에 닿는다.

활주로 끝의 유도등을 발견했다. 유도등은 가로등을 과잉발육시킨 것 같은 큰 목제 받침대에 매달려 있다. 나는 유도등을 볼 때는 각별히 주의를 기울였다. 유도등이 조종사를 잘못된 방향으로 현혹시킬 수도 있기 때문이다. 특히 안개 낀 밤에는 더 그렇다. 나는 항공기 기수를 활주로 중심선에 일치시키고 계기를 한 번 살핀 다음 스로틀을 당겼다. <포드>는 지상 관제 레이더 화면 속 활주로의 중심선을 향해, 착지할 때까지 활공했다.

내가 VF(AW)-3에 전입 온 지 2개월이 되던 때였다. 그 때 집에 있던 나는 한밤중에 전화를 받았다. 즉각 노스 섬으로 복귀하라는 명령이었다. 당시 나는 동료 조종사 여러 명과 함께 기지 인근 코로나도의 집을 빌려 거주하고 있었다. 대대 단지로 들어가 보니, 내 친구이기도 했던 어느 중위가 짙은 안개 속에서 착륙 중 방향감각을 잃고 유도등에 충돌했다는 것을 알게 되었다. 그가 탄 F4D 항공기는 폭발했고, 그 중위는 즉사했다. 대대장은 나를 사고 조사

부담당관으로 임명했다. 이로서 나는 대대장, 군종 장교와 함께, 중위의 미망인에게 순직 소식을 전달하는 임무도 맡게 되었다.

순직자의 집 앞에서 슬픈 시간을 보낸 후, 나는 오전 중 활주로의 잔해를 치우기 위해 기지로 돌아왔다. 29년의 군생활 동안 했던 것 중 최악의 어려운 임무였다. 잔해 제거 중에는 전우의 유해 발굴도 포함되었다. 우리는 수시간 동안이나 산산조각 난 전우의 유해를 수습했다. 전우의 아내와 아이들을 머릿속에서 지울 수 없었다.

그의 죽음 때문에 나는 야간 착륙 접근 때는 극도로 주의를 기울였다. 악천후 시에는 더욱 주의를 기울였고 말이다. 해가 지고 나면 육지에서 노스 섬 쪽으로 짙은 안개가 밀려온다. 그 안개 때문에 착륙시 시정은 0에 가까워진다. 착륙 난이도가 매우 높아진다. 안개가 너무 짙어 노스 섬 착륙을 포기하고 엘 센트로 또는 다른 공항으로 가는 경우도 있다. 그 친구도 안개 때문에 죽은 것이다. 마지막 순간 안개 때문에 방향 감각을 잃은 그는 유도등 지주를 들이받았다. 듣는 이들에게 경종을 울리는 비극적인 일이 아닐 수 없었다.

스카이레이 항공기는 미래형 무기였다. 제대로만 조작한다면 가시거리 밖에 있는 소련 폭격기도 격추할 수 있다. 몇 달만 기다리면 이 항공기에도 가시거리 밖 교전 능력이 부여될 것이었다. 두 가지 첨단무기가 이 항공기에 장착되기 때문이다. 그것들은 다름아닌 사이드와인더, 스패로우 공대공 미사일이었다. 제1세대 유도탄들이었다. 공식 명칭이 AIM-9인 사이드와인더는 적외선 센서를 사용하여 적을 추적, 격파한다. 더 사거리가 긴 스패로우는 레이더 유도식이다.

1958년 9월, 우리 동맹국 대만 공군은 사이드와인더를 실전 사용했다. 그들은 낡은 F-86 세이버 전투기에 사이드와인더를 탑재했다. 그들에 맞서는 중국 공군은 F-86보다 더욱 신형 기체인 소련제 MiG-17 프레스코를 사용하고 있었다. 때문에 대만 공군은 사이드와인더를 도입하기 전까지 중국 공군에 맞서 고전할 수밖에 없었다.

1958년 9월 24일, 대만 공군 조종사들은 항공전 사상 최초로 미사일을 이용한 격추 기록을 남겼다. 사이드와인더 미사일은 중국 공군에게 큰 충격을 주었다. 사이드와인더로 MiG-17 10대를 격추당하고 나서야 전투는 끝이 났다. 이 날의 전투는 미국이 1950년대 내내 미사일 기술 개발에 엄청난 투자를 했던 것이 결코 헛짓이 아니었다는 확실한 증거였다. 물론 전투 중에는 전혀 예기치 못한 일도 발생한다. 그 날, 어느 MiG-17의 날개에 박힌 사이드와인더가 폭발하지 않았다. 그 MiG기는 기체에 사이드와인더가 박힌 채로 안전하게 착륙했다. 그리고 소련은 그 기체에서 수거한 사이드와인더를 분석하여, 미사일에 적용되었던 미국 1급 비밀 기술의 역설계에 불과 몇 주만에 성공했다. 그리고 나서 몇 년 후, 베트남 전쟁에서 북베트남 군은 소련이 개발한 사이드와인더 카피판을 쏴댔다. 이 카피판을 미국에서는 AA-2 <아톨>이라고 부른다.

사이드와인더가 서전에 대승을 거두자, 미 국방부와 미 공군, 해군은 장거리 미사일 기술 개발에 심혈을 기울였다. 제1차 세계대전에서 붉은 남작(독일 육군 항공대의 에이스 조종사 만프레트 폰 리히트호펜의 별칭-역자주)이 벌였던 근접 공중전(dogfight)은 구시대의 것이 되었다. 이제는 적기를 격추하기 위해 수백 피트까지 접근할 필요가 없었다. 근접 공중전 가능 거리 훨씬 밖에서도 적기를 향해 미사일 사격이 가능했다. 국방부의 천재들은 근접 공중전의 시대는 끝났다고 선언했고, 해군과 공군도 여기에 동의했다. 신세대 전투기들은 미사일을 싣는 파일런은 여러 개 있었으나, 기관총은 전혀 실려 있지 않았다. 왜 귀한 기내 공간에 그런 무거운 고물딱지를 싣는단 말인가?

우리 비행대대의 지휘참모진들은 제2차 세계대전과 6·25 전쟁 참전 용사들이었다. 그들이 겪었던 실전은 레이더를 갖고 하는 <버크 로저스>식 전투보다는, 붉은 남작의 근접 공중전에 더욱 가까웠다. 우리 부대대장인 에이스 파일럿 유진 "제노" 발렌시아 중령만큼 내게 큰 영향을 준 사람은 없다. 그는 대대의 신임 조종사들의 사부였다. 근무가 끝나면 우리는 장교 회관인 <항공기지 1호 바>에 모여 놀며 잡담을 하곤 했다. 그 때 그는 태평양에서 일본군과 싸웠던 무용담을 때때로 털어놓곤 했다. 어린 너겟이었던 나는 그 이야기를 아주 재미있게 들었다. 1957년, 제노는 나를 멕시코 바하 칼리포르니아 주 로사리토 해안에서 열리는 해군 조종사 모임에 데려갔다. 모임의 이름은 <테일후크 컨벤션>이었다. 제노의 전속부관 역할을 맡은 나는 스카치가 가득 든 옷가방을 날랐다. 그 자리에 가니 해군 항공대의 전설적인 조종사들로부터 다채로운 무용담을 들을 수 있었다. 제노는 나를 포함한 여러 초급 장교들을 미국 에이스 전투 조종사 컨벤션에 데려간 적도 있었다. 그 자리에는 제2차 세계대전의 에이스 전투 조종사들이 나와서 무용담을 늘어놓았다. 나는 두 눈을 똥그랗게 뜨고 그들의 이야기에 집중하면서, 내가 적용할 수 있는 교훈을 찾았다. 나 뿐 아니라, 거기 간 동료 초급 장교들 모두가 그들의 가르침을 하나도 빠뜨리지 않고 머릿속에 넣었다. 거기 있던 모든 에이스 조종사들은 일본군 제로 전투기 및 공산군 MiG 전투기와 싸워 이긴 이들이었다. 우리도 그들처럼 되고 싶었다!

그들은 태평양 전쟁 중, 기동성이 더욱 뛰어난 일본 전투기와의 근접 공중전을 회피하는 비법을 체득하고, 그 방법을 우리에게도 설명해 주었다. 적기의 기동성이 더 뛰어날 경우, 근접 공중전에 들어가면 쉽게 꼬리를 잡힌다. 때문에 적기에 접근한 후 사격을 가하고 바로 도망가는 방법을 사용했다. 이를 간단하게 말하면 <일격이탈>이라고 한다. 미군 조종사들은 이 기술을 2대 1조로 구사했다. 요기(僚機, 분대 또는 편대에서 장기의 지휘를 받는 항공기-역자주)는 장기(長機, 분대 또는 편대의 장을 맡아 다른 항공기들을 지휘하는 항공기-역자주)의 후방으로 적기가 파고들지 않도록 엄호해 주면, 장기는 언제라도 요기를 향해 선회하여, 뒤를 좇아오던 적기의 면상에 기관총을 쏠 준비를 하면서 움직이는 것이었다.

내 편대장인 빌 암스트롱은 6·25 전쟁에서는 이 전법이 역효과를 낳는 경우도 있었다고 했다. 공산군의 MiG-15에게 그런 전법을 썼다가는 되려 격추당할 수 있다는 것이었다. MiG-15는 6·25 전쟁에서 해군이 썼던 F9F 팬서보다 최대속도와 최대고도 면에서 우월했다. 하지만 그 점 때문에 팬서는 2차원 선회 전투시에는 MiG-15보다 더 우월했다. 간단히 말해 MiG-15보다 기동성이 좋았다는 것이다. 그래서 불과 6년만에 해군의 공중전 전술은 바뀌었다. 일격이탈 전술은 사라지고, 급선회를 통한 근접 공중전을 하게 되었다.

미사일 시대가 되자 상황은 또 한 번 바뀌었다. 이제 조종사들은 지상 통제사의 지시대로 특정 지점까지 비행한 다음, 표적을 레이더 조준하고 미사일 발사만 하면 된다고 해군은 믿었다. 더 이상 육감에 의존한 근접 공중전은 없다고 생각했다. 기술은 혁신을 약속했다.

원래 전투 조종사는 해야 하는 역할이 많았다. 표적을 파괴하러 가는 아군 폭격기 편대 엄호, 적 폭격기 및 호위 전투기 요격 등도 있다. 또한 적 항공세력에 대한 수색 섬멸전도 해야 한다. 전투기를 이용한 폭격 임무도 있다. 최전선의 아군 지상군을 지원하기 위해 적 지상군에게 네이팜 탄을 떨어뜨리는 것이다. 물론 전투기의 주임무는 적 항공세력을 섬멸하여 아군 항공기의 안전 운항을 보장하는 것이지만, 그 외에도 못하는 임무가 없는 만능 선수인 셈이다. 그리고 그 모든 임무에 근접 공중전이 포함되어 있다. 그러나 해군은 장거리 레이더 요격을 통해 이 모든 전술이 구시대의 것이 되었다고 결론지었다. 미사일을 갖춘 전투기는 표적에 가까이 접근할 필요가 없이, 원거리에서 표적을 파괴할 수 있다는 것이다. 레이더 화면을 보고, 적을 조준하고 미사일을 쏘기만 하면 된다는 것이었다. 폭격 임무 역시 공격 전용기를 보유한 공격비행대대에게 넘어갔다.

한 다리 건너면 모르는 사람이 없을 정도로 서로 긴밀했던 해군 조종사들 중에는, 이러한 해군의 정책을 좋아하지 않는 사람도 있었다. 옛날 방식을 선호하던 사람들은 "과연 항공전은 본질적으로 변화했는가?"라고 반문했다. 해군의 정책 변경에는 또다른 이유도 있음이 나중에 드러났다. 바로 예산이었다. 1950년대 중반이 되자 6·25 전쟁식 근접 공중전 훈련은 비용이 많이 들고 위험하다는 것이 드러났다. 활주로를 박차고 아음속으로 고도 50,000피트(15,000m)까지 솟아올라 훈련하는 것은 기골에 무리를 심하게 주었다. 안전상의 이유로 모든 항공기는 그 운용 수명이 비행 시간 단위로 정해져 있다. 항공기를 제작하는 방산업체는 항공기 폐기 전까지 일정한 운용 수명을 견딜 수 있다고 보증한다. 그러나 국방부의 일부 회계사들은, 근접 공중전 훈련에 사용되어 높은 G(Gravity, 중력 가속도)를 받은 항공기는 간단한 요격 임무에만 사용된 항공기보다 최소 5배는 더 빨리 노화된다는 결론을 냈다. 근접 공중전 훈련은 인명 사고의 위험성도 높았다. 복잡하게 기동하는 근접 공중전 훈련 중에는 조종사들이 실수를 할 가능성도 높았다. 조종사가 영역선도(envelope, 항공기의 규정된 성능 및 무게 중심의 영역 범위) 이상으로 위험하게 기체를 조작하다가 통제 불능의 스핀**에 빠지거나, 다른 항공기와 공중 충돌해서 죽을 수도 있다. 비행기만 못쓰게 된다면 속은 쓰리지만 납득할 수도 있다. 그러나 다년간 잘 훈련된 조종사의 손실은 참을 수 없었다.

그래서 내가 VF(AW)-3에 근무하는 동안, 예전의 전법은 불법이었다. 공식 명칭이 공중전 기동(air combat maneuvering, 이하 약자 ACM)인 근접 공중전은 금지되었다. 내가 다른 부대로 떠나기 1년 전인 1960년, 해군은 아리조나 주 유마에 있던 함대 항공대 공중 사격 학교(Fleet Air Gunnery Unit, 약자로 FAGU)를 폐교했다. 이 학교는 조종사들에게 근접 공중전을 가르치던 마지막 장소였다. 이후 공중전 기동은 금지되었다. 해군 항공기로 공중전 기동을 하다가 적발되면 강제 전역당할 수도 있었다.

근접 공중전 금지령으로 우리 비행대대는 3개 파로 나뉘었다. 우선 첫 번째 파는 두 차례의 전쟁에 참전해 전우들의 죽음을 경험했던 대대 지휘참모진이었다. 그들은 해군의 정책 변경을 도저히 이해할 수 없었다. 다만 가족과 헤어져 수년 씩이나 함대 근무를 했으므로, 이제 늦게나마 좋은 남편이자 아버지가 되고자 했다. 또한 정년퇴직이 멀지 않았으므로, 우리 너겟들에게 자신들의 경험을 전달해주어 차세대의 지휘관으로 육성하는 좋은 스승 역할에 만족했다. 그들은 이제 비행에 관한 것은 어지간해서는 다음 세대에 다 넘기려 했다.

두 번째 파는 새로운 정책을 충실히 따르는 초급 장교들이었다. 그들은 절

** 한 쪽 날개에서는 양력을 발생시키는데, 다른 쪽 날개는 실속을 일으킨 상태의 비행 기동. 방치하면 항공기는 요잉을 일으키면서 추락한다.

대 근접 공중전을 하지 않았다. 스카이레이를 영역선도 근처까지도 몰고 가지 않았다.

세 번째 파인, 말 없는 젊은 호랑이들의 생각은 또 달랐다. 나도 세 번째 파의 일원이었다. 그리고 우리는 해군의 정책 변경에 맞서 뭔가 일을 벌이기로 했다.

제4장

파이트 클럽

1959년, 캘리포니아 주 샌 클레멘트 섬 앞바다

아버지 차의 열쇠를 처음으로 넘겨받았던 순간을 기억하는가? 혹은 폐차를 상당한 시간을 들여 고쳐서, 남들 앞에서 그 성능을 뽐내본 적이 있는가? 1950년대의 고교생 자동차 마니아들은 어디서 길거리 경주 대회가 열리는지 늘 훤히 아는 것 같았다. 남 캘리포니아에는 폐쇄된 군 항공 기지들이 많았다. 그 기지들의 활주로는 기가 막힌 드래그 레이싱 경기장이 되어 주었다. 그러면 사람들은 금요일 밤마다 자신들의 애차에 타고 그 기지로 모여든다. 그런 활주로조차 철거된 지 수십년이 지난 후에도, 아마추어들의 자동차 경기는 더욱 활성화 되었다. 영화 <분노의 질주>에도 잘 나와 있다. 물론 그런 경기는 단 한 번도 공식 조직된 적은 없다. 점심 시간에 아는 사람들끼리 얘기해서 정해진 시간과 장소로 나오기로 약속하는 것이다. 입에서 입으로, 알음알음.

당시 우리 조종사들도 초음속 전투기를 가지고 그 비슷한 짓을 하고 있었다. 캘리포니아 해안 앞바다, 샌 디에고에서 서쪽으로 80마일(148km) 떨어진 캘리포니아 앞바다에는 출입 통제된 공역이 있다. 이 공역은 샌 클레멘트 섬 상공까지 뻗어 있다. 군용기만 출입 가능하다. 항공 교통 관제사들은 이 공역을 <위스키 291>이라고 부른다. 이 공역은 남 캘리포니아에 주둔한 미 해군 비행대대의 훈련장이었다. 또한 우리의 놀이터이기도 했다.

어느 날, 근무가 끝나고 샌 디에고의 술집을 찾았던 나는 이 곳에서 불법적인 근접 공중전 훈련이 매일 진행된다는 소식을 처음 들었다. 그 술집이 어딘지 정확히 기억은 안 나는데, 아마 <호텔 델 코로나도>나, 아니면 우리가 테킬라를 즐겨 마시던 멕시코 식당이 아니었나 싶다. 노스 섬 장교 회관이나 대기실에서 들은 건 분명 아니었다. 그런 곳은 듣는 귀가 너무 많기 때문이다.

우리는 거의 언제라도 자유롭게 비행할 수 있었다. 우리 비행대대에는 항공기도 많았고, 지휘관들은 조종사들에게 가급적 많이 비행할 것을 독려하고 있었다. 언제나 우리는 뭐라도 비행할 구실을 찾아내곤 했다. 어떤 때는 주말에 크로스컨트리 항법 비행을 하며 항공기의 성능을 측정하기도 했다. 나는 항공기를 타고 텍사스도 가고, 오클라호마나 아리조나에도 갔다. 동료 조종사인 돈 할이 피닉스에서 결혼식을 올렸을 때, 나는 결혼식에 참석하기 위해 <포드>를 몰고 피닉스에 가기도 했다. 요즘 해군에서는 상상도 못 할 짓이었다.

그러나 고금을 막론하고 한 가지 확실한 것은, 어떤 기술이건 실습을 해 봐야 는다는 것이다. 비행을 위해 사는 우리도, 한 기종을 아주 많이 조종해 봐야 그 조종 기술을 확실히 익힐 수 있다. 때문에 우리는 미국으로 오는 민간 여객기를 가상 적기 삼아 요격 훈련을 하고, 비행 중 항공기에 문제가 생겼을 때의 응급 대처법도 훈련했다. 내가 해군에서 제일 존경하는 인물은 옛날식 비행 기술을 터득한 고참 조종사들이었다. 나도 그들의 기술을 배워, 유사시 내 진짜 실력으로 적기와 맞서고 싶었다. 동구권 국가들의 전투 서열을 보면, 제3차 세계대전 발발 시 적은 수적으로 우리 군을 압도한다는 것을 알 수 있었다. 때문에 유사 시 우리는 항공기를 가지고 좀비 아포칼립스 영화 속 주인공처럼 싸워야 할 것이다. 그런 영화에서 처음에는 원거리 무기인 저격총을 가지고 적을 죽인다. 마찬가지로 우리 역시 유사시에는 미사일부터 사용할 것이다. 그러나 미사일을 다 쓰고 나도 일부 적들은 살아남아 계속 돌격해 올 것이다. 그리고 적들이 우리 멱살을 잡아 흔들 때쯤에는 저격총은 이미 적합한 무기가 아니다.

우리 역시 미사일이 다 떨어지고 나면 어떻게 해야 할 것인가? 우리가 타던 <포드>에는 기관총이 없었다. 그리고 우리는 근접 공중전의 승리 비법을 배우지 못했다. 승리를 위한 중요한 도구 중 하나가 없는 것 같은 느낌이었다.

1주일간의 지루한 대기조 생활이 끝난 어느 금요일 오후였다. 나는 정비소에 가서 <포드> 한 대를 내어 달라는 서류에 서명했다. 술집에서 획득한 정보에 따르면, 칵테일 파티를 하기 전까지의 그날 오후야말로, 우리 항공기의 성능을 실전과 같은 훈련을 통해 검증하기에 최적의 시기라고 했다.

나는 노스 섬을 이륙하여 서쪽으로 기수를 돌려 위스키 291을 향했다. 이 훈련에 관한 여러 불문율을 마음에 되새기면서 말이다. 그중 한 가지는 하드데크로도 불리는 최저 비행 고도로, 5,000피트(1,500m)로 정해져 있었다. 훈련에 참가한 기체 중 하나라도 이 고도 아래로 내려가면 그 시점에서 훈련은 종료였다. 이 규정은 안전을 위한 것이었다. 항공기의 고도가 5,000피트 이상이어야 스핀을 일으켜도 회복 가능하기 때문이다. 그 외에는 마치 서부 개척 시대와도 같았다. 해당 공역에서 다른 군용기를 발견하면, 수신호로 상대의 의사를 물어본 다음, 서로 마음이 맞으면 근접 공중전 훈련이 시작되는 것이었다. 그리고 위스키 291에서 있었던 모든 일은 밖에서 발설하면 안 된다. 함께 훈련했던 조종사들끼리 만나 술을 마시며 이야기할 때 말고는 말이다. 이곳의 훈련에는 귀환정보보고도, 보고서도, 다른 어떤 서류 작업도 없다.

이 <파이트 클럽>에 가입함으로써, 우리는 전투 조종사의 투혼을 유지할 수 있었다. 노스 섬에서 나와 동거하던 VF(AW)-3의 초급 장교 5명 중 3명이 이곳에서의 훈련을 좋아했다. 이후 수개월 간 우리는 여기서 수많은 시간 동안 다른 부대에서 온 항공기들과 근접 공중전 훈련을 했다. 정말 재미있으면서도 중요한 일이었다. 이것이야말로 해군 조종사의 생득권을 보전하는 일이었기 때문이다.

거기 처음 갔을 때 나는 눈 앞에 펼쳐진 광경을 보고 놀랐다. 해병대의 A-4 스카이호크, 주방위 공군의 F-86L, 공군의 F-100 슈퍼 세이버, 그 외에 F-8 크루세이더를 몰고 나온 다수의 해군 조종사들도 있었다. 노스 섬에서 출격한 <포드>도 여러 대 있었다. 이곳에 대한 소문은 해군을 넘어 타군에까지 널리 퍼졌다. 여러 군의 조종사들이 함께 모여 이곳에서 훈련에 열을 올린 것은, 해군뿐 아니라 타군에서도 근접 공중전 훈련을 없애는 방향으로 나아가고 있었기 때문이다.

훗날 나와 함께 <탑건>을 창설한 멜 홈즈는 당시 우리 단지에서 격납고 몇 개를 더 가야 있는 다목적 비행대대에서 복무하고 있었다. 멜 역시 위스키 291에서의 훈련을 좋아했다. 당시 나는 멜과 모르는 사이였다. 하지만 우리 둘은 분명 거기서 최소 한 번쯤은 서로 각축전을 벌였을 것이다.

처음에는 요령을 익히는 것부터 시작했다. 일단 상대방을 고른 다음, 서로 평행하게 날면서 새처럼 날개를 흔든다. 상대방 조종사가 미소를 지으며 손을 흔들면, 서로 반대 방향으로 45도씩 급선회(break)한다. 급선회란 횡전을 하면서 선회하는 것이다. 왼쪽에서 비행하던 항공기는 왼쪽으로 45도, 오른쪽에서 비행하던 항공기는 오른쪽으로 45도 선회한다. 그 상태로 한동안 계속 비행하면서 두 항공기의 거리를 수 마일 정도 벌린 다음, 본격적인 훈련이 시작된다.

두 항공기는 상대방을 마주보면서, 스로틀 레버를 밀어 가속한다. 잘 모르는 사람이 보면 마하 1급 전투기들끼리 공중에서 치킨 게임을 하는 것 같을 것이다. 서로 가까워지던 두 항공기는 결국 근거리에서 서로 스쳐지나가게 된다. 이를 조종사들의 말로 머지(Merge)라고 부른다. 두 항공기 간의 상대 속도는 시속 1,000마일(1,852km) 이상에 달한다. 따라서 머지의 순간은 몇 분의 1초에 불과하다. 충돌을 피하기 위해 두 항공기는 급선회해 멀어진다. 상대에게 처음으로 자신의 최상의 기동을 보여주는 것이다. 이로서 근접 공중전은 시작이다.

머지 이후에 벌어지는 일에 대해서는 구태여 설명할 필요가 없다. 상대방의 기동에 대응해, 가급적 최상의 전투 기동을 벌이는 것이다. 이 싸움에서 가장 중요한 것은 추력이다. 추력이 있어야 전투 고도 위로 상승했다가, 더 큰 에너지를 가지고 급강하 공격을 벌일 수 있다. 추력이 높아야 더 좁은 선회반경을 낼 수 있고, 대기 속도를 오래 유지할 수 있다.

<포드>의 추력은 수 톤에 달했다. 민첩하고 빠르고 만만치 않은 표적이었다. 항공기를 영역선도까지 몰고 가면 조종사의 몸에서는 아드레날린이 마구 뿜어져 나온다. 한 두 번만 급선회하면 대개 승패는 정해진다. 근접 공중전이 5분 이상 끄는 경우는 거의 없다. 몇 분의 1초만에 승패가 정해지는 공중전의 세계에서, 5분은 그야말로 영원과도 같은 시간이다.

6시 방향에 들어간 상대 항공기를 도저히 떨쳐낼 수 없으면, 패배한 것이다. 그것을 인정할 경우 패배자는 날개를 흔든다. 그리고 이긴 항공기 옆에 가서 나란히 비행한다. 가끔씩은 산소 마스크 속에서 미소를 지으며 상대에게 손을 흔들어 격려했다. 멋진 싸움이었다. 친구! 가끔씩은 두 조종사가 눈을 맞추고, 패자는 승자에 대한 질시의 눈빛을 보내기도 한다. 세상 어디를 가도 나보다 잘난 사람은 꼭 있다. 그러나 거기 갈 때마다 나는 지거나 이기거나 하면서 성장해 나갔다.

그런 훈련은 상당한 신체 지구력을 요했다. 고난이도 기동을 할 때마다 조종사의 몸은 높은 중력가속도를 받아 조종석에 쑤셔 박힌다. 거기 간 첫날, 훈련이 끝나고 너무 피곤했다. 그러나 나는 그 피로에 중독되었다. 그 공역이야말로, 세상의 그 어떤 장소보다도 살아 있음을 강하게 느낄 수 있는 곳이었다. 거기서 오는 황홀감은 이루 말할 수 없이 셌다.

그 이후, 나는 기회만 있으면 항공기를 몰고 위스키 291에 가서 훈련했다. 나는 싸움의 기술을 배우고 싶었다. 그리고 나보다 더 경험 많은 조종사와 대련하는 것이야말로 배움의 지름길이었다. 이건 훈련이니까 져도 죽을 일은 없고 또 배울 기회가 있다. 그러나 동료들 중에는 패배를 죽음보다도 싫어하던 사람들이 있었다. 나는 바로 그런 사람들을 찾고 있었다. 우리는 항공기의 성능을 최대한 끌어냈고, 어떤 때는 항공기의 영역선도 이상까지 몰아부쳤다.

서로 다른 기종의 항공기들끼리 훈련을 할 경우, 어느 기종의 추력과 기동력이 더욱 뛰어난지를 겨루는 것으로 훈련의 목적이 변질되는 경우도 있었다. 두 조종사 모두 조종간을 끝까지 잡아당기고 최대한의 추력을 내서 선회 반경을 좁혀 상대방을 이기려고 했다. 우리는 "항공기가 진동을 일으킬 정도로 조종간을 심하게 당기는 조종사가 가장 저돌적이다."라고 얘기하곤 했다. 어떤 항공기는 잠시나마 실속을 일으킬 지경까지 갔다가 회복되기도 했다. 그 지경까지 가면 먼저 좌석과 조종간을 통해 감각이 전해져 온다. 그러다가 항공기 전체가 진동을 일으킨다. 그래도 계속 조종간을 당기고 있으면 항공기는 실속을 일으키고, 급횡전을 하여 뒤집어진 다음 추락하기 시작한다. 실전에서 그러면 적기에 의해 격추당하기 딱 알맞다. 가장 뛰어난 조종사는 항공기가 실속을 일으키지 않는 한계를 알고, 그 한계를 넘지 않는 사람이다. 공중에서는 사소한 차이가 승패와 생사를 가른다.

나는 이 공역에서 두 대의 항공기가 후기 연소기를 켜고 로켓처럼 수직상승하면서 격투전을 벌이는 것을 여러 차례 보았다. 두 항공기는 모두 성능의 한계에 몰려 역 스핀을 일으켰다. 항공기의 날개가 더 이상 양력을 생산하지 못하고, 항공기가 지면으로 떨어져 내려가면서 엔진 배기연이 항공기 하면과 기수 뒤에서 뿜어져 나오는 것이 그 증거다. 위험한 순간이다. 그러나 7~8바퀴 돌고 나면 회복이 가능하다.

이런 근접 공중전 훈련을 통해 나는 공중전의 기본을 배웠다. 우선 시야에서 적을 놓치면 절대 안 된다. 안 보이면 진다. 그리고 감당도 안 되면서 수직상승해서는 안 된다. 즉, 상승하기에 충분한 엔진 추력이 있고, 적이 나를 쫓아오면서 사격을 가할 수 없을 때만 수직 상승하라는 얘기다. 선회전은 뒷골목 싸움과도 같다. 맞붙는 항공기들의 성능이 비슷하면 승부는 조종사의 기술과 저돌성에 달렸다. 보통 항공기를 공기역학적 한계까지 몰아부칠 담력이 있는 조종사가 이긴다.

이기려면 조종사는 항공기와 일체가 되어야 한다. 지평선 및 수평선이나 지상을 보고 자신의 위치를 정확히 알아야 한다. 물론 근접 공중전 중 연료

계나 고도계를 한 두 번 볼 수도 있다. 하지만 그 이상 계기를 들여다 보면 안 된다. 이런 전투에서 조종사는 가급적 오랫동안 캐노피 밖을 봐야 한다. 중요한 순간 계기를 들여다보다 보면, 불과 몇 분의 일 초 사이에 적기를 놓칠 수도 있다. 그러면 계기 측정값을 해석하는 데 인지 능력을 뺏기고, 눈을 다시 들어 적기를 찾는 데 힘을 낭비하게 되는 것이다.

모든 조종사들은 자기만의 꼼수가 있다. 나도 그 꼼수를 배웠다. 그 꼼수를 쓰는 상대방에게 훈련에서 패배하면서다. 물론 코로나도의 술집에서 그 상대와 밤늦게까지 술을 마시면서 배울 수도 있다. 항공기의 성능, 그리고 다른 여러 가지 기술을 조금만 더 극한으로 발휘하면 잘 알려지지 않은 특이한 기동을 할 수 있다. 조종사들은 술집에서 그런 기술들을 공유하고, 토론도 벌였다. 오고 가는 술잔 속에 조종사들의 지식도 커갔다.

어떤 때는 하드 데크를 무시하기도 했다. 그러면 훈련은 진정한 담력 싸움이 된다. 두 대의 항공기가 롤러 코스터처럼 기체를 뒤틀며 급기동을 하면서 싸우는 것이다. 우리는 그런 기동을 <롤링 시저스(rolling scissors)>라고 불렀다. 적기가 뒤에서 접근하면 적기가 고속으로 지나가게 한 다음, 상승해 기체를 180도 횡전, 뒤집는다. 적기가 내 항공기 캐노피 아래를 스쳐 지나가면 기수를 내리고 또 기체를 180도 횡전시켜 적기를 향해 강하한다. 그러면 나를 따라오던 적기는 내 표적으로 전락한다. 다만 적기에게 사격을 가할 시간은 매우 짧지만 말이다. 적기도 바렐 롤 기동을 한 다음에 나를 앞지르게 한 다음 나를 추적하기 위해 내 안쪽으로 파고들고 있으므로, 그 짧은 시간 적기의 진로를 예측해 정확히 사격해야 한다. 매번 두 대의 항공기의 진로가 날을 벌린 가위(scissors)처럼 교차하며 하늘을 가르기 때문에 롤링 시저스라는 이름이 붙었다. 두 조종사 간의 기량이 대등할 경우 끝이 안 나는 싸움이 될 수 있다. 이 싸움은 고도 5,000피트(1,500m) 이하로 내려가, 항공기가 해면에 스칠 때까지 계속되기도 했다. 물론 실전에도 하드 데크는 없다.

방치하면 사라질 운명의 근접 공중전 기술이었지만, 우리 조종사들은 이렇게 보전했다. 물론 대부분의 해군 조종사들은 1960년대 초반 내내 근접 공중전 기술 보전에 하나도 신경쓰지 않았다. 나는 기회만 있으면 비행을 했다. 휴일일수록 더 좋았다. 휴일에 기혼자들은 가족과 집에서 시간을 보내고, 기지의 활동도 둔화되기 때문이다. 나는 아직도 메리 베스를 잊지 못해 괴로워하고 있었다. 그 마음을 나는 <포드>에 몸을 싣고 힘든 전투 훈련을 하는 것으로 풀었다.

해군의 최우수 조종사들 중 일부는 보우트 사에서 제작한 F-8 크루세이더를 타고 나왔다. 훗날 F-8은 <최후의 총잡이>로 불리웠다. 이 항공기에는 20mm 기관포 4문과 포탄 500발을 탑재할 수 있기 때문이다. F-8 조종사들은 1960년에 폐교된 FAGU에서 근접 공중전을 배웠다. 그들이야말로 근접 공중전을 배운 마지막 세대였다. 또한 뛰어난 조종사들이었다.

우리 <포드>가 상승력 면에서는 F-8보다 나았다. 그러나 F-8은 후기 연소기 사용 시 시속 1,200마일(1,930km)를 낼 수 있었다. 반면 <포드>의 최대속도는 마하 1을 간신히 넘는 시속 740마일(1,190km)에 불과했다. 당시 F-8은 뛰어난 조종사의 손에 맡겨진다면 다른 어떤 항공기도 격추할 수 있었다. 때문에 스카이레이를 조종하는 우리들은 선회전을 해야 했다. 주익이 큰 삼각 날개라 선회전에서는 강점이 있었다. 기체가 무거운 F-8의 안쪽으로 파고들기도 쉬웠다. F-8을 끌고 하드 데크, 또는 그 이하 고도로 몰고 가 선회전을 시도하면 스카이레이가 이겼다. F-8에 정통한 조종사들도 그 점을 알고 있었다. 그들은 절대 F-8의 영역선도 밖으로 벗어나려 하지 않았다. 그 이내에서 속도와 추력을 이용해 유리한 전투를 벌이려 했다.

다른 기종 간의 훈련은 유용했다. 같은 기종간에 벌어지는 훈련보다 훨씬 많은 것을 배울 수 있었다. 훗날 <탑건>에서는 이런 훈련을 <이기종간 공중전 훈련>으로 불렀다. 그러나 1950년대 후반에는 그런 이름 자체가 없었다. 오직 경험을 통해 배웠을 뿐이다. 매번 다른 기종의 적기와 훈련했다. 그리고 상대 기종의 장점과 약점을 알고, 그로서 우리 기종의 장점을 극대화하고 상대 기종의 작점은 극소화하는 방법을 터득했다. 물론 상대방에 지면서 터득한 것이다. 실패야말로 훌륭한 교관이다. 스스로에게 정직해지고, 실패에서 교훈을 얻을 줄 알면 같은 실수를 다시는 하지 않는다. 나는 훈련을 마치고 노스 섬으로 돌아오는 비행기 안에서 훈련 장면을 머릿속으로 되새겨 보았다. 내가 잘못했던 것들을 깨우치고 다음 훈련 때는 그 잘못을 반복하지 않으려고 했다. 그럼으로서 나는 다음 훈련에서는 주도권을 잡고 상대를 제압할 수 있었다. 훗날 <탑건>을 개교했을 때, 이 때 위스키 291에서 쌓은 경험은 <탑건>의 조직문화의 중요한 부분을 차지했다.

1958년 크리스마스를 며칠 앞둔 시점이었다. 비행대대는 조용했다. 거의 모든 장병들이 고향으로 휴가를 간 상태였다. 나 역시 주말마다 고향에 다녀왔다. 메리 베스의 소식에 항상 귀를 기울였다. 한 번은 휘티어 대학 미식축구팀의 경기 직후 그녀를 본 적이 있었다. 그녀는 새 애인과 함께였다. 나는 마음 속의 슬픔을 숨기며 그녀를 향해 손을 흔들며 인사했다. 남몰래 손을 흔들어 답례하는 그녀의 눈에 맺힌 눈물이 보였다. 그 사건 이후 나는 고향에 덜 가게 되었다. 주말에는 비행에만 매진했다.

그날도 나는 정비대에서 <포드>를 수령해 바다로 몰고 나갔다. 구름 한 점 없는 상쾌한 겨울 아침 하늘이 보였다. 고도를 높이자 약 200마일(370km) 떨어진 풍경까지 보였다. 숨이 멎을 듯한 절경이었다.

샌 클레멘트로 향하는 대신, 나는 로스 앤젤레스와 우리 고향 쪽으로 기수를 돌렸다. 얼마 못 가 우현에 나타난 한 쌍의 비행운이 시선을 끌었다. 수직 방향으로 나 있었다. 그리고 그 곳은 에드워즈 공군 기지 인근 상공의 제한 공역이었다.

누군가가 저기서 공중전 훈련을 벌이고 있는 것이었다.

나는 충동을 억누를 수 없었다. 나는 공중전을 벌이는 항공기들을 보고자 스카이레이의 기수를 동쪽으로 돌렸다. 해군의 F-8이 주방위 공군의 F-86과 격전을 벌이고 있었다. 더 접근해서 F-8의 기체에 그려진 마크를 보니, 미라마 기지 주둔 비행대대 소속임을 알 수 있었다. 두 조종사 모두 실력은 기가 막히게 좋았다. 더구나 놀랍게도 이기고 있는 쪽은 구식 기종인 F-86이었다. 더 접근하자 결국 F-8 조종사는 패배를 인정하고 이탈했다. 두 항공기는 날개를 나란히 하고 날았다. F-8은 날개를 흔들어 경례하고 귀환길에 올랐다.

나는 F-86 곁으로 다가가 신호를 보냈다. 결투를 신청한다!

상대방인 주방위 공군 조종사는 나와 내 항공기를 찬찬히 들여다보다가, 고개를 끄덕여 수락했다. 나 역시 고개를 끄덕였다. 그의 항공기가 공중제비를 하자, 나 역시 항공기를 공중제비시켰다.

전투 개시 신호다.

우리는 서로 반대 방향으로 45도 급선회하여 거리를 7마일(13km) 정도로 벌렸다. 서로 접근하여 머지하기 전 나는 고도계를 살폈다. 27,000피트(8,100m)였다. 내 마음 한편에서는 너무 위험한 승부가 아닌가 하고 걱정했다. 이렇게 맑은 날에는 지상에 있는 사람들의 눈에 훈련 장면이 확실히 보이기 때문이었다. 에드워즈 공군 기지의 누군가가 신고하면 어쩌나?

하지만 이미 그런 걱정을 할 시간은 없었다. 나는 걱정을 미뤄 두고, F-86을 향해 바렐 롤 기동을 하며 파고들었다. 해군의 자존심을 건 행동이었다. 네 녀석에게 진 해군 전우, F-8의 복수를 해 주겠다.

머지 당시 우리 두 항공기의 상대속도는 시속 1,000마일(1,852km)이 넘었다. 그 상태에서 급선회 이탈해 전투를 시작하면서, 나는 F4D의 장기인 수평 선회전을 펼쳤다.

180도 선회를 하고 나니 상대 역시 나를 향해 수평 선회를 하고 있는 것이 보였다. 두 항공기 모두 주익을 지면에 대해 수직으로 세운 채로 급선회 중이었다. 360도 선회를 마친 그는 나를 공격하기 좋은 각도에 들어갔다. 상대는 내 항공기 뒤로 들어와 거리를 좁혀 갔고 내 몸에서는 땀이 흘렀다. 나는 최대한의 급선회를 했다. 항공기는 떨리면서 속도를 잃기 시작했다. 두 번째 급선회를 마치고도 F-86은 여전히 내 꽁무니에 붙어 있었다.

실전이었다면 지금쯤 내 항공기 캐노피 옆으로 예광탄이 스쳐지나가고 있을 것이다. 뭔가 하지 않으면 죽는다. 그래서 나는 후기 연소기를 켜고 수직 상승에 돌입했다. 6·25 전쟁때 쓰던 구식 비행기로는 도저히 따라할 수 없는 기동이었다.

수직 상승하는 내 기체는 고도를 높이기 위해 에너지를 잃고 있었다. 적기보다 훨씬 높은 고도에 다다르자, 나는 고도를 낮추며 에너지를 높일 수 있었다. 적기를 향해 아음속으로 내리 덮쳤다. 상대방은 바로 몸을 피하더니 횡전, 나를 따라 강하하기 시작했다.

스카이레이의 속도가 마하 1에 가까워지고 있는데, F-86은 계속 따라오고 있었다. 나는 조종간을 당겨 수평 비행으로 전환했으나 상대방을 떨쳐낼 수 없었다. 항공기는 내 것이 더 우수했다. 그러나 그는 나보다 더욱 우수한 조종사였다. 무려 2분 30초 동안이나 F-86을 떼어내지 못한 나는 패배를 인정할 수밖에 없었다. 나는 날개를 흔들었다. 내가 로스 앤젤레스를 향해 느리게 선회하는 동안 그는 나를 따라왔다. 그는 고개를 끄덕이고 나를 향해 경례했다. 나 역시 답례하고 노스 섬으로 향했다.

착륙한 지 얼마 안 되어, 누군가가 내게 전화가 왔다고 알려주었다. 전화를 건 사람의 소속 부대는 밴 나이스 주둔 주방위 공군 제146전투비행단이었다. 난 순간 가슴이 덜컹 내려앉았다. 누가 훈련 장면을 신고한 건가? 전화를 받으니 상대는 자신의 계급을 소령으로 소개했다. 아마 그 비행단의 비행대대장급 장교인 것 같았다. 그는 내게 이렇게 질문했다.

"귀관이 오늘 에드워즈 공군 기지 상공에서 F4D를 조종했나?"

그렇다고 대답하자 상대는 이렇게 말했다.

"나쁘지 않은 싸움이었어. 하지만 자네는 앞으로도 많이 배워야 겠는걸."

우리는 그 날의 훈련에 대해서 이야기했다. 나는 상대의 F-86에도 후기 연소기가 있었음을 알게 되었다. 초기형에는 없던 것이었다. 나는 그가 이긴 비법이 궁금했다. 오랫동안 통화한 끝에 나는 결국 이렇게 말했다.

"소령님. 다시는 전화하셔서는 안 됩니다. 아시겠습니까?"

"오, 그러지. 그 말대로 하겠네."

그 역시 게임의 규칙을 알고 있었다.

통화를 끊고 나서 우리는 두 번 다시 이야기하지 않았다. 하지만 나는 해군에서 제대할 때까지, 그날 그에게서 배운 교훈을 잊지 않았다. 전투에서는 적기의 성능을 확실히 알아야 한다. 그리고 적기가 내 기체보다 열등할 걸로 지레짐작하는 건 엄청난 실수다. 언제나 전투가 시작되면 적의 기량과 기체 성능이 최상일 거라고 가정해야 한다. 그렇지 않으면 전투에서 대패배를 맛보게 될 것이다.

한편, 내 인생에도 기나긴 먹구름이 몰려오고 있었다. 그 불행한 시기는 VF(AW)-3을 떠나 미라마 주둔 VF-121로 전속하라는 명령을 받으면서 시작되었다. 그 부대에서 나는 맥도넬 더글러스 항공기 제작사의 신제품 F3H 데몬 항공기로 기종 전환했다. 1962년 말, 나는 VF-213(제213전투비행대대) <블랙 라이언스>로 전속되었다. 이듬해 우리는 항공모함 USS <행콕>에 탑승해 8개월간의 서태평양 파견에 나섰다.

해군 항공대는 미국 무력의 최선봉이다. 해군 항공모함은 문제가 생기는 곳 어디라도 간다. 남중국해에 파견된 <행콕>의 임무는, 중국에 대만을 포기하라는 메시지를 전하는 것이었다.

그리고 그 임무는 그리 유쾌한 경험이 아니었다.

제5장
항공모함은 어디에?

1963년 11월 3일, 남베트남 사이공 강어귀 앞바다

칠흑 같은 밤이었다. 너겟들의 앞을 밝힐 달빛도 별빛도 없었다. 고도 1,000피트(300m)에서부터 그 위로 끝없이 쌓여 있는 폭풍우 구름 때문이었다. USS <행콕>의 목제 비행 갑판은 간헐적으로 내리는 열대성 소나기 때문에 미끄러웠다. 이 배는 함령이 약 20년이나 된 낡은 군함이었다. 제2차 세계대전 중 <행콕> 생명보험사가 제공한 기금으로 건조되었다. 그래서 배 이름도 <행콕>인 것이다. 이 배의 갑판은 일본군의 카미카제 공격에서부터 동남아시아의 태풍까지 갖은 풍랑을 견뎌왔다. 이 배는 6·25 전쟁 중에는 예비역으로 보관되어 있었다. 그러나 냉전이 격화되면서 더 많은 항공모함이 긴급히 필요해졌다. 결국 미 해군은 브레머튼 예비 함대에 있던 이 배를 현역에 복귀시키고, 제트기 운용을 위해 사행 비행갑판과 증기식 캐터펄트(사출기) 4대를 설치하는 개조 공사를 단행했다.

<한나>(Hannah, 항공모함 <행콕>의 별칭-역자주)가 대일본제국과 싸운

지도 어언 20년. 이제 <한나>는 위기의 서태평양 한복판에 있었다.

이 파란만장한 역사를 지닌 항공모함의 함상에는, 맥도넬 F3H 데몬 항공기의 조종석에 앉아 5분 대기조로 발함 대기 중인 내가 있었다. 항공모함 비행대의 5분 대기조는 승무원이 탑승한 항공기가 캐터펄트 위에 얹혀져 있어, 명령만 있으면 언제라도 발함 가능한 상태다. 나는 내 항공기 주변에서 움직이는 갑판 승조원들을 보고 있었다. 따분하겠다고? 정반대다. 항공모함 갑판 승조원들의 움직임은 지구상에서 가장 빡세게 연출된 연극이다. 특히 야간에 보고 있으면 그 엄격함을 더욱 실감할 수 있다. 모든 항공모함 갑판 승조원은 세상에서 가장 위험한 작업 환경에서 근무하기에 서로 완벽한 조화를 이루어 움직여야 한다. 그들이 저질러도 되는 실수의 범위는 엄청나게 적다. 한 치만 잘못 움직여도 승조원이 제트 엔진에 빨려들어가거나, 엔진 배기 가스에 떠밀려 익수하는 사고가 터지곤 한다. 그럼에도 두려움을 모르는 그들은 엄청난 집중력으로, 후기 연소기가 울부짖고 고장력 와이어가 쳐져 있는 이 위험구역에서 근무한다. 그런 그들의 움직임은 실로 장엄하기까지 하다.

그날 밤에는 그들의 모습을 그리 잘 볼 수는 없었다. 항공기 주변을 돌아다니는 플래시 불빛, 그리고 조종석 좌측에서 내게 신호를 보내는 노란색 경광봉만 눈에 들어왔다. 그 불빛들 덕택에 승조원들 몸의 어두운 윤곽선 정도만 간신히 볼 수 있었다.

이 작은 오케스트라의 지휘자는 <슈터>라고 불리우는 발함 장교다. 경험 많은 장교인 그는 노란색 상의를 입고 2개의 노란색 경광봉을 들고 있다. 항공기를 발함시키라는 명령을 받으면, 그는 캐터펄트 조작사에게 캐터펄트를 작동시키라고 지시한다.

발함 준비를 위해, 역시 노란색 상의를 입은 비행갑판 통제관이 내게 수신호를 보낸다. 항공기를 움직여 캐터펄트 트랙 위에 얹으라는 신호다. 나는 브레이크를 풀었다. 항공기 앞바퀴가 캐터펄트 셔틀 위에 얹히자, 나는 다시 브레이크를 걸고 항공기 날개가 확실히 펴졌는지를 점검했다. 때맞춰 여러 승조원들이 항공기 아래로 몰려왔다. 빨간 상의를 입은 무장사들이 내 항공기에 탑재된 AIM-7 스패로우 미사일 4발의 안전핀을 제거했다. 스패로우 미사일은 레이더 유도식 공대공 무기다. 또다른 승조원들은 항공기 앞바퀴 뒤와 캐터펄트 셔틀 사이에 계류삭을 연결한다. 그와 동시에 항공기의 기체에 긴장이 더해지는 것이 느껴졌다. 캐터펄트도 이제 나를 언제든지 날려보낼 준비가 되었다.

사실 이 날 나는 원래는 캐터펄트에서 발함 대기나 하고 있을 예정이 아니었다. 세계 최고의 항구 도시 중 하나인 홍콩에 상륙할 예정이었단 말이다. 홍콩은 음식도 맛있고 유흥 문화도 잘 발달되어 있고, 롤렉스 시계도 싸게 구할 수 있다. 그러나 홍콩에 제대로 발도 디뎌 보기 전에, 항공모함 <행콕>은 긴급 출항 명령을 받았다. 0830시에 출항한 <행콕>은 두 척의 구축함과 함께 남서쪽으로 속도를 높였다. 베트남 앞바다에서 뭔가 위기일발 상황이 터진 것이 아니라면 이렇게까지 할 이유는 짐작할 수조차 없었다.

이 항해는 내 첫 항해였다. 동시에 미 해군 항공력의 투사 과정을 특등석에서 볼 기회이기도 했다. 서태평양으로 전개된 우리는 해상 교통로를 방위하고, 일본 앞바다에서 훈련하며 여러 항구에 입항했다. 항공모함에 실린 F3H 데몬 전투기들은 우리 함대를 염탐하러 정기적으로 날아오는 소련 폭격기들을 요격했다. 우리 레이더는 소련기가 블라디보스토크를 출발, 남하할 때부터 포착이 가능했다. 레이더에 소련기가 보이자마자 바로 요격기를 띄웠다. 소련 투폴레프 사 제품 Tu-95 베어 폭격기는 우리 해군의 사진을 찍었는데, 기왕이면 우리 데몬 전투기가 사진에 잘 나왔으면 싶었다. 여차하면 소련기를 격추할 수 있다는 능력을 보이는 것이야말로, 우리 군이 소련군에 맞서 냉전 기간 내내 벌인 게임이었다. 내가 소련 폭격기 가까이 접근해 사진을 찍자, 소련 폭격기의 기관총 사수가 손을 흔들어 인사하는 것도 여러 번 보았다. 쏜살같이 지나가는 흔치 않은 기회였다. 양국 항공력의 최일선에 있는 두 승무원이, 지구 최대의 바다 상공에서 서로 눈을 맞추며 인사를 하다니 말이다.

나는 VF-213으로 전속된 이후 2번의 전개를 거쳤다. 그 과정을 거치면서 내 자신감은 크게 떨어졌다. 첫 전개 시의 VF-213 대대장은 초급장교를 혹사시키는 인물이었다. 너무 혹독할 때도 많았다. 당시 나는 대대의 안전 장교 보직을 맡았다. 나는 대대장이 잘못된 결정을 내리는 것도 여러 번 보았다. 그 때마다 나는 가만히 있지 않았다. 한 번은 우리 조종사 한 명이 사고로 순직하기도 했다. 분명 그는 탈진한 상태였을 것이다. 충분히 피해갈 수 있는 사고에서 목숨을 잃었으니 말이다. 그 조종사는 항공모함 함상에 착함했으나, 그의 항공기의 제동 갈고리는 제동 와이어에 걸리지 않았다. 그런데 그 조종사는 항공기를 빨리 상승, 복행시키지 않고, 계속 앞으로 나가기만 하다가 항공기와 함께 바다에 빠져 죽고 만 것이었다. 나는 대대장에게 제발 대대원들을 그만 혹사시킬 것을 건의했다. 이대로 계속 가다가는 또 사람이 죽는다고 말이다. 그러나 그는 내 말을 듣지 않았다. 그리고 내 근무 평정 보고서에 <불성실>하다는 말을 적어 넣었다. 이번의 두 번째 전개는 그 때보다는 훨씬 상황이 좋았다. 대대장이 바뀌었기 때문이었다.

1950년대 초에 세계 최강의 전투기를 목표로 개발이 시작된 데몬이었지만, 정작 결과물은 시시하기 그지 없었다. 문제는 다름 아닌 엔진(웨스팅하우스 사제 J40)이었다. 이 엔진은 걸핏하면 고장이 났다. 그 덕분에 다수의 조종사들이 순직하고, 데몬은 강력한 요격 능력을 발휘하는 데 필요한 추력을 얻지 못했다. 그래서 해군은 웨스팅하우스와의 계약을 취소하고, B-66 폭격기용으로 개발되었던 앨리슨 사제 엔진을 F3H에 탑재했다. 이런 성능 개량 작업에도 불구하고, 스카이레이에서 데몬으로의 기종 변경은 포르쉐를 팔아 닷지를 산 것 만큼이나 밑지는 일이었다.

춥고 습한 기후에서는 엔진을 둘러싼 금속제 하우징이 수축하면서 엔진에 문제를 일으키기 일쑤였다. 터빈 블레이드가 수축된 하우징 안쪽을 긁어대는 일이 속출했던 것이다. 이 때문에 엔진의 전면 재설계가 필요했지만, 이미 해군에는 그럴 돈이 없었다. 그래서 엔진 제작사는 터빈 블레이드를 일부 깎아내는 해법을 내놓았다. 이로서 터빈 블레이드가 하우징과 마찰을 일으키는 문제는 해결되었다. 그러나 대신 엔진의 성능이 떨어지는 부작용도 생겼다. 데몬의 총추력과 가속 성능이 희생된 것이다. 물론 비행 속도까지 다다르면 멋지게 조종할 수 있었다. 그러나 <포드>만큼 좋은 비행기는 아니었다.

그래도 데몬을 조종했던 시절이 요즘도 그립다. 항공모함에서 발함해 본 사람이라면 그 순간을 평생 잊을 수 없을 것이다. 동이 트자마자 본격 발함 준비가 시작된다. 갑판 승조원이 제트 분사 전향판을 세운다. 강철로 된 이 전향판은 데몬의 후기 연소기가 내뿜는 화염으로부터 승조원을 보호해 준다. 계기판을 찬찬이 살펴본다. 모든 신호등이 녹색이다. 항공기 전방을 흘낏 보지만 어둠 말고는 보이는 게 없다. 비행 갑판의 끝도 보이지 않는다.

빨간 상의를 입은 무장사들이 와서 미사일을 발사 가능 상태로 조작한다. 다른 승조원들이 최종 점검을 실시하고, 이제 나는 발함 준비가 완료되었다. 스로틀을 앞으로 밀자 엔진의 함성이 커진다.

슈터의 노란 경광봉을 본다. 슈터는 경광봉으로 후기 연소기를 작동시키라는 신호를 보냈다. 작동시키자 눈부신 주황색의 화염이 데몬의 엔진 배기관에서 길게 뿜어져 나온다. 이제 진짜 얼마 안 남았다!

나는 머리를 사출좌석의 머리받침에 단단히 기댔다. 그렇게 안 하면 발함 시 충격으로 목이 아파질 수도 있다. 동시에 고정구를 사용해 스로틀 레버를 후기 연소기 위치에 고정했다. 그렇게 안 하면 발함 시 충격으로 스로틀 레버를 잡아당겨 버릴 수도 있다. 마지막으로 오른팔 팔꿈치를 옆구리에 찰싹 붙였다. 그렇게 안 하면 발함 시 충격으로 조종간을 필요 이상으로 잡아당길 수 있다. 조종간을 너무 당겨 기수가 너무 들리면 실속이 일어난다. 그리고 수평선도 보이지 않는 칠흑같은 어둠 속에서 실속 회복은 지극히 어려운 일이다. 이 모두가 다 살자고 하는 일이었다.

발함 준비 이상 무!

슈터가 몸을 앞으로 숙이고 경광봉을 아래로 내린다. 발함 지시다.

캐터펄트가 격발되자, 내 항공기를 실은 셔틀이 함수를 향해 전력 질주한다. 멈춰 있던 나는 불과 2초만에 시속 150마일(278km)로 달리고 있다.

아아, 나는 이 순간을 평생 그리워하게 될 거야.

항공기가 아직 함을 벗어나지도 못했는데 이미 하늘을 나는 기분이다. 이 순간 조종사들은 외부의 어둠을 보지 않는다. 발함의 충격으로부터 시력이 회복되면 다들 자신들이 계기를 보고 있음을 알게 된다. 잠시 후, 항공기 바퀴가 갑판을 벗어나는 느낌이 온다. 계류삭도 항공기에서 떨어져 나간다. 그러자 나는 착륙장치를 올렸다.

이제 나는 자유의 몸이 되었다. 속도와 고도를 높여가며 사이공 강어귀 초계 지점으로 향했다. 그 동안 날씨는 전혀 개지 않았다. 비행에 최악인 날씨다. 그러나 브리핑에서 들은 남베트남의 상황은 위태로운 것 같았다. 물론 자세한 내용은 전달받지 못했다. 만약 미 본국에서 방송하는 저녁 TV 뉴스를 볼 수 있었다면, 사이공에서 응오 딘 지엠 대통령에 맞선 군부 쿠데타가 진행 중이라는 것을 알았을텐데 말이다. 응오 대통령은 지난 8년간 남베트남을 폐허로 몰고 간 독재자였다. 남베트남 전국이 혼란에 휩싸이면서 그에게 충성하는 사람들과 반대하는 사람들이 시가전을 벌였다. 지엠과 그의 동생은 전날 쿠데타군에게 생포되었다. 응오 대통령 형제가 자살했다거나 사형당했다는 소문이 돌았다.

해군은 상황이 통제 불능에 빠질 경우를 대비해 <행콕>을 현장에 파견하고자 했다. 남베트남 주재 미국 군사 고문단이 철수해야 할 경우, 우리 항공모함은 항공 엄호를 제공할 것이다. 그러나, 그날 밤 폭풍 속을 비행하는 내가 공대공 미사일로 해야 할 일은 뻔했다.

그날 밤 나는 완벽한 어둠 속에서 초계했다. 내 뒤에는 요기가 있었다. 그러나 우리는 <행콕>의 비행 갑판을 이함한 후 서로를 육안으로 볼 수 없었다. 그 정도로 어두운 밤이었다.

그 날 요기 조종사가 누구였는지까지는 기억이 안 난다. 그러나 그가 존 내시 대위였다면 아무 걱정할 게 없었을 것이다. 내시는 내가 VF-213에 전입 온 후 얼마 안 있어서 전입하였다. 그는 진지하고 의지가 강하며, 동기부여가 철저히 되어 있는 사람이었다. 그는 군함에서 지내기에는 유머 감각은 모자랐지만 그만큼 비행에는 열심이었다. 그는 무자비하고 저돌적인 조종사였으며 강한 자신감으로 누구도 따라할 수 없을 비행술을 선보였다. 그는 지극히 희귀한 타입의 인간이었다. 오직 비행만을 위해 태어난 사람 같았다. 비행을 향한 열망이 그의 유전자에까지 각인되어 있는 것 같았다. 훗날, 나는 내가 만나본 조종사 중 가장 뛰어난 10명 중 하나로 그를 꼽았다. 그는 이런 말을 입버릇처럼 했다. "패배보다는 죽음을!" 그것은 그의 좌우명이기도 했다. 그리고 그는 훈련과 전투에서 그 말을 철저히 실천했다. 훗날 나는 그를 <탑건>의 창설 멤버로 선정, 그의 엄청난 재능을 활용하게 된다.

데몬 전투기는 뛰어난 레이더를 탑재하고 있다. 이 어둠 속에서 레이더 화면이야말로 의지할 수 있는 유일한 빛이었다. 이 틈을 틈타 블라디보스토크에서 출격한 소련 베어 폭격기가 우리 함대에 또 오지 않을까? 북베트남은 이미 공군을 보유하지 않았을까? 당시의 나는 몰랐다. 그러나 높으신 분들이 우리를 비행시킨 데는 뭔가 이유가 있을 것이다.

나는 잠시 어둠이 펼쳐진 캐노피 밖을 바라보았다. 이렇게 어두운 밤에는 비행 착각을 일으키기가 쉽다. 비행 착각을 경험하고 싶다면 조명이 완전히 차단된 방 안에 10~20분만 서 있어 봐도 된다. 그러면 균형 감각을 잃기 시작한다. 내이에 혼란이 온다. 감각 기관이 뇌에 잘못된 정보를 보내게 된다. 그런데 그 방이 마하 1의 속도로 움직이고 있으며, 어디로 가는지 참조할 표지물이 전혀 보이지도 않는다면? 그 때는 계기 비행 훈련에서 배운 대로, 계기를 믿는 수밖에는 없다.

그래도 엔진이 고장나고 계기의 불이 꺼질 때까지는 별 문제는 없다. 작년에 있었던 내 첫 항해에서, 나는 데몬 전투기로 비행 중 고장을 겪었다. 그 이후 나는 데몬을 신뢰하지 않게 되었다.

그 사고가 있던 밤은 오늘 밤과 아주 비슷했다. 다만 15,000피트(4,500m)던 운고 훨씬 위로 비행했다는 점만 빼면 말이다. 월광도 없고, 수평선도 보이지 않았다. 그 때 타고 있던 데몬 전투기는 전기계통에 이상을 일으켜 조종석 내의 모든 조명이 나갔다. 이런 경우에는 풍력 보조동력장치가 작동되어야 하지만, 그것도 고장이 난 상태였다. 철저한 어둠에 둘러싸인 나는 결국 ㄱ자 플래시를 꺼내 계기를 볼 수밖에 없었다. 당시 나와 함께 비행하고 있던 조종사는 우리 부대대장이던 조 포크 중령이었다. 그는 내게 문제가 생긴 것을 알아채고, 날 도우려고 했다.

조도 자신의 플래시를 꺼내어 "나를 따르라."고 발광 신호를 보냈다. 그리고 <행콕>의 최근 위치로 함께 돌아가자고 했다.

어둠 속에서 조의 항공기를 따라 <행콕>으로 돌아가고 있자니 무서워졌다. 나는 조의 항공기의 날개와 기체 하면 항법등을 참조해, 내 항공기의 날개를 수평으로 유지하고자 했다. 조가 워낙 원만하게 비행했기 때문에, 필요 최소한의 조작만으로도 따라할 수 있었다.

우리는 구름층 아래로 들어가, 항공모함 뒤에서 1.5마일(2.8km) 지점까지 왔다. 항공모함에서 비추는 흰 신호용 불빛이 보였다. 조가 내게 항공모함을 잘 보여주기 위해 자신의 항공기 비행등을 끄고 비켜 주기까지 나는 계속 그를 따라 날고 있었다.

전기 계통이 다 망가졌기 때문에 무전기도 쓸 수 없었다. 그래서 나는 LSO와 통화할 수도 없었다. LSO와 교신하는 유일한 방법은 그의 신호등을 보는 것 뿐이었다. 녹색 신호등은 현 상태 그대로 진행하라는 것이다. 빨간 신호등이 점멸하면 복행하라는 것이다. 그리고 유감스럽게도 내게는 복행할 만한 연료가 없었다. 따라서 착함에 실패해 복행해야 한다면 비상 탈출 말고는 답이 없었다. 누군가가 이 폭풍 치는 바다에서 나를 건져내 주기만 기대하면서 말이다.

다행히도 나는 해냈다. 항공기가 비행갑판에 착지하자마자 제동 갈고리가 제동 와이어에 걸리는 특유의 충격이 느껴졌다. 데몬 전투기는 순식간에 멈춰 섰다. 그야말로 저승사자를 만났다가 돌아온 느낌이었다. 그러나 나의 불운은 거기서 끝나지 않았다.

다음날 밤, 나는 같은 기체로 비행했고, 또 같은 고장을 경험했다. 이번에도 나와 함께 비행하던 조는 어제와 마찬가지로 나를 항공모함까지 안내했다. 이번에도 나는 항공모함에 안착하는 데 성공했지만, 정말 지독한 담력 테스트였다. 아마 그 때 조종사들은 나를 두 번이나 구해줘서 고맙다고 조에게 농을 건넸던 것 같다. 전투 조종사들끼리는 절대 약한 모습이나 두려워하는 모습을 보여서는 안 된다. 그래도 나는 항공모함 내로 들어가 혼자 앉아 커피를 마시면서, 같은 기체가 달 없는 밤에 두 번이나 연속으로 전기 계통 이상을 일으킬 확률을 따져 보았다. 무엇보다도 그 기체는 주간에 내가 조종할 때는 아무 이상이 없이 두 번 연속으로 비행했단 말이다.

나는 사관실에서 커피잔을 손에 든 채로 기도했다. 하느님. 조를 통해 제가 무사히 가족에게 돌아갈 수 있게 해주셔서 감사합니다.

그로부터 1년이 지난 지금, 남베트남 상공에 있는 내 항공기의 레이더는 아무 것도 발견하지 못하고 있었다. 계기판의 신호등도 항공기의 상태가 모두 정상임을 나타내고 있었다. 특이 사항은 아무 것도 없었다. 날씨는 궂지만 별일 없는 대양 변방의 밤이 그렇게 가고 있었다. 두 건의 전기 계통 고장의 기억은 아직도 생생했다. 이번 비행을 하기 전에도 나는 최악의 상황을 대비해, ㄱ자 플래시의 작동 상태를 3번 점검해 본 다음 비행복 주머니 중 손이 쉽게 닿는 곳에 두었다. 긴박한 순간일수록 사소한 장비가 생사를 가를 수 있다.

무전기에서 잡음이 들려오기 시작했다. 항공모함의 통제관이 벡터를 전달했다. 남베트남 해안에서 무슨 일이 벌어졌나 보다. 우리 전투기들이 거기 가서 정찰해야 했다. 우리 항공기들은 조각구름들을 뚫고 오렌지색 항법등을 빛내며 날아갔다.

고도를 1,500피트(450m)로 낮추었는데도 여전히 구름 속을 벗어날 수 없었다. 갑자기 아래의 어둠 속에서 빛이 번쩍였다. 또 빛이 번쩍이며 구름 속 구멍을 비추었다. 아래의 수면에는 군함이 있고, 그 군함이 함포 사격을 하는 것이었다. 나는 비행 착각을 일으키기 시작했다.

정신 차려, 댄. 계기를 믿어라.

머리가 어지럽고 나른했다. 내 몸이 붕붕 떠 있는 것 같았다. 몸이 느끼는 항공기의 방향과, 계기에서 보여주는 항공기의 방향은 영판 달라졌다. 항공기는 아마도 하강하고 있을 것이었다. 그러나 조종간을 어떻게 움직여야 할지 감도 안 왔다. 결국 계기에 집중하자 나는 비행 착각에서 벗어날 수 있었다.

수면의 해군 군함은 마지막 일제 사격을 했다. 주황색의 화염이 뿜어져 나왔다. 세상이 제멋대로 빙빙 도는 기분이었지만 나는 계기에 온 힘을 다해 집중했다. 감각이 정상으로 돌아오자 나는 기체를 수평 비행 상태로 유지하면서, 우리가 본 군함의 함포 사격에 대해 <행콕>의 통제사에게 보고했다. 그러면서 이렇게 질문했다. "뭘 해야 하나?"

뭘 해야 하나? 우리 항공기에는 폭탄도 무유도 로켓도 탑재되지 않았다. 데몬 전투기는 공대공 전투에 맞게 설계되었다. 물론 기관총이 2정 있긴 하다. 그러나 VF-213에서는 기관총에 실탄을 장전하는 일이 거의 없었다. 안 그래도 엔진 추력이 모자란 항공기인데, 총알을 실으면 더 무거워지기 때문이다. <행콕>은 우리에게 귀환을 명령했다. 우리는 기수를 돌려 수면에서 벌어지는 싸움에서 멀어져 갔다. 구름을 뚫고 또 한 번의 아슬아슬한 착함을 하러 갔다.

항공모함에서 3마일(5.5km) 거리에 들어서자, 항공모함에서는 내 항공기가 정확한 착함 활공 경로를 유지하도록 보정 지시를 했다. 드디어 항공모함이 육안으로 보이기 시작했다. 접근 경로를 유지하면서 LSO의 무전 지시에 귀를 기울이고 그대로 따랐다. 항공기가 비행 갑판 위에 떨어지며 제동 갈고리가 제3번 와이어에 걸리는 느낌이 났다. 멋진 착함이었다. 이번 비행에서 항공기는 완벽하게 작동해 주었다. 그리고 나는 비행일지에 또 한 번의 야간 착함 기록을 적어넣게 되었다.

요기도 항공모함에 안착했다. 나와 요기 조종사는 귀환정보보고를 하러 갔다. 아까 수면에서 포를 쏘던 군함은 누구 것이고, 대체 어떤 표적을 쏘고 있던 것이었을까? 그 답은 끝내 알 수 없었다. 아마도 그 군함은 미 해군 구축함이었을지도 모른다. 우리 군사 고문단이 해안에서 전투를 벌이고 있었고, 그들을 위해 화력 지원을 해주고 있었는지도 모른다. 어쩌면 그 군함은 남베트남 해군 것이었는지도 모른다. 쿠데타군을 향해 사격을 가하고 있었을지도 모른다. 이 경험은 앞으로 수년 동안 있을 일의 서곡에 불과했다. 확실한 것은 미국을 베트남 전쟁에 개입시킨 통킹 만 사건이 벌어지기 1년 전, 뭔지는 자세히 모르지만 해군 작전이 있었고, 나와 요기 조종사가 그 작전을 목격한 것이다.

자정이 지나 나는 누웠지만 잠이 오지 않았다. 실수를 허용하지 않는 야간 작전, 해군 조종사가 된 이상 그런 작전을 기피할 수는 없었다. 악천후, 비행 착각, 기체 고장, 야간 착함… 어떤 위험이 있어도 난 멈출 수 없다. 동료의 죽음을 보기 전 까지는 결코 나도 죽을 수 있다고 생각한 적이 없었다. 그러나 동료의 죽음을 접하자, 나 역시 필멸자임을 절감하게 되었다.

메리 베스는 사귀던 미식축구 선수와 결혼했다. 나는 그녀의 마음을 돌리려 시도하지 않았다. 그녀의 결혼 소식을 접하자, 나는 더 이상 근거 없는 희망적 사고를 하지 않기로 했다. 슬프지만 그녀가 자신의 삶을 살도록 놔두기로 했다. 결국 나도 코로나도에서 멋진 젊은 여성 <매디>를 만났다. 1959년에 나는 그녀와 결혼했다. 1960년에는 딸인 다나가 태어났다. 나는 매디와 함께 17년을 살았지만, 그 동안 너무 오랜 기간 떨어져 살아야 했다.

비행이란 위험을 무릅쓰고 보상을 추구하는 게임이다. 너무하다 싶을만큼 밀어부쳐야 보상이 돌아온다. VF-213에 전입하기 전에는 내 자신과 동료 조종사들만 보살피면 되었다. 하지만 결혼하니 또다른 게임이 시작되었다. 이제는 나와 같은 집에 살면서 내게 의지하는 두 동료도 보살펴야 한다. 결혼을 하자마자 나는 <행콕>을 타고 첫 항해에 나서게 되었다. 내 1962년 전개는 2월부터 11월까지였다. 그 전개가 끝나자 서해안에 돌아가서 다음 전개 대비 훈련을 했다. 데몬 전투기를 타고 한 주에 3~4번씩 요격 훈련 비행을 했다. 그 정도로 훈련을 하면, 집에서 출퇴근을 한다 쳐도 사실상 집에 없는 거나 다름없다. 그런 생활이 조종사 가족에게 주는 악영향은 이미 설명했다. 1963년 전개는 그 해 봄부터 시작되었다. 1962년 전개가 끝난 지 채 반년도 지나지 않은 시점이었다. 가족들을 끌어안고 작별 인사를 건네며 눈물을 흘렸다. 다나는 작은 손으로 내 손을 꼬옥 잡았다. 그러고 나서 배를 타면, 멀리 있는 가족들과 나를 이어주는 것은 손으로 쓴 편지, 카세트 테이프에 든 목소리, 가끔씩 하는 전화통화 뿐이었다.

가족과의 두 번째 이별은 첫 번째보다 더 나빴다. 딸아이에게 낯선 사람이 되기는 싫었다. 하지만 다른 선택의 여지가 없었다. 해군은 나를 서태평양에 보내려고 하고 있었다. 그리고 나는 해군이 부여한 모든 의무를 이행하겠노라고 서약했다.

남베트남에는 그리 오래 머무르지 않았다. 응오 딘 지엠 대통령은 죽었고, 새로 집권한 쿠데타 대통령은 공산 게릴라와의 전쟁을 하는 와중에도 놀랍도록 신속하게 질서를 회복했다. 3주 후, 존 F. 케네디 대통령이 댈러스에서 살해당하고, 후임자로 린든 존슨이 임명되었다. <행콕>은 케네디 서거 후 며칠이 지나 모항에 입항했다. 우리가 샌 디에고에 도착한 것은 1963년 12월 15일이었다. 가족들과 즐거운 재회가 기다렸다. 1963년 크리스마스를 마지막으로, 우리 해군은 10년 동안 평시의 크리스마스를 즐기지 못했다. 또한 많은 해군 전우들은, 그것을 마지막으로 고향에서 크리스마스를 보내지 못했다.

제6장
환멸로 가는 길

1967년 1월, 하와이 진주만

나는 세계 최초의 원자력 항공모함 <엔터프라이즈> 함의 갑판에 차렷 자세로 서 있었다. 이 배는 호스피탈 포인트를 지나는 수로를 통해 느리게 움직이고 있었다. 예인선 두어 척이 <엔터프라이즈>의 이동을 돕고 있었지만, 크게 필요는 없었다. 미 해군의 모든 함장은 이 수로를 자기 안방처럼 훤히 알고 있다.

배 좌현 전방에는 가라앉은 USS <아리조나> 함과 그 추모관이 보인다. 추모관 위로 성조기가 바람을 받아 힘차게 나부낀다. 추모관 아래 <아리조나> 함의 잔해 속에는 태평양전쟁의 첫날인 1941년 12월 7일 전사한 1,000여 명의 해군 장병의 시신이 있다. 1967년 기준으로도 이미 한 세대 전의 일이다. 미 해군의 시설 중 사당(祠堂)에 가장 근접하는 것 두 개를 꼽으라면, 이 USS <아리조나> 추모관과, 해군 사관학교의 존 폴 존스 묘소일 것이다. 치욕의 날(진주만 공습일의 다른 이름-역자주) 이후, 진주만에 입항하는 모든 군함의 승조원들이 <아리조나> 함에 대함 경례를 하는 것이 미 해군의 전통이 되었다. 그 날의 일일 명령은 비행 갑판 열병식이었다. 군함의 확성기로 이런 구령이 나왔다. "갑판 총원 차렷! 경례!" <엔터프라이즈> 함상의 모든 승조원들은 마치 한 사람처럼 <아리조나> 함을 향해 일제히 거수 경례했다.

나는 <행콕>에 승함하고 있을 때도 <아리조나> 함에 대함 경례를 했다. 그러나 이번은 그 때와 기분이 영판 달랐다. 그건 나 뿐 아니라 <엔터프라이즈> 함의 모든 전우들이 마찬가지였다. 어떤 승조원들은 경례를 하면서 눈물을 흘리기까지 했다. 우리도 3년간 전쟁을 치르면서 비로소 전쟁의 대가를 깨달았기 때문이었다. 침몰한 <아리조나> 함과 함께 유명을 달리한 선배 전우들은 항공력에 의해 최후를 맞았다.

내가 속한 비행대대인 제92전투비행대대(약칭 VF-92, 별칭은 <실버 킹스>)는 진주만에 잠시 들른 후, 양키 스테이션으로 향할 것이었다. 양키 스테이션이란 우리 항공모함들이 북베트남에 맞서 항공작전을 벌이는 통킹 만의 해역이다. 존슨 대통령은 1965년부터 3년간 북베트남에 대해 항공 전역을 벌였다. 우리 대대도 그 전역에 참가할 것이었다.

<엔터프라이즈>가 <아리조나> 앞을 지나가는 동안 나도 경례 자세를 유지했다. 격침된 지 수십년이 지났는데도 <아리조나>의 연료 탱크에서는 아직도 기름이 새어나와 수면에 뜨고 있었다. 흰색 추모관은 사람들로 가득했다. 주로 민간인 관광객들이었다. 추모관의 전사자 명부를 읽던 그들은, 흰색 정복을 입고 직립 부동 자세를 취한 1,000여 명의 장병을 갑판 위에 세운 <빅 E(Big E, <엔터프라이즈> 함의 별칭-역자주)>가 지나가자 그 쪽으로 눈길을 돌렸다.

내가 <행콕>을 타고 귀국했을 때, 미국이 베트남 전쟁을 피할 방법은 이미 없어졌다. 통킹 만 사건으로 미국은 베트남에 전면 군사 개입을 하게 되었다. 같은 시기 내게는 샌 디에고 포인트 로마의 함대 방공전 훈련 본부에 전속하라는 명령이 내려왔다. 다른 조종사들이 베트남의 전쟁터로 나가는 동안, 나는 육상에 머무르면서 아직 아날로그적이던 전장 관리 방식의 디지털화를 지

원했다. 함내 전투 정보실에 탑재되는 컴퓨터 체계 개발을 도운 것이다. <행콕>으로 두 번의 항해를 치른 후에 이런 근무라니, 휴가나 다를 바 없었다. 나는 이 곳에서 2년간 근무하면서 아내와 딸과 즐거운 시간도 보낼 수 있었다.

1964년 8월, 미 대통령은 북베트남 내 표적에 대한 항공 공격을 승인했다. 그리고 8월 5일, A-4 스카이호크 공격기 조종사인 에버레트 알바레즈가 북베트남 상공에서 격추당했다. 그는 캘리포니아 주 살리나스에 정착한 멕시코 출신 이민자의 후손이었다. 동시에 이 전쟁에서 북베트남에 억류된 최초의 미 해군 항공대 승무원이었다. 이후 그는 8년간 고문을 당하며 포로 생활을 견뎌야 했다.

내가 VF(AW)-3에 전입온 지 몇 달 안 되었을 때 동료 전우가 순직했던 게 생각났다. 물론 그 이후로도 비행 중 사망, 실종, 부상을 당한 동료들은 얼마든지 있었다. 해군은 대서양에서부터 인도양에 이르기까지 미국 군사력 투사의 선봉에 서 있었고, 그 와중에 베트남은 해군에 엄청난 인명 손실을 강요했다. 수많은 전우들이 전역을 선택했다. 롤링 선더 작전이 시작되었을 때 나는 본토에 있었다. 나도 전역하고 싶은 유혹을 느꼈다. 민항사는 신입 조종사를 언제나 받아들이고 있었다. 급여도 해군보다 2~3배는 되었다. 그러나 나는 민항사에 입사 원서를 내지 않았다.

샌 디에고에 있을 때, 나는 VF(AW)-3 시절의 전우 로저 크림을 만나러 노스 섬에 갔다. 그는 정비 및 완전 분해 수리 시설에서 수리를 받은 항공기의 시험 운항을 감당하고 있었다. 그는 내게도 수리된 항공기의 점검을 맡긴 적이 많았다. 그 사람과 그 사람의 어느 상사 덕택에, 나는 F6F 헬캣에서부터 맥도넬 항공기 제작사의 F-4 팬텀 II까지 다양한 기체를 조종해 볼 수 있었다. 팬텀은 족보를 따지자면 데몬의 사촌동생뻘 되는 항공기로, 데몬을 대체하기 위해 개발된 쌍발 전투기이다.

나는 팬텀을 처음으로 조종해 보았을 때 마하 2의 감동을 체감하고, 해군에 남기로 결심했다. 내 지상근무 기간이 다 되어갈 때 나는 상부에 신청해서, 팬텀의 조종 교육을 받고 <엔터프라이즈> 함의 전투 비행대대에 전속하게 되었다.

나는 이미 10년간의 전투기 조종 경력이 있었기 때문에, 팬텀에 적응할 준비와 자신감이 충분했다. 나는 VF-121에서 진행된 F-4 기종전환 교육을 우수한 성적으로 수료했다. VF-121은 팬텀 기종을 위한 서해안 보충 비행전대(Replacement Air Group, 이하 약자 RAG)다. 베트남에 전개된 모든 F-4 승무원들은 이 부대에서 기종전환 교육을 받았다. 우리는 쉴 새 없이 비행하며 가시거리 밖 미사일 요격 기술을 훈련했다. 심지어 우리는 최첨단 무기인 스패로우 미사일로 무인기를 격추하는 훈련도 했다. 비록 나는 그 때 이후로 스패로우 실탄 사격을 단 한 번도 못 해보았지만. 지상 교육 때는 교관들이 정보 브리핑과 무기 및 감지기 체계에 대한 기술 교육을 진행했다. 또한 생존 교육도 진행되었다. 우리는 적지에 비상 탈출한 상황을 가정해, 적군으로부터 도피 및 탈출을 해야 했다. 그리고 며칠 후 모두가 다 적에게 포로가 되어서 나무로 된 상자 안에 갇힌다. 상자의 크기는 36×24인치(90×60cm)로, 숨구멍이 몇 개 나 있다. 나는 거미를 무서워하는데, 그 점을 가상 적 경비병에게 실수로 들켰다. 그러자 그들은 상자 안에 살아 있는 거미를 집어넣었다. 어느 추운 밤 거미가 내 얼굴 위를 기어가기도 했다. 물론 이것은 북베트남이 미군 포로들에게 실제로 가하는 고문에 비하면 아무 것도 아니었지만 말이다.

진주만에서 며칠을 보낸 우리는 서쪽에 있는 일본 사세보로 떠났다. 사세보에 가자 베트남 전쟁을 반대하는 엄청난 시위대가 우리를 기다리고 있었다. 주로 학생들과 급진주의자들이었다. 그 외에도 1945년 8월 9일 나가사키에 원자 폭탄이 떨어진 지 20여년밖에 안 되었는데, 거기서 멀지 않은 사세보에 원자력 군함이 처음 입항한 데 대해 반발하는 시위자들도 있었다. 몽둥이와 돌로 무장한 시위대는 기지 내로 난입을 시도했다. 일본 경찰은 경봉과 물대포, 맨주먹으로 이틀 만에 시위대를 해산하고 질서를 회복하는 데 성공했다. 하지만 그 사건이야말로 우리가 직면해야 할 쓰디쓴 현실의 시작이었다. 우리가 사세보에 머물러 있을 때 미 해군 항공모함 <오리스캐니> 함도 사세보에 입항했다. <오리스캐니> 함의 함재기 중 절반이 북베트남 상공에서 사라졌다고 했다. 그리고 항공 승무원 중 1/3이 전사, 실종, 부상 등의 인명 손실을 입었다. <오리스캐니> 함의 인명 손실자 명단 중에는 존 맥케인 중위도 있었다. 그는 나중에 아리조나 주 상원 의원이 되었다.

(<오리스캐니> 함 손실 관련 내용은 저자의 착오가 다소 섞여 있다. <오리스캐니> 함은 1966년 5월부터 동년 11월까지, 그리고 1967년 6월부터 이듬해 1월까지 베트남 전쟁에 전개되었다. 동함은 1966년 10월 26일 발생한 함상 화재로 44명 사망, 156명 부상, 함재기 3대 전손 등의 피해를 입었다. 존 맥케인이 포로가 된 것은 1967년 10월이었다.-편집자주)

사세보에서 <엔터프라이즈>와 <오리스캐니>가 만나기 몇 주 전, <오리스캐니> 소속 F-8 조종사인 딕 샤퍼트 소령은 북베트남 공군기 6대(기종은 MiG-17과 MiG-21)에 맞서 마치 영화 같은 공중전을 벌였다. 그는 A-4 스카이호크를 호위 중에 적의 공격을 받았다. 샤퍼트는 탑재하고 있던 3발의 사이드와인더를 적기에 발사했다. 그러나 모두 불발되거나 빗나가 버렸다. 그는 20mm 기관포를 사격하려고 했지만 고G 기동 때문에 유압식 급탄기구가 고장나 있었다. 그럼에도 불구하고 그는 연료 고갈 직전까지 뛰어난 공중 기동을 하면서 MiG기와 맞섰다. <오리스캐니>에서 출격한 다른 전투기들이 잠시 후 도착했고, MiG기를 향해 사격을 가해 1대를 격추했다. 그날 우리 군은 총 7발의 미사일을 발사했음에도 그 1대만이 유일한 격추 전과였다.

당시 <엔터프라이즈> 함상에 있던 우리는 이 전투에 대해 전혀 몰랐다. 그러나 캘리포니아에서 받았던 정보 브리핑이 그다지 철저하지 않다는 소문은 널리 퍼져 있었다. 모르는 건 모르는 거였다. 우리는 적에 대해 제대로 알지 못했다. 적의 전력, 전술에 대해 아는 게 없었다. 브리핑에서 정보 장교들은 우리가 접하게 될 적의 방공 화기, 특히 소련에서 수입한 지대공 미사일에 대해 많이 이야기했다. 또한 하노이 인근에 MiG 전투기 부대가 주둔 중이라고도 이야기했다. 그러나 적의 공군 기지, 북베트남의 지리와 기후에 대해서는 거의 가르쳐주지 않았다. 나는 양키 스테이션에 가까이 가면 더욱 철저한 브리핑과 정확한 적 전투 서열 정보(즉, 우리에 맞서는 북베트남 군 부대 명단)

를 받을 거라고 생각했다. 그러나 그런 일은 벌어지지 않았다. 나중에 알았지만 우리가 기대했던 류의 정보들은 엄청나게 보안 등급이 높았다.

우리는 양키 스테이션으로 가는 대신, 한반도의 위기에 대처하게 되었다. 필리핀 근해에서 수빅 만으로 가던 우리는 뱃머리를 돌려 급히 한반도로 가라는 명령을 받았다. 북한은 남한 대통령을 암살하려고 특수부대를 파견했다. 또한 공해상에 있던 미 해군 정보 수집함 USS <푸에블로> 함을 납치했다. 이를 위해 북한은 어뢰정 4척, 구잠함 2척은 물론 MiG-21 전투기까지 투입했다. 전투가 벌어졌고, 오레곤 출신 미 해군 승조원 1명이 전사했다. <푸에블로> 함에 승함한 북한군은 미군 승조원들을 생포해 고문했다. 또한 비밀 자료와 암호기도 노획했다. 덕분에 이후 20년 동안 소련은 같은 암호기를 사용하는 미 해군의 통신을 해독할 수 있었다.

치욕스런 일이었다. 미국은 끝이 보이지 않는 전쟁에 발목을 잡혔다. 게다가 또다른 놈들이 화를 돋구고 있었다. <빅E>는 무력 시위를 위해 한반도로 향했다.

한반도에 도착하자 지독한 겨울 날씨가 우리를 반겼다. 눈보라, 아니 눈 폭풍 속의 항해였다. 함교에서 비행 갑판의 끝이 보이지 않을 정도였다. 그런데 미국 정부는 이 날씨에 항공기를 이륙시켜 공중 초계를 실시하라고 했다. 항공모함에는 100명 정도의 조종사가 타고 있었다. 그러나 이런 날씨에도 비행을 할 인원은 6명 뿐이었다. 그 중에는 나도 있었다. 나는 대대장 T. 쉥크 렘센 중령의 요기 조종사로 임명되었다.

별명이 "스캥크"인 렘센은 매우 희귀한 타입의 지휘관이었다. 그는 매우 뛰어난 조종사였으며, 언제나 앞장서서 지휘하고 가장 힘든 일에 자원했다. 그는 초급장교들에게 동기부여를 시키는 재능도 있었다. 그리고 언제나 부하들의 복지에 신경을 썼다. 때문에 부하들은 그에게 절대 충성할 수밖에 없었다. 이번에도 이 눈 폭풍 속에, 그것도 야간에 한반도 해안에 공중 초계를 실시해야 한다는 명령이 내려오자 스캥크는 제일 먼저 지원했다.

비행 갑판은 얼음으로 뒤덮여 있었다. 승무원들이 미끄러져 넘어지지 않고

F-4 항공기에 탑승하기 위해서는 갑판 승조원들의 도움을 받아야 했다. 일단 조종석에 들어간 다음에는, 역시 미끄러짐을 방지하기 위해 견인차에 끌려 캐터펄트로 갔다. 야간 발함은 언제나 모험이었다. 게다가 눈 폭풍과 거친 바다까지 더해지니 대모험이었다.

발함한 우리는 고도 20,000피트(6,000m)까지 상승했으나 그 고도에서도 눈 폭풍은 사라지지 않았다. 너무 지독해 스캥크와 나는 서로를 볼 수 없을 정도였다. 내 항공기의 후방석 승무원인 데니스 더피는 스캥크의 위치를 레이더로 확인했다. 나는 스캥크의 몇 마일 뒤에서 따라갔다. 눈과 얼음은 팬텀 전투기 위에 매섭게 몰아쳤다. 전방 캐노피에도 진눈깨비가 잔뜩 쌓여 만화경처럼 변했다. 눈사람 속을 헤집고 다니는 것 같았다.

<엔터프라이즈>는 특정 비행 경로를 계속 유지시키다가 결국 우리를 귀함시켰다. 착함 접근 시간을 기다리고 있는데, 이때까지 기상 상태 보고를 받은 적이 없다는 점이 이상했다. 우리는 각각 눈보라 속으로 하강을 시작했다. 시정은 0에 가까웠다. 스캥크는 항공모함의 레이더 유도를 받아 먼저 착함을 시도했다. 첫 접근 때 그의 눈앞에는 아무 것도 보이지 않았다. 착함 신호등도, 항공모함도 안 보였다. 눈보라와 어둠 뿐이었다. LSO는 이렇게 말했다. "그나마 항공기 소리는 잘 들리던 걸!"

그래도 스캥크는 결국 착함하긴 했다. 스캥크와 LSO는 항공모함 주위를 선회하는 내게 고도를 낮추고 항공모함의 항적을 따라 움직일 것을 지시했다. 그래서 나는 항공기의 고도를 내 담력이 허락하는 최대한 내렸다. 아마 40피트(12m)밖에 안 되었을 것이다. 참고로 비행 갑판의 해발고도가 65피트(20m)다. 계기에 붉은 경고등이 깜박거렸다. 연료 고갈 신호다. 만약 착함하지 못하고 해상에서 연료가 고갈되면 답은 너무나도 뻔했다. 이 차가운 바다 위에서 항공기를 몰고 비상 착수하거나, 사출 좌석을 발사해 비상 탈출해야 하는 것이다. 그리고 나면 우리 조종사용 생존 장비의 성능을 직접 확인할 수 있을 것이다. 참고로 이런 차가운 물에 빠졌을 경우 기대 여명은 5분에 불과하다. 망할!

어둠 속에서 나는 항공모함의 흰 항적을 발견해냈다. 그리고 그 항적을 따라갔다. 결국 나는 함미의 현수등도 찾아냈다. 역시나 현수등의 높이는 내 항공기 고도보다 높았다. LSO는 내게 상승하라고 지시했다. 나는 거기에 맞춰 기수를 들었다. 팬텀 전투기의 고도가 비행갑판보다 높아지자 나는 조종간을 앞으로 밀어 기수를 내렸다가 바로 조종간을 최대한 뒤로 당겼다. 이건 제2차 세계대전 에이스 조종사인 제크 코미어가 가르쳐 준 오래된 착함 기술이다. 덕택에 나와 데니스는 그날 밤 항공모함에 안착할 수 있었다. 팬텀 전투기가 비행갑판에 착지하고, 제동 갈고리가 제동 와이어에 걸렸다. 우리 항공기는 순식간에 멈췄다.

갑판 승조원들이 와서 항공기를 견인해 가기를 기다리는 동안, 내 무릎은 떨리고 있었다. 브레이크 페달 위에 얹힌 내 발도 떨리고 있었다. 그 때까지 했던 모든 비행 중에서 가장 힘들었다. 왜 미국 정부는 우리를 그런 날 비행을 굳이 시켜야만 했을까? 누구나 궁금할 것이다. 이 90분간의 비행으로 우리가 도대체 뭘 얻은 건가? 굳이 따지자면, 악천후를 뚫고 비행함으로서, 그 장면을 레이더로 추적하고 있을 게 분명한 북한 레이더 조작사들에게 강한 인상을 주긴 했을 것이다. 그 외에는 뭘 얻었는지 짐작도 안 갔다. 우리는 아무 것도 아닌 것에 목숨을 걸었다. 우리의 목숨을 판돈으로 걸고 노름을 한 정치인들은 대체 누구인가? 이 사건 이전에는 나는 명령 계통에 결코 의문을 제기하지 않았다. 제기하더라도 대대 내에서의 명령 계통에 한했다. 우리는 높으신 분들이 우리의 생명을 불필요한 위험에 처하게 하지 않을 거라고 믿었다. 그러나 이 비행이야말로 우리 모두가 서태평양에서 갔던 환멸로 가는 길의 첫걸음이었다. 나는 비행대대 대기실에 뜨거운 커피잔과 팝콘 봉지를 들고 앉았다. 난 다 잘 했어. 이제 다시 삶을 즐길 수 있어. 하고 스스로를 위로했다. 그러나 그 이후 문제는 계속 악화될 뿐이었다.

<푸에블로> 때문에 잠시 한반도에 들렀던 <엔터프라이즈>와 그 비행단은 얼마 안 있어 북베트남 상공의 항공전에 투입되었다. 나는 참전 경험이 있는 선배들의 이야기에 기반해, 가정과 기대를 품고 첫 전투 임무에 나섰다. 선배

들은 역사상 유례를 찾아보기 힘들 만큼 적을 철저히 괴멸시켰다. 나는 북베트남에서도 그렇게 될 줄 알았다. 그러나 <롤링 선더> 작전은 전혀 그렇게 풀려 주지 않았다.

국방부 장관 로버트 맥나마라가 입안하고 존슨 대통령이 승인한 <롤링 선더> 작전의 의도는 적의 전쟁 수행 능력 분쇄가 전혀 아니었다. 심지어 적 방공망 분쇄와 북베트남 상공 아군 제공권 확보도 아니었다. 이 작전은 승리도 실질적 전과도 전혀 얻지 못했다. 이 작전은 북베트남 정부에 점진적인 메시지를 보낸 것 말고는 어떤 성과도 없었다. 나는 창끝전력이 되기를 기대했다. 그러나 실제로는 북베트남을 점점 더 강하게 찍어누르는 존슨 대통령의 손가락이 되고 말았다. 그나마도 적의 급소는 전혀 누를 수 없었다. 적의 어깨만 누르면서, 우리가 원하는 대로 하지 않으면 더 세게 누르겠다고 협박만 할 뿐이었다.

적에 대한 압력의 점진적 증대. 아마 학교에서 일진에 맞서서 싸움을 벌여 본 적이 없는 놈의 머리에서 나온 전략일 것이다. 수업 끝을 알리는 종이 울리면 나는 귀가하러 움직인다. 그런데 집에 가는 길에 일진이 약한 아이를 때리고 있다. 나는 약한 아이를 도우러 간다. 그런데 그 일진을 때려눕히지 않고, 대신 일진의 뒤통수에 내 손바닥을 정중하게 가져다 대고 “그 아이 그만 괴롭혀, 나 지금 화나려고 그래!” 하면, 일진이 과연 어떻게 나올 것인가?

<롤링 선더> 작전은 린든 존슨 대통령이 북베트남을 향해 휘두르는 회초리였다. 그가 북베트남에 우리 군을 보낸 것은, 남베트남 공산 게릴라(베트콩)들에게 물자와 인력을 지원하는 북베트남을 회초리로 한 대 친 다음에 일방적인 휴지기(폭격 일시 정지)를 주면, 북베트남도 자신들의 잘못을 깨닫고 반성할 거라는 계산 때문이었다. 그러나 휴지기를 얻은 북베트남은 반성은커녕 재무장에 급급했다. 이러한 미국의 작전은 북베트남을 더욱 대담하게 했다. 또한 북베트남 지도자들은, 미국은 북베트남과의 전쟁에서 승리를 거두는 것보다는 확전되지 않는 것, 더 정확히 말하면 중국 및 소련과 싸우지 않는 것을 더욱 중요하게 여기고 있다고 확신하게 되었다. 따라서 그들은 휴지기

를 이용해 다음 공세를 준비했다. 그 결과 많은 미군이 죽었다. 그 중에는 내 친구도 있었다.

양키 스테이션의 <엔터프라이즈> 비행단은 이러한 국제 정세가 개별 항공 승무원들에게 의미하는 바를 체감하게 되었다. 워싱턴 DC의 존슨 대통령과 맥나마라 장관은 현지에서 벌어지는 항공전을 철저히 통제했다. 심지어 표적 선정에까지 직접 관여할 정도였다. 북베트남에는 폭격할 가치가 있는 표적이 150개 정도 있었다. 공항, 군 기지, 보급시설, 발전소, 교량, 철도 기지, 연료 및 윤활유 생산공장, 제철소, 하이퐁 항구 시설 등이었다. 중국과 소련은 북베트남의 주요 동맹국이 되고 싶었으므로, 북베트남에 상대보다 더욱 나은 군수 지원을 해주려고 했다. 무기와 군수 물자를 실은 대규모 차량 호송대가 중월국경을 통해 북베트남으로 들어갔다. 소련 역시 대량의 전차와 지대공 미사일을 화물선에 실어 보내 하이퐁 항구에 부려놓았다.

확전을 매우 싫어하던 존슨 행정부는 하이퐁 항구 및 그 화물에 대한 공격을 허가하지 않았다. 북베트남 상공의 항공작전을 시작하면서, 우리는 하이퐁 항구에 물자를 하역하러 온 화물선들을 보았다. 그 화물선에는 내후 처리된 MiG 전투기와 지대공 미사일이 잔뜩 실려 있었다. 곧 우리들에게 불을 뿜을 무기들이었다.

그러나 우리는 그 화물선들을 공격할 수 없었다. 또한 하이퐁 항에 기뢰를 부설할 수도 없었다. 비극이 따로 없었다. 지난 제2차 세계대전에서 이미 완성된 항공 기뢰 부설 작전을 시도했다면, 불과 3일만에 하이퐁 항구를 봉쇄할 수 있었을 것이다. 그리고 하이퐁 항구는 북베트남 유일의 대형 항구다. 그러나 백악관에서는 그런 작전을 불허했다.

북베트남 군이 운용하는 소련제 지대공미사일은 크기가 전봇대만하다. 레이더로 유도되어 표적으로 날아간다. 우리 항공기를 엄청나게 많이 떨어뜨렸다. 그러나 북베트남의 지대공미사일 포대도 폭격해서는 안 되었다. 거기 있는 소련 군사 고문관을 죽이면 안 되기 때문이었다.

북베트남은 소련과 중국에서 MiG 전투기도 수입해 운용하기 시작했다. 이에 미 해군과 공군은 정부에 북베트남 공군 기지 폭격 허가를 요청했다. 미국 정부는 이것도 불허했다. 댐, 수력발전소, 어선, 삼판, 집배 등도 어떤 경우에도 폭격해서는 안 되었다. 또한 인구 밀집 지역도 폭격해서는 안 되었다. 이러한 제한 조치의 군사적 가치를 알아챈 북베트남은 지대공미사일 운용 지원 시설과 기타 고가치 표적들을 죄다 폭격 금지 구역인 하노이와 하이퐁 인근으로 옮겨 놓았다. 하노이 인근의 공군 기지는 북베트남 MiG기들의 도피성이 되었다. 당시 미국 항공 작전의 총책임자이던 미 태평양 사령관 율리시스 S. 그랜트 샤프 제독은 합동참모본부에 아군에 큰 피해를 주는 이런 폭격 제한을 해제할 것을 요청했다. 이런 폭격 제한 덕택에 북베트남 전투 조종사들은 자기들 공군 기지가 폭격을 맞을 걱정도 없이 편히 쉬다가, 우리 폭격기들이 나타나기만 하면 긴급 발진하고 있단 말이었다.

결국 존슨 대통령과 맥나마라 장관은 압박에 못이겨, 북베트남 공군 기지에 대한 폭격을 허용했다. 그러나 여전히 그들의 지독한 간섭은 계속되었다. 그들이 정해준 공군 기지만 폭격할 수 있고, 그 외의 기지는 폭격할 수 없었다. 샤프 제독은 이런 글을 썼다. “언제나 미국 정부의 폭격 승인을 구걸해야 했고, 승인이 나는 경우는 너무나도 적었다.” 해군이 당장 대규모 폭격을 가해 북베트남 공군을 괴멸시켜도 시원찮을 판인데, 한 번에 공격 가능한 공군 기지 수는 너무 적었다. 나머지 공군 기지는 물론 폭격할 수 없었고.

베트남 전쟁 종전 후에 진행된 연구를 보면, 북베트남 정부는 미군의 최신화된 표적 목록을 양키 스테이션과 같은 시간에 입수하고 있었다고 한다. 목록을 적에게 넘겨준 범인은 미국 국무부였다. 국무부는 표적 지역에 사는 민간인들을 소개할 시간을 주기 위해, 스위스를 경유해 표적 목록을 북베트남 정부에 제공했던 것이다. 물론 북베트남 정부는 우리 폭탄에 자국 민간인이 죽는 것에는 신경을 덜 썼다. 그들은 이 귀중한 정보를 오직 전투에만 활용했다. 우리 항공기를 더 많이 떨어뜨리기 위해, MiG 전투기와 방공 포대를 표적 인근에 집중 배치했던 것이다. 이 전쟁에서는 땅 위에 그냥 서 있는 MiG 전투기를 폭격으로 파괴하기도 어려웠다. 심지어 비행 중인 MiG 전투기도 육안으로 적기임이 식별되고, 아군에 직접적인 위협을 가해야만 격추할 수 있었다.

이건 전쟁에서 지기로 작정한 거나 다름 없는 짓이었다. 이 전쟁이 갈수록 꼬여간 건 당연했다.

이러한 교전 규칙은 우리가 배운 공중전의 방식을 부정하는 것이었다. 우리 군의 F-4 팬텀 전투기의 진가는 가시거리 밖 공대공 전투능력에 있다. 이 전투기에 탑재된 AIM-7 스패로우 미사일은 새로운 방식의 공중전의 상징과도 같았다. 레이더로 표적을 추적하고 조준, 발사하면 무려 10마일(19km) 떨어진 적기도 격추할 수 있었다. 해군은 우리에게 이런 방식을 가르쳤다. 반면 미사일 기술에 대한 신뢰가 있었기에, 근접 공중전은 가르치지 않았다. 대부분의 전투 조종사들은 이런 가시거리 밖 공중전만 알고 있었다. 그러나 교전 규칙 때문에 우리가 배운 공중전 방식을 쓸 수 없었다.

교전 규칙은 가시거리 밖에서의 사격을 엄금했다. 전투 조종사가 공중 표적에 미사일을 쏘려면, 우선 표적이 아군기가 아니라 적기임을 육안 확인해야 했다. 물론 부주의나 실수로 아군을 격추하는 것은 용납할 수 없다. 그러나 전투의 혼란 속에서는 발생하는 일이었다. 베트남 전쟁이 벌어진 지 3년이 지났는데도 캘리포니아의 훈련 비행대에서는 오직 장거리 레이더 요격만 가르치고 있었다. 그런 훈련은 베트남 항공전에서는 전혀 쓸모가 없었다.

그리고 이러한 환경은 북베트남 MiG 조종사들에게 완벽히 유리했다.

MiG-17은 기동성이 뛰어나다. 그러나 무장은 기관총 뿐으로, 미사일은 탑재 못한다. 소련이 6·25 전쟁의 전훈을 받아들여 만든 구식 설계 사상의 항공기다. 이런 항공기를 가진 북베트남 공군은 우리 군과 싸울 시 최대한 가까이 달라붙어 기관총의 조준기 안에 우리 항공기를 넣어야 한다. 북베트남 공군은 우리 군과의 거리가 600피트(180m) 이하로 좁혀질 때까지 기다리다가 사격을 가하기도 했다. 우리는 10마일(19km) 떨어진 적기를 격추하는 훈련을 받았는데! 게다가 F-4는 미사일만 탑재하지 내장 기관총은 없다(팬텀은 공군형 중에서도 E형 및 그 파생형만 내장 기관총을 탑재하고 있다-역자주).

제작사나 국방부나 근접 공중전의 시대는 끝났다고 여겼기 때문이다.

우리는 공중전화박스 안에서 벌어지는 칼싸움에 이런 최첨단 병기를 끌고 참전했다. 결과는 어땠냐고? 북베트남 공군은 모두의 예상을 한참 뛰어넘는 대전과를 올렸다.

앞에서 얘기했던 <오리스캐니> 소속 딕 샤퍼트의 1:6 전투를 보면 또다른 문제점도 알 수 있다. 그는 원래 자기 전투기에 AIM-9 사이드와인더 미사일 4발을 탑재했다. 그러나 그 중 1발은 불량품이었던 것이 발함 직전에야 드러나, 전투기에서 탈거되었다. 그는 3발의 미사일만 가지고 발함한 다음, 전투에서 그 3발을 모두 적기에게 사격했다. 그러나 명중한 것은 한 발도 없었다. 그의 항공기에 달려 있던 기관총도 고장났다.

즉, 미군의 무기는 선전 문구처럼 제대로 작동해주지 않았다. 사실 이건 어쩌다 있는 잘못된 일이라고 말하고 싶다. 그러나 진주만 공습 이전 미 해군의 어뢰에도 같은 품질 문제가 있었다. 1930년대의 어뢰 역시 당대의 최첨단 기술이 적용된 비싼 무기였다. 너무 비싸서 해군은 개발 시 충분한 실탄 사격 실험을 해보지 못했다. 대신, 어뢰의 주행이 종료되면 어뢰를 수면에 부상시키는 모의 탄두를 장착하고 사격 실험을 했다. 1941년 이전 실시된 어뢰 실탄 사격 실험 횟수는 그야말로 손에 꼽을 지경이었다.

그러다가 전쟁이 벌어졌고, 어뢰의 신뢰성이 형편없는 것이 드러나자 모두가 놀랐다. 직주하지 못하고 제자리를 빙빙 도는 어뢰도 있었고, 표적에 명중해도 격발되지 않는 어뢰도 있었다. 그러나 해군의 관료 체계는 어뢰 자체에 결함이 있을지도 모른다는 보고를 꿋꿋이 무시했다. 오히려 일선 장병들이 어뢰를 제대로 운용하지 못한 때문이라며 실무자들을 비난했다. 문제의 실체가 밝혀져 해결된 것은 1943년에 들어와서였다. 철저히 기술적 결함이었다.

베트남 전쟁에 가지고 나간 스패로우 미사일과 사이드와인더 미사일 역시 고장, 불명중 등의 문제를 많이 일으켰다. 왜 1965년 이전에는 이런 문제가 있는 줄 몰랐는가? 이번에도 역사는 반복되었기 때문이었다. 너무 비싼 무기들이라 해군이 충분한 실탄 사격 훈련을 할 수 없었기 때문이었다. 실탄 사격 훈련을 해도 자기가 적의 공격을 당할 줄 전혀 모르는 폭격기처럼 수평직선 비행을 하는 무인기를 표적으로 쏘면 절대 못 맞출 리가 없다. 때문에 우리는 실전에서 적 전투기를 상대로 사격을 할 때까지 이 무기의 문제점을 알 수 없었다.

물론 우리 군은 그래도 북베트남 상공의 공중우세를 유지하긴 했다. 그럼에도 북베트남 MiG 전투기와 그 조종사들은 여전히 큰 위협이었다. 그들이 우리 군을 상대로 거둔 승리는 더 크고 불길한 문제를 나타내고 있었다. 북베트남 공군의 MiG기 보유대수는 170여 대에 불과했다. 그런데 그 정도의 전력으로도 우리 군에게 이렇게 엄청난 손해를 입힐 수 있다면, 소련이 이끄는 바르샤바 조약군과 전쟁이 벌어지면 대체 어떻게 되겠는가? 그들의 군용기 보유 대수는 미군의 5배나 되는데? 베트남이 미군의 실력을 보여주는 시험장이라면, 그 성적표는 변명의 여지가 없는 F학점이었다.

이러한 기술적 문제와 정치적 간섭에도 불구하고, 우리는 승리할 방법을 찾아내야 했다. 맥나마라 장관은 숫자 말고는 아는 게 없었다. 그가 이끄는 국방부는 지상전의 성공 여부를 적 사살 수로 계산했다. 항공전의 성공 여부는 북베트남 상공에 보낸 항공기의 소티(sortie) 수로 계산했다. 소티는 항공작전의 규모를 재는 단위다. 항공기의 수에 임무 수를 곱해서 얻는다. 항공기 1대가 1번의 임무에 출격하면 1소티다. 10대의 항공기가 1번의 임무에 함께 출격하면 10소티다. 이런 계산법은 사람들을 오판에 빠뜨렸다. 우리 폭격기들이 임무 수행 중 MiG기의 공격을 받아, 폭탄을 목표에 전혀 명중시키지 못하고, 다른 곳에 버리고 도망친다고 해도 어쨌든 소티 수는 올라가니까 말이다.

소티 수를 늘리라는 압력을 받은 항공모함들은 혹사를 당했다. 항공모함 비행단의 함상 근무자들은 하루에 무려 12시간씩 근무해가며 갑판 위의 FOD를 거듭 찾아 제거하고, 항공기를 발함 및 착함시키고, 항공기의 재무장과 재급유를 실시해 가며 주어진 소티 수를 맞추는 데 급급했다. 조종사들 역시 고생이었다. 하루에 2번씩 임무를 뛰는 날도 드물지 않았다. 한 번의 임무는 브리핑과 귀환정보보고 시간까지 합치면 몇 시간은 가뿐히 걸린다. 모두가 피로감을 한계까지 느끼고 있었다. 적에게 격추당했다가 아군에게 구조된 조종사들도 불과 며칠 만에 다시 비행에 나서야 했다. 앞서 언급한 <오리스캐니> 소속 딕 샤퍼트의 전투에서, 샤퍼트는 아무도 모르는 등 부상이 있었지만 가용 조종사가 하나도 없어서 부득이하게 출격했다. 그 부상 때문에 샤퍼트는 고개를 돌려 6시 방향을 관찰할 수 없었다. 그래서 그는 상체의 안전 벨트를 벗고, 상반신 전체를 돌리는 식으로 6시 방향을 관찰했다. 만약 그가 비상 탈출했다면 충격을 이기지 못하고 죽었을 것이다. <곰(The Bear)>이라는 별명으로 불리던 그는 해군 항공대의 전투 영웅이자, 살아있는 전설이 되었다. 그는 전쟁에서 살아남아, 존경받는 베트남 전쟁 역사학자가 되었다.

전쟁이 격화되자, 다른 때 같으면 충분히 피할 수 있던 안타까운 사고도 많이 벌어졌다. 그 중에는 항공모함 함상에서 벌어진 대규모 화재도 있었다. 피로에 지친 승조원의 실수 때문에 벌어진 것이었다. 그런 사고로 다수의 승조원과 항공기 승무원들이 숨을 거두었다. 항공모함의 화재는 자칫하면 함을 포기해야 할 수도 있을 정도로 위험한 사고다.

고작 그놈의 소티 수를 채우려고 훌륭한 전우들이 헛되이 목숨을 잃고 말았다 대체 무엇 때문에 그들이 죽어야 했나? 각군간의 경쟁도 과열되었다. 공군과 해군은 예산을 놓고 맹렬한 각축전을 벌였다. 양군은 소티 수 경쟁에서 상대방을 압도하여 더 많은 예산을 타낼 생각이었다. 그 와중에 사람들은 쓸데 없이 죽어갔다.

1967년 <엔터프라이즈>가 통킹 만에 도착하기 직전, 해군과 공군은 심각한 탄약 부족에 직면했다. 평시 기준 탄약 생산량으로는 도저히 전시 수요를 맞출 수 없다. 그래서 미 국방부는 NATO 국가에 팔았던 탄약을 웃돈을 주고 되사오기로 했다. 그 탄약들 중에는 제2차 세계대전 때 지어진 건물에 보관되었던 구형 철제 폭탄들도 있었다. 그러나 여전히 항공모함들은 폭탄 부족인 상태로 임무를 뛰어 소티 수를 맞춰야 했다. 그래서 항공기 2대면 충분히 나를 수 있는 양의 폭탄을, 항공기 6~8대에 나눠 탑재하여 출격시키는 식으로 소티 수를 늘렸다. 맥나마라는 소티 수만 따졌다. 해군의 전투 효율은 떨어지고 있었지만 그는 일절 신경쓰지 않았다.

전쟁으로 인해 미군의 약점이 드러났는데도 복지부동한 미국 정부 관료들은 이를 해결할 방법을 찾지 못했다. 결국 우리 군은 기존에 하던 대로 할 수밖에 없었고, 결과도 늘 같았다. 즉, 우리 군은 녹초가 되도록 작전을 뛰면서도, 북베트남의 베트콩 지원을 막지 못했다.

이상이 베트남 전쟁 중 우리 군에 만연했던 심각한 다층적 위기의 요약이다. 물론 나와 전우들이 겪었던 그 체험의 지독함을 이 몇 줄 글로 완벽히 다 옮길 수는 없다. 그 때의 문제점을 이보다 더 잘 표현한 책들도 많다. 그러나 확실한 것은 당시 우리가 직면한 건 비극적 현실이었다. 그리고 그 현실에서 살아남은 이들에게는 아픈 체험으로 남아 있다는 점이다.

다른 사람의 책과 내 책이 다른 점은 딱 한 가지다. 나는 당시 이러한 문제들에 대한 해결책을 찾는 책임자였다는 점이다. 물론 해결책을 찾은 얘기도 할 것이다. 그러나 그 전에, 1968년에 어느 항공모함 비행단이 양키 스테이션 전투 파견 기간을 견뎌낸 이야기부터 하고자 한다.

제7장
양키 스테이션 교육

1968년 초, 베트남 앞바다 양키 스테이션

나는 비행대대 대기실 옆의 장구실에 가서 G수트, 비행화, 비행장갑을 착용했다. 생존 장비도 챙겼다. 다음 출격을 위해서였다. 그리고 내 락커 속의 레이밴도 챙겼다. 나는 10년 이상 묵은 이 선글라스를 거의 모든 출격때마다 사용했다. 그리고 비행 가방에서 헬멧을 꺼내다가, 죽은 선배 조종사가 남기고 간 쥐 인형을 발견했다. 여전히 비행 가방 안에서 잘 머물고 있는 그 인형은 여러 차례의 대양 횡단에 피로해진 기색이 역력했다. 그러나 나를 보는 그의 시선은 노스 섬의 락커에서 처음 나를 만났을 때와 마찬가지로 강렬했다.

어이, 잘 있었나, 친구.

그 쥐 인형은 나의 행운의 부적이었다. 나는 수천 시간 동안 고성능 제트 전투기를 타고 비행했다. 베트남 상공에서 전투도 했다. 낡은 항공모함에 야간 착함도 했다. 그리고 이 쥐 인형은 그 모든 일을 나와 함께 했다. 나는 이 인형을 다나에게 줘 버릴까도 생각했다. 다나는 지금 8살이고 이 인형을 매우 좋아할 것이다. 그러나 그 때마다 나는 인형의 원 주인을 생각했다. 나는 이 인형을 다른 사람에게 줄 자격이 없다. 그 인형은 언제까지나 내 비행 가방에 있을 것이다. 딸아이에게는 다른 인형을 사주어야겠다.

물론 귀국하면, 그런데 못 돌아가면 어쩌지.

나는 쥐 인형을 다시 한 번 바라보고, 그걸 담은 비행 가방을 락커에 넣었다. 헬멧을 손에 쥔 나는 내셔널 매치 콜트 45 권총을 숄더 홀스터에 끼워넣는 걸 잊을 뻔 했다. 그 총은 나의 또다른 행운의 부적이다. 코로나도 경찰청 부청장이던 장인 어른이 반드시 살아 돌아오라며 선물해 준 것이다. 이후 나는 비행 때마다 그 총을 휴대했다. 이제 내 출격 준비는 끝났다.

나는 너무나도 간절히 MiG를 잡고 싶었다. 나 뿐 아니라 모든 미국 전투 조종사들이 그랬다. 그러나 북베트남 전투 조종사들은 만만찮은 상대였다. 게다가 북베트남은 레이더 지상 통제도 잘 받고 있었고, 그들을 상대하는 우리 군의 손목에는 수갑이 채워져 있었다. MiG 전투기들은 몇 주 동안 모습을 전혀 보이지 않다가, 어느날 갑자기 나타나 30대로 구성된 우리 군의 타격 편대군을 휘저어 놓는 것이 예사였다.

물론 나 개인적으로는 아직 북베트남 MiG 전투기와 조우한 적은 없었다.

우리는 매일같이 양키 스테이션에서 출격해, 그 가치가 의심스러운 표적을 타격했다. 수색 섬멸 임무에서 발견된 트럭 호송대를 폭격하기도 했다. 적 트럭은 주로 야음을 틈타 움직인다. 적의 보급 창고, 발전소, 주둔지를 폭격하기도 했다. 다만 먼저 왔던 비행대대들이 이미 폭격해서 못쓰게 만든 곳들을 괜히 또 폭격하는 경우도 많았지만. 적의 교량과 지대공 미사일 포대도 폭격했다. 하노이 인근의 북베트남 공군 기지 폭격 허가는 매우 드물게 내려왔다.

F-4는 초음속 요격기로 설계되었다. 그리고 그 요격 상대는 소련제 전략 폭격기였다. 그러나 베트남 전쟁에서 F-4는 미국 역사상 최고의 다목적 전투기가 되었다. 요격기로도 쓰이지만 호위 전투기로도 쓰이고, 폭격기 대용으로도 쓰이고, 남베트남 영토 내에서는 근접 항공 지원용으로도 쓰였다.

그 모든 임무를 잘 해내는 것이 우리 팬텀 조종사들의 일이었다. 때문에 일선에서도 부지런히 공부해야 했다. 그리고 똑같은 임무는 하나도 없었다. 하루에 많으면 두 번씩, 그것도 한 번은 야간 출격을 하고 나면 조종사들은 녹초가 되었다. 숙면 부족으로 신경증을 일으키기 직전까지 갔다. 조종사들은 갈수록 쉽게 좌절하게 되었다. 어떤 사람은 압박과 탈진, 먼저 간 전우들에 대한 슬픔을 못 이겨 비행을 그만두려고까지 했다. 그러나 우리 비행대대에서는 그런 일이 없었다. 스캥크를 비롯한 대대의 고참 조종사들은 어떤 어려운 임무에도 신참 조종사들과 함께 출격하여 솔선수범을 보였다. 또한 그들은 표적 정보와 교전 규칙에도 정통했다. 그들은 다른 이들에게 귀감이 되는 훌륭한 조종사들이었다. 스캥크는 모두의 마음을 모으고, 팀워을 유지시켰다. 또한 부하를 아낄 줄 아는 대대장이었다. 그렇기에 우리는 매일같이 사지로 비행할 수 있었다. 우리 비행대대뿐 아니라, 우리 비행단의 모든 비행대대의 대대장들은 솔선수범으로 부하들을 다스렸다. 물론 다른 비행단에서는 그렇게 안 하는 부대도 있긴 했지만.

우리 전우들은 지대공 미사일, 대공포, MiG 전투기의 공격을 당해 죽어갔다. 적 MiG 전투기 조종사들은 지상 통제사의 훌륭한 지휘를 받아 우리 군 편대에 기습 공격을 가했다. 적은 특히 공군의 F-105 선더치프 전투기 사냥을 즐겼다. 설령 격추는 못 시킨다고 해도, 무장을 내버리고 도망가게는 할 수 있었다. 그러면 우리 군이 그 표적을 부수려면 나중에 또 출격해야 하기 때문이다.

해군 항공대와 공군은 영원한 경쟁자인 동시에 전우다. 1968년, 나는 <써드>(Thud, F-105 항공기의 별칭) 조종사들을 보면서 그 점을 절감했다. 그들은 북베트남 상공에서 엄청난 손실을 감당하고 있었다. 리퍼블릭 항공기 제작사에서 생산한 F-105는 833대다. 그 중 382대가 동남아시아 상공에서 격추당했다. 그 조종사들은 해군의 A-4 스카이호크 조종사들과 마찬가지로, 용맹하고 헌신적인 미국의 영웅들이었다.

그날 오후, 나도 북베트남이라는 사자의 수염을 뽑으러 동료들과 출격할 참이었다. 비행 장구를 착용하고, 출격 준비를 마친 조종사들은 브리핑을 받으러 타격 작전 본부로 들어갔다. 이 곳을 통상 브리핑실로 썼는데, 여기가 정보 장교들의 근무처이기 때문이다. 우리 조종사들은 정보 장교들을 게으르고 멍청해 조종사 대기실이 어디 있는지도 모르는 놈들로 업신여겼다. 그러니 볼 일이 있으면 우리가 그들에게 찾아가는 편이 나았다.

방에 들어가자마자 벽에 걸린 작전 지도를 본 나는 실망스러웠다. 이번 임무에서도 MiG와 조우할 기회는 없었기 때문이다. 이번에 갈 표적 지역은 남북베트남 사이의 비무장지대, 그 중에서도 <케산>이라는 지역이었다.

1968년 1월말, 북베트남 군은 케산의 특전부대 전초기지와 해병대 화력 기지를 상대로 대공세를 벌였다. 해병대 화력 기지는 정상이 평평한 산 위에 있어, 사방 모두에 노출된 상태였다. 전투가 시작되자마자 미군과 남베트남군은 적에게 포위되어 육상 보급이 차단되었고, 적의 호된 포 사격을 뒤집어썼다. 보급품을 싣고 케산의 작은 비행장에 착륙 접근하던 아군의 헬리콥터와 고정익 수송기들 역시 적 대공 화기의 불벼락을 맞아야 했다. 무사히 활주로에 착륙하더라도 항공기를 향해 적의 박격포탄이 날아왔다. 북베트남 군은 야간 기습도 시도해 기지 방어망을 돌파하는 데 성공했다. 그러나 적이 전과를 확대하기 전에, 해병대 1개 소대가 반격에 나섰다. 총검과 개머리판, 맨주먹을 앞세운 백병전까지 치른 끝에 해병대는 적을 방어망 밖으로 몰아내었다.

해병대는 담력과 화력에 의지해 그 자리를 지켜나갔다. 상공에서는 B-52 폭격기 2대가 적 진지 융단 폭격으로 화력 지원을 해 주었다. 해병 항공대는 물론 공군과 해군의 양키 스테이션 비행단들도 포위를 견디고 있는 용맹스러운 해병 전우들을 돕기 위한 싸움에 참가했다.

우리는 그날 오후 늦게 발함해 200마일(370km)을 비행, 케산 상공의 집결 지점에 도착했다. 전투로 인해 주위의 계곡에는 짙은 회색의 연기가 가득했다. 때문에 지상의 상황은 잘 보이지 않았다. 케산 기지 비행장은 도살장이나 다름 없었다. 적의 박격포 사격으로 격파된 항공기 잔해가 활주로 양옆으로 치워져 있었다. 부드러운 붉은 흙 위에 무수한 폭파공이 뚫려 마치 달 풍경을 보는 것 같았다.

나는 해병대 전방 항공 통제사를 호출했다. 그는 항공기를 표적으로 유도하는 임무를 맡고 있다. 그는 젊은 해병들과 함께 머무르면서 적의 포 사격과 야습을 견뎌냈다. 무전기와 전문성을 갖춘 그는 동료 해병들을 위해 신의 주먹을 내지를 것이었다. 해병대 전방 항공 통제사는 해병 항공대 조종사 출신이 많았다. 그래야 항공기 조종사와 의사소통이 되고, 조종사들이 처한 상태를 이해할 수 있기 때문이다.

전방 항공 통제사는 내 호출에 즉시 응답했다. 그가 전해 준 현장 상황은 긴박했다. 북베트남 군이 또 한 번의 야습을 위해 방어선 바로 밖에 집합하고 있다고 했다. 그는 야음이 되어 적이 기습을 하기 전에, 내가 보유한 모든 무장을 적에게 투하해 달라고 했다.

그날 저녁은 베트남 치고는 드물게 구름이 없는 맑은 날이었다. 내 머리 위에 펼쳐진 푸른 하늘은, 발 밑의 보기 흉한 연기와 화염들과 좋은 대비를 이루었다. 지시를 들은 나는 표적을 향해 폭격 항정을 시작했다.

전방 항공 통제사의 목소리가 들려왔다.

"속도 500노트(시속 926km), 고도 400피트(120m) 유지하라. 적이 대공사격을 가할 것이다. 내 신호에 맞춰 폭탄 투하하라. 귀관 좌현, 방어선 바로 안쪽에는 아군 해병대가 있으니 주의하라."

내 항공기에는 500파운드(227kg)짜리 마크 82 스네이크 아이 폭탄 12발이 탑재되어 있다. 이 폭탄은 투하되자마자 스프링으로 작동되는 에어 브레이크가 펴져, 투하 지점에서부터 지면을 향해 바로 수직에 가까운 각도로 느리게 하강한다. 따라서 폭격 정확도가 매우 높을 뿐 아니라, 항공기가 폭탄을 저공에서 투하해도 폭발과 파편으로부터 안전한 거리까지 도망칠 시간을 벌어준다.

나는 그의 지시에 맞춰 속도는 500노트, 고도는 400피트를 유지하며 수평 직선 비행을 했다. 팬텀은 짙은 연기를 가르며 날아갔다. 나와 후방석 승무원인 데니스 더피는 항공기 우현의 고지에서 발사되는 소병기 사격 화염을 보았다. 잠시 후 주황색 예광탄이 우리 항공기와 거의 수평으로 스쳐 지나갔다.

항공기의 속도가 빠르기 때문에, 북베트남 군의 대공 사격이 항공기에 명중할 걱정은 하지 않았다. 그러나 잘못하여 폭탄을 우리 해병대의 머리 위에 떨어뜨리는 것은 매우 싫었다. 예전에도 미숙련 해군 조종사의 오폭으로 미군 여러 명이 부상을 당한 적이 있었다.

내가 만약 오폭으로 미군을 죽인다면? 변명의 여지가 없다는 것은 잘 알고 있었다.

나는 전방 항공 통제사의 지시를 주의깊게 경청했다. 내 항공기의 날개가 지평선과 평행을 이루지 못하고 조금이라도 좌나 우로 기울어 있다면 폭탄의 탄착점도 그에 따라 좌나 우로 가게 된다. 그 자리에 있는 모든 북베트남 군의 AK-47 소총 사격을 받으며 기체 자세를 계속 안정되게 유지하기란 말처럼 쉽지 않다. 아니, 내가 했던 모든 비행 중 가장 어려웠다.

나는 기수 방위와 비행 자세가 완벽함을 확인했다. 잠시 후 전방 항공 통제사의 구령이 들렸다. “폭탄 투하! 폭탄 투하! 폭탄 투하!”

나는 갖고 있던 모든 마크 82 폭탄을 한 번에 투하했다. 총 무게 6,000파운드(2,700kg)의 폭탄이 떨어져 나가 지면으로 곤두박질치자 F-4는 하늘로 떠올랐다. 동시에 나는 스로틀 레버를 후기 연소기 작동 위치까지 밀어 부쳤다. 팬텀의 J79 엔진 2대가 최대 추력을 내자 나는 조종간을 잡아당겨 급상승했다. 5G의 중력 가속도가 전해져 왔다.

더피가 말했다.

“어서 여기서 빠져나가자구, 친구!”

상승하며 전방 항공 통제사의 무전을 기다리는 동안 목이 막히고 가슴이 답답했다. 전방 항공 통제사의 폭격 결과 보고를 기다릴 때야말로 임무에서 가장 힘든 부분이다.

이런. 설마 내 폭탄에 해병대가 죽은 건 아니겠지?

전방 항공 통제사는 아직 아무 말이 없었다. 고도계의 바늘은 이미 3,000피트(900m)를 넘어가고 있었다. 시계의 초침도 째각이며 돌고 있었다. 아직도 아무 말이 없다. 데니스는 고개를 돌려 뒤를 보며, 폭탄의 탄착 지점을 확인하려 하고 있을 것이다.

설마…

무전기에 잡음이 찍찍대더니 통제사의 고함 소리가 들렸다.

"잘 했어! 친구! 표적 한가운데 정확히 맞았다!"

나는 안도의 한숨을 쉬었다. 그리고 산소 마스크를 쓴 입으로 함박미소를 지었다. 우리는 근접 항공 지원 훈련을 거의 해 본 적이 없었다. 물론 양키 스테이션에 배치된 후에 몇 번의 근접 항공 지원 임무를 해 본 적은 있다. 그러나 이번만큼 어렵지는 않았다. 이번에는 아군이 표적과 너무 가까이 있었단 말이다.

함께 출격한 다른 팬텀들도 한 대씩 폭격 항정을 실시했다. 모든 항공기가 폭격을 마치자 우리는 집결해 편대를 구성하고 항공모함으로 귀환하는 길에 올랐다. 우리는 항공모함을 야구 용어인 <본루(本壘)>라고도 불렀다. 그 후로 며칠 동안 우리는 그런 임무를 계속하며, 절망적인 상황에 처한 해병대를 지원했다. 뭔가 사람들에게 도움이 되는 일을 하고 있으니 기분이 좋았다. 폭탄으로 북베트남 군 1명을 죽일 때마다, 아군에게 총을 쏠 인원이 1명씩 줄어드니 말이다.

해병대는 계속 그 땅을 지켜냈다. 그리고 미 육군-미 해병대-남베트남군으로 구성된 연합군이 케산 포위를 뚫고 해병대를 구출하고자 제9번 고속도로를 따라 케산으로 가고 있었다. 이에 <엔터프라이즈> 소속 비행단은 케산 지원을 중단하고, 예정되어 있던 북베트남 상공 임무로 복귀했다.

우리는 주야간 악천후를 무릅쓰고 비행했다. 통상 <알파 스트라이크>라고 불리우는, 30여 대의 항공기로 구성된 대형 공격 편대군을 조직해 임무에 나섰다. 여기서 F-4 전투기의 임무는 적 MiG기로부터 아군기를 엄호하거나, 적 방공 포대를 제압하는 것이었다. 표적 타격은 A-4 스카이호크 공격기가 맡았다. 팬텀은 2대, 혹은 4대가 1개 편대를 이루어 무장 정찰 임무도 수행했다. 미국 정부가 폭격 허가한 표적이 없는지 살피는 것이었다.

북베트남 상공의 공중우세는 미군에게 있었다. 때문에 북베트남은 야음에 의존해 전투 지대로 물자와 인력을 투입했다. 이에 맞서 우리 군도 야간 비행을 하면서 적 차량 호송대 사냥을 했다.

물론 북베트남 군도 이들 차량 호송대에 장갑차 차대를 이용한 자주 대공포 등의 방공 화기를 딸려 보냈다. 그런 자주 대공포는 제2차 세계대전 중 미국이 만들어 소련에 수출했던 모델과 비슷하게 생겼다. 여기에 탑재된 중기관총 및 경기관포는 저공으로 날다가 강하 공격하는 아군기를 타격할 수 있었다.

교전 규칙 때문에 적은 우리를 더 쉽게 타격할 수 있었다. 미국 정부는 우선 조명탄부터 투하해서 표적이 트럭 등 군용 차량인지 확인한 다음, 플레어 불빛 속으로 강하해 표적을 타격해야 한다고 정했기 때문이었다. 적은 얼마 못 가 이를 유리하게 이용했다. 조명탄이 떨어지면 적의 대공화기 사수들은 예광탄과 대공포탄을 마구 쏘아대기 시작했다. 우리는 그 탄막 사격을 뚫고 강하, 몇 분의 1초에 불과한 폭탄 투하 기회를 잡아야 했다.

이 때도 우리는 기체에 20mm 기관포가 내장되어 있지 않은 게 아쉬웠다. 그런 무기가 있었다면 적 대공 화기에 응사하기 쉬웠을 것이다. 그러나 그런 게 없는 한, 적의 공격을 감내할 수밖에 없었다. 탑재한 폭탄 외에는 적에게 타격을 줄 수 있는 무기가 없고, 그걸 투하하기 전까지 우리는 그저 이동 표적에 불과했다. 실망스럽기 그지 없는 현실이었다.

어느날 밤, 나는 2대의 항공기로 이루어진 무장 정찰 편대를 이끌고, 해안선을 따라 펼쳐진 제1번 고속도로로 갔다. 하노이에서 160마일(296km) 떨어진 항구 도시 <빈> 인근에서, 길을 따라 서 있는 어두운 불빛들이 보였다.

물론 그 길을 달리는 게 아군일 리는 만무했다.

아군 오폭 문제가 없으므로, 우리는 상공을 선회하다가 서쪽에서부터 동쪽 방향으로 도로 상 표적을 공격하기로 결정했다. 보통은 편대 기체 모두가 표적 상공을 지나가며 조명탄을 투하하거나, 또는 한 대만 조명탄을 투하하면 나머지 한 대가 조명탄 불빛 하에 공격한다. 그러나 어떤 때는 조명탄이 꺼지고 대공포 대부분이 침묵한 후에야 공격하곤 했다. 그래야 더 안전하기 때문이다. 우리는 워싱턴에서 교전 규칙을 짜는 사람들보다 훨씬 더 똑똑했다. 그리고 적이 예측할 수 없는 행동을 해야 적을 이길 수 있다.

나는 적의 사격을 당하는 데 진력이 났어. 망할 조명탄.

그날 밤 우리는 클러스터 폭탄을 탑재하고 있었다. 이 폭탄은 커다란 모탄 내에 수십 발의 자탄이 들어 있다. 투하하면 모탄이 열리면서 자탄이 넓은 범위에 퍼진다. 자탄은 착지하면 폭발하며 수천 개의 파편을 날려댄다. 클러스터 폭탄은 원래 인마 살상용으로 만들어졌다. 그러나 우리 조종사들은 클러스터 폭탄이 비장갑차량을 관통하고 화재를 유발할 수도 있음을 알아냈다. F-4에 클러스터 폭탄을 만재하고 투하할 경우, 반경 수백 미터의 살상 지대를 형성할 수 있다. 적은 이 강력한 무기를 매우 두려워했다.

나는 요기를 바로 뒤에 달고 강하했다. 내가 먼저 폭탄을 투하하고, 요기는 그 직후에 투하했다. 투하 직후 우리는 어두운 밤하늘로 급상승했다. 팬텀 2대가 잔뜩 싣고 온 클러스터 폭탄이 탄약과 연료를 만재한 트럭 호송대에 명중하자 엄청난 불꽃놀이가 벌어졌다. 제1번 고속도로 상공으로 뿜어져 나오는 화염은 수 마일 밖에서도 보였다. 그날 밤 해안을 초계하던 조종사들은 그 장관을 보고 "빈에 무슨 일 있어?" 하고 궁금해했다. 그날 밤 우리는 남쪽의 테트 공세를 지원하던 적의 보급망에 흠집을 낸 것이다. 거기까지 생각이 미치니 약간이나마 보람을 느꼈다.

항공모함에 귀환한 나는 놀라지 않을 수 없었다. 귀환정보보고를 하고 나니 일부 참모 장교들이 나를 교전 규칙 위반으로 군사 재판에 처하겠다고 소리를 지르는 것이었다. 그놈의 조명탄 때문에? 교전 규칙과 융통성 없는 비전투병과 장교들 때문에 내 해군 이력은 위기에 처했다. 분개한 나는 그들에게 이렇게 항변했다. 이번 공격에서 우리 비행대대는 사상 최대의 전과를 거두었다고. 그 임무를 떠올릴 때마다 베트남 전쟁은 맥나마라의 전쟁이었다는 사실이 새삼 떠오른다. 군사 재판과 무공 훈장 사이가 종이 한 장 차이였던.

임무는 계속되었고 아군의 손실도 늘어났다. 나는 절망감 속에 침대에 드러눕곤 했다. 전우의 죽음을 목격하는 것은 결코 쉬운 일이 아니다. 때때로,

그 광경이 머릿속에서 떨쳐지지 않아 괴로울 때도 있다. 어떤 때는 그들의 죽음으로 인해 쉽게 낫기 어려운 감정적 상처를 입기도 한다. 그런 밤이면 지친 몸에 모포를 덮고 누워도 머릿속이 복잡해 잠이 오지 않는다.

우리가 더 잘했더라면 그가 죽지 않았을지도 모르는데? 그는 이미 탈출했고 우리가 낙하산을 못 본 게 아닐까? 다행히도 우리 비행대대에서는 인명 손실이 없었다.

고향에 있을 동료의 전우들에 대해서는 생각하지 않으려 했다. 그래도 전우의 아내와 아이들의 얼굴이 가끔씩 떠올랐다. 그것도 한꺼번에 많이 말이다. 해군 생활을 하다 보니 전투의 어려움을 즐기는 사람도 있긴 있었다. 그들에게 베트남은 전쟁터라기보다는 사냥터였다. 나는 그 경지에 결코 이르지 못했다. 전투는 책임감이 따르는 신성한 의무였다. <아리조나> 함에 경례를 하면서, 우리는 그 사실은 물론, 우리 전투 조종사들 간의 유대를 새삼 깨우쳤다. 나는 그것들을 매우 중요하게 생각했지만, 즐길 수는 없었다. 두 번 다시 볼 수 없게 된 전우들, 그리고 귀국하자마자 내가 빨리 다시 만나 보아야 할 그들의 가족들. 누군가가 아드레날린을 폭발시키며 즐겼던 전투 때문에 벌어진 비극의 희생자들이다. 내게는 너무나 버겁고, 결코 즐겁게 멜 수 없었던 부담이었다.

적은 언제나 책략을 꾸며냈다. 그것이야말로 전투를 이기게 해 주는 만능 열쇠였다. 개별 조종사, 편대장, 대대장이 스캥크처럼 뭐든 올바르게 처신하며 솔선수범할 수는 있다. 그러나 이번 전쟁의 적은 신념에 불타고 있으며 지극히 용감하고, 매번 새로운 책략을 꾸며냈다.

그 불면의 밤에 내 머리 속 생각은 멈추지 않았다. 사관실의 빈 의자가 생각났다. 우리는 훌륭한 조종사들을 잃었다. 아무리 뛰어난 사람도 언제 죽을지는 모른다.

나는 고향을 떠나온 이래 교회에 그리 잘 출석하지는 않았다. 그러나 나는 신앙을 포기한 적이 없다. 임무가 어려워지고 전사자 및 실종자들이 늘어날수록 나는 신앙에 더 깊이 의존하게 되었다. 세상의 모든 것에는 절대자가 부여한 의미가 있고, 변덕스런 확률이 우리의 생사 여탈권을 쥐고 있지 않다고 믿을 때에 나는 평안을 느끼고 새벽 일찍 조종석에 오를 수 있었다.

양키 스테이션에서 불면의 밤을 보내던 우리들은 가급적 고향 생각을 하지 않으려 했다. 고향 생각을 하면 신경이 날카로워지고 우유부단해졌다. 공중에서 그러다가는 죽을 수도 있다. 현명한 조종사는 미래만 바라보지 과거를 생각하지 않는다. 어떤 참전 용사는 신참들에게 이렇게 훈시했다. "전투에서 죽고자 하면 살 것이다!" 그것이야말로 전투의 심리학적 역설이었다.

가장 힘들었던 시기에 나는 메리 베스를 생각했다. 어쩔 수 없이 마음이 그렇게 움직였다. 그녀와 10년 이상 만난 적도 없고 이야기를 한 적도 없었다. 그러나 나는 그녀의 표정의 미세한 변화, 그리고 그 이면의 감정을 모두 기억했다. 물론 나는 캘리포니아의 집에 있을 때면 결혼 생활을 유지하기 위해 최선을 다했다. 나는 아내를 사랑했다. 앞으로도 언제까지나 사랑할 것이다. 전쟁이라는 시련 때문에 떨어져 있어도 말이다. 그러나 정말 솔직하게 말하자면, 메리 베스야말로 내 삶에서 누구보다도 가장 많이 사랑한 사람이었다. 그녀가 이 세상에 있다는 생각만으로도 나는 편안해질 수 있었다. 대부분의 사람들은 그런 평생의 인연을 찾아내지도 못한 채 죽는다. 적어도 나는 찾아냈다. 이제 두 번 다시 만날 일은 없어도 말이다.

수주간 쉬지 않고 작전을 벌인 우리는 양키 스테이션을 떠나 수빅 만으로 휴가를 떠났다. 우리는 거기서 최대한 망가졌다. 영화 <특전 U보트(원제 Das Boot)>의 첫 장면의 주인공들마냥, 우리도 큐비 포인트 장교 회관에서 광기를 마음껏 발산했다. 그런 것이야말로 긴장 해소의 기회였다. 우리는 정신 없이 파티를 벌이고, 여자를 꼬시고, 술을 진탕 마시고 나서 묘기를 부리고 못된 장난을 해댔다.

그 회관은 수빅 해군 기지의 1.5마일(2.8km) 길이 활주로를 굽어보는 산 위에 있었다. 초가 지붕, 콘크리트 바닥, 플라스틱 및 금속으로 된 싸구려 가구를 갖춘 그 곳은 전형적인 열대 지방의 싸구려 술집이었다. 양조 업자 안드레스 소리아노가 세계 최고의 부자가 된 데에는, 분명 우리 해군 조종사들도 단단히 한 몫 했을 것이다. 그가 만든 병당 10센트짜리 산 미구엘 맥주는 어디서나 흔하게 구할 수 있었다.

서태평양에서 근무했던 해군 조종사 중에는 그 회관에 가보지 않은 사람이 거의 없었다. 회관의 벽에 가면 그들의 흔적을 느낄 수 있다. 그곳은 먼저 그곳을 거쳐간 조종사들을 위한 박물관이자 기념관이었다. 모든 비행대대가 그곳에 기념 명패, 사진, 신문 잡지 기사 등의 기념물을 기증했다. 그것들을 보노라면 그 곳이 성지(聖地) 같은 느낌도 들었다. 그리고 먼 훗날 수빅 해군 기지에서 미군이 철수하자, 펜사콜라의 국립 해군 항공 박물관 한구석에는 큐비 포인트 장교 회관을 거의 똑같이 재현한 전시물이 들어섰다. 그 곳은 우리 해군 조종사들에게 그만큼 중요한 곳이었다.

해군 조종사들도 큐비 포인트 장교 회관 내부에 특이한 시설들을 여럿 만들어 놓았다. 그 중에는 현지인 기술자와 미 해군 초급 장교들이 합작으로 만든, 작은 캐터펄트 트랙처럼 생긴 놀이기구도 있었다. 트랙 위에는 구식 비행기의 조종석이 올려져 있고, 조종석 내에는 제동 갈고리 작동 핸들이 있다. 사출은 질소 가스로 이루어지는데, 제 때 제동 갈고리를 작동시켜 제동 와이어를 걸지 못하면 조종사는 미지근한 물 속에 빠지게 된다. 그 미지근한 물은 사실 맥주였다. 하지만 밤 늦게 초급 장교들이 몰래 다른 물질도 투입했다는 의심이 든다. 성공하든 못하든 손님들은 그걸 보고 박수갈채를 보낸다. <캣트랙>이라고 불리우던 이 놀이기구 이용 자격에는 지위 고하가 없었다. 심지어 우리나라의 해군 장관도 하룻밤에 그걸 두 번이나 이용했다가 두 번 다 실패하는 모습을 내가 직접 보았다.

실전에서 오는 높은 긴장감은 또다른 형태로도 분출되었다. 엄청나게 술을 마시면 자제력이 사라지고, 양키 스테이션 근무 중 상대방에게 쌓였던 악감정들을 주체 못하게 된다. 조종사들은 말다툼과 주먹 다짐을 벌였다. 양키 스테이션에서 우리는 계급만 높다고 지휘관이 아니라는 사실을 배웠다. 지휘관들 중 부하들이 진정으로 존경하고 따르는 사람은 일부에 불과하다. 지휘관은 뛰어난 용기와 전투 기술, 부하들의 귀감이 되는 태도를 갖추어야 한다. 가장 어려운 임무에도 기꺼이 자원해서 누구보다도 충실히 임해야 한다. 그런 자격을 갖추지 못한 지휘관은 오직 계급과 군기에만 의존해서 부하들의 복종을 이끌어 낼 수밖에 없다.

부하들에게서 미움을 사던 어느 비행단장이 있었다. 어느날 밤, 그는 초급 장교들과 시비가 붙었다. 그 날은 계급 따위 잊어버리고, 초급 장교들은 그 비행단장을 마구 두들겨팼다. 비행단장도 반격했지만 워낙 적의 수가 압도적이었다. 얻어맞은 그는 바닥에 쓰러졌지만 항복을 거부했다. 그는 계속 덤벼 보라고 했고 싸움은 계속되었다. 제3자들 중 누구도 개입하지 않았다. 전사들 사이의 일은 가급적 전사들끼리 풀어야 한다. 결국 비행단장은 피떡이 되도록 얻어맞아 쓰러졌고, 상대 초급 장교들은 그를 내려다보며 이렇게 말했다. "비행단장, 이제 이걸로 우리는 당신에게 유감이 없습니다."

우리는 말도 안 되는 이유 때문에 매일같이 목숨을 걸고 싸우고 있다. 게다가 따르면 목숨이 더 위태로워질 수 있는 규칙도 지켜야 한다. 그런데 지휘관마저 멍청하다면 그야말로 금상첨화(?)다. 그날 밤, 나는 우리 대대장이 스캥크 렘센인 게 정말 다행이었다.

필리핀에서 약 1주일을 보낸 우리는 양키 스테이션으로 복귀했다. 복귀하는 길에, 우리는 남베트남 앞바다의 어느 해역에 들러 일종의 연습전을 했다. 그 해역의 이름은 딕시 스테이션이었다. 그 곳에서 우리는 남베트남 영토에서 싸우는 지상군을 위해 항공 지원 작전을 했다. 적의 대공 화기는 적었고, 지대공 미사일은 아예 없었다. 이런 임무는 북베트남으로 가서 롤링 선더 작전에 참가하기 전, 실전 감각을 되살릴 좋은 준비 운동이 되었다.

3월말, 린든 존슨 대통령은 그해 11월에 열릴 대선에 출마하지 않겠다고 발표했다. 이로서 항공전의 판도도 크게 바뀌게 되었다. 그는 북위 20도선 이북의 모든 폭격 작전을 즉시 중단한다고도 발표했다. 레임덕이 온 대통령이 롤링 선더 작전을 이렇게 무력화해 버렸다.

그 때까지 북베트남 MiG기들은 중국 공군 기지에서 출격할 수밖에 없었고, 이 때문에 그들의 작전 효율은 크게 떨어졌다. 존슨 대통령이 폭격 중지를 발표함으로서, 북베트남은 전투 비행대가 안전하게 활동할 공역을 얻게 되었다. 또한 이로서 북베트남 상공 항공전에서 미 공군의 역할은 크게 줄어들었다. 앞으로의 싸움은 해군에 맡겨졌다.

북베트남 MiG기들은 하노이 인근 기지로 돌아왔고, 조종사들의 휴양과 훈련 또한 충실해졌다. 적은 미군의 전술을 연구하고 대응책을 개발했다. 그들이 우리의 실력을 따라잡는 데는 긴 시간이 필요 없었다.

1968년 5월 7일, 미군 F-4 팬텀 5대가 북베트남 MiG-21 요격기들과 맞붙었다. 미군은 처음에 적기의 수가 2대라고 판단했다. 적기 조종사들 중에는 <응우옌 반 콕>이라는 사람도 있었다. 그는 미군기 9대를 격추한 에이스 조종사였다. 이 MiG기들은 쑤안 공군 기지에서 출격해 속도를 높여 아군의 EKA-3B 스카이워리어 항공기를 추격했다. 이 항공기는 무장이 없는 전자전 및 급유 겸용기다.

작전계획은 MiG기를 레이더로 식별하자마자 스패로우 미사일을 사격한다는 것이었다. 이제 북위 20도선 이북 공역에 미 공군기는 없다. 때문에 아군 레이더는 적기가 이륙하자마자 식별을 끝냈다. 사격을 위해 적기를 육안 확인할 필요도 없었다. 이제 우리는 F-4를, 가시거리 밖 미사일 사격용 플랫폼이라는 원래의 설계 목적대로 사용할 수 있었다.

하늘은 조각구름으로 흐렸다. 전천후 전투기인 F-4가 싸우기에 최적이었다. 그러나, 전투는 양군 모두에게 혼전으로 진행되었다. 아군의 팬텀은 적기를 요격하고, 전자전 시도에 실패한 스카이워리어를 구출하러 달려갔다. 팬텀이 스카이워리어에 접근하는 도중, 북베트남 방공 포대는 자신들의 MiG기를 미군기로 오인하고 사격을 가했다. 북베트남 MiG기들은 요격을 중단하고, 지상 통제사의 팬텀 요격 명령이 나올 때까지 조 루옹 상공을 선회했다.

결국 MiG기들은 9,000피트(2,700m) 고도의 짙은 구름 속을 비행하던 F-4를 발견했다. 그리고 미군의 레이더에 가장 먼저 잡혔던 MiG-21 2대는 미끼였음이 드러났다. 그들의 뒤에는 또다른 MiG-21 2대가 미군 레이더가 감지하지 못하는 나무 높이의 초저공으로 비행하며 따라오고 있었던 것이다.

이제 아군의 F-4 5대에 맞서는 적기는 4대가 되었다. F-4 5대 중 2대가 제일 먼저 접적, 사격을 개시했다. 그들은 2발의 스패로우 미사일을 발사했으나, 표적을 추적하지 못하고 불명중했다. 구름 속에서 양군 간의 숨바꼭질이 벌어지던 도중, F-4 1대가 나머지 아군기들에서 이탈했다. 이 때 마침 연료가 고갈되어 기지로 귀환하던 응우옌 반 콕의 MiG기는 이탈한 F-4의 전방을 우연히 가로질렀다. 그 F-4의 조종사는 우리 비행단의 참모이기도 한 에이나르 크리스텐슨 소령이었다. RIO(Radar Intercept Officer: 레이더 요격 장교. 팬텀의 후방석에 탑승하는 승무원)는 랜스 크레이머 중위였다. 응우옌 반 콕은 기회를 놓치지 않고 열추적 미사일 2발을 크리스텐슨의 팬텀에게 날렸다. 그 미사일은 10년 전 대만 해협 전투에서 공산 측이 입수한 사이드와인더를 복제해 만든 것이었다.

이 중 1발이 팬텀에 명중, 격추시켰다. 크리스텐슨과 크레이머는 비상 탈출하여 아군에 의해 구조되었다. 이것은 응우옌 반 콕의 9번째이자 마지막 격추 기록이 되었다.

이틀 후, <빅E> 소속의 팬텀 2대가 3~4대의 MiG-21과 전투를 벌였다. F-4들은 스패로우 미사일 4발을 발사했으나, 확인 격추 기록을 세우지 못했다. 그래도 아군기들은 손해 없이 모두 귀환했다. 적 MiG기들은 갈수록 저돌적이 되어가고 있었다. 나 역시 그들과 싸우고 싶다는 마음이 갈수록 강해졌다.

1968년 5월 23일, 나는 스캥크 렘센 중령 휘하 편대 중 2대의 F-4로 이루어진 분대의 장기를 맡아 BarCAP을 실시하고 있었다. BarCAP이란 Barrier Combat Air Patrol(방호 전투 공중 초계)의 약자다. 이 임무에 투입되는 항공기는 항공모함 임무 부대와 북베트남 해안선 사이의 공역에서 머물다가, 하노이 인근 공군 기지에서 MiG 전투기가 이륙하면 즉각 요격하게 된다.

이 임무는 대개 할 일 없이 따분하다. MiG기가 거의 안 나오기 때문이다. 그러나 이 날은 얘기가 달랐다. 다수의 MiG-21 요격기가 공군 기지를 이륙해 해안으로 향하면서 상승하는 것이 포착되었다. MiG-21은 북베트남을 위해 공산측이 제공한 최신 최첨단 무기다. 일이 터질 징조였다.

이 순간이야말로 모든 전투 조종사가 원하던 것이었다. 엄밀히 말해 나는 적과의 '전투'를 원하지 않았다. 내가 적보다 압도적인 실력을 갖고 있음을 증명하고 싶었다. 샌 클레멘트에서 몰래 모여 근접 공중전을 훈련하던 시절이 생각났다. 북베트남 군에 의해 미 해군 항공대가 큰 피해를 입은 지금이야말로 우리가 거기서 갈고 닦은 실력을 충분히 뽐낼 기회인 것이다.

우리 군의 함재 레이더는 MiG기가 이륙하자마자 추적하고 있었다. 통제사들이 우리에게 벡터를 전달해 주었다. 스캥크는 북베트남 해안을 향해 기수를 돌렸다. 나와 내 요기 역시 그를 따랐다. J79 엔진이 울부짖었다. 이제 양측의 자존심을 건 싸움이 시작될 판이었다.

적기와의 거리가 좁혀지자, 통제사는 이렇게 말했다. "밴디트(Bandit, 적기를 의미하는 미군의 구령-역자주), 밴디트! 사격을 허가한다."

교범대로의 완벽한 요격이었다. MiG-21은 우리 항공기의 레이더에도 보였다. 후방석의 RIO가 레이더 화면을 보면서, 장거리 스패로우 미사일을 조준할 준비를 하고 있었다. 교육에서는 약 12마일(22km) 사거리에서 사격하는 게 좋다고 배웠다. 스캥크는 그 사거리에 들어갈 때까지 사격을 자제하면서 다가갔다. 우리 모두가 최상의 명중률을 얻기를 바라면서.

우리는 레이더 조준을 완료했고 발사 준비 신호등이 켜졌다. 이제 표적을 확실히 겨누고 있었다. 적기는 우리 12시 방향에서 우리를 향해 접근하고 있었다. 사격에 완벽한 조건이었다. 스패로우는 적기의 정면에 사격했을 때 명중률이 가장 높게 나오기 때문이다.

스캥크가 사격을 가하려는데 갑자기 무전기에서 이런 말이 나왔다. "실버킹 나오라. 여기는 레드 크라운. 살보(Salvo)! 살보! 살보!" 살보는 일제 사격을 의미한다. 아군 군함이 적기에게 일제 사격을 가했으니 오인 사격을 당하지 않기 위해 전투를 중단하고 철수하라는 의미였다.

우리는 당혹스런 기분으로 귀환했다. 잠시 후, 통제사가 자세한 상황 설명을 해 주었다. 우리 군의 미사일 순양함인 USS <롱 비치>는 함대 방어를 위해 북베트남 앞바다에 가 있었다. 그런데 그 배는 갑자기 모든 전자기기를 껐다. 그리고 우리 군은 <롱 비치>의 담당 구역에 배수량이 훨씬 작은 구축함을 투입했다. 북베트남도 우리 군의 지대공 미사일 사거리는 알고 있었다. 그리고 새로 투입된 구축함에 탑재된 지대공 미사일이, <롱 비치>의 것에 비해 사거리가 짧은 구형이라는 것도 알고 있었다. 이에 그들은 지대공 미사일의 위협이 없다고 판단하고, MiG-21을 출격시킨 것이었다. 그 항공기들은 <롱 비치>가 있는 위치로 날아갔다.

우리가 적기를 탐지한 후, <롱 비치>는 레이더와 무기 체계를 작동시켰다. MiG기와 <롱 비치>의 거리가 65마일(120km)이 되자 <롱 비치>는 MiG기를 레이더 조준했다. 그리고 하필이면 그 때가 우리가 적기와 교전하기 직전이었다. <롱 비치>는 MiG기들을 상대로 탈로스 지대공 미사일을 일제 사격했고, 때문에 우리는 전투를 중단하고 철수할 수밖에 없었던 것이다. MiG기들도 미사일 접근을 알고 자신들의 공군 기지로 도망쳤다. MiG기 1대가 탈로스 미사일에 맞아 격추되었고, 또다른 1대가 탈로스 미사일에 피격된 것으로 추정되었다. 미 해군은 베트남 전쟁에서 지대공 미사일로 적기 3대를 격추했는데, 그 중 1대가 이 날의 전투에서 격추된 것이다.

나는 이 승리를 마음 편하게 축하할 수 없었다. <롱 비치>의 승조원들은 MiG기 격추 기회 뿐 아니라, 우리의 실력을 선보일 기회까지 빼앗아갔다. 게다가 <롱 비치>는 우리 항공기의 존재에 신경쓰지 않고 발포했던 것으로 보인다. 위험한 행동이었다. 우리는 실망한 채로 <빅E>에 착함했다. 우리가 12마일(22km) 사거리에서 미사일을 사격했다면, 결과는 더 나았을지도 모른다. 그 후에도 비슷한 임무는 계속되었으나, 나는 다른 MiG 전투기를 본 적이 없다.

정말 힘든 항해였다. 그러나 진정한 지도력이 뭔지를 잊지 않도록 확실히 가르쳐 준 항해였다. 그 후 얼마 안 있어 저공 타격 작전을 지휘하던 스캥크렘센은 적이 발사한 소총탄에 양쪽 넓적다리를 모두 관통당하고 말았다. 그는 다리에 감겨 있던 하네스를 매우 강하게 조여 지혈대 대용으로 사용했다. 그리고 나서 그는 150마일(278km)을 비행해 항공모함에 안착했다. 비행갑판

의무 대원들은 그를 바로 함내 병원으로 보내 수술을 받게 했다. 그는 본토에서의 휴양을 거부하고, 대신 항공모함에서 휴양하겠다고 고집했다. 부상을 입은 지 2주밖에 안 되어 그는 또 조종석에 올라 부하들과 함께 전투 임무에 나섰다. 나는 그것이야말로 진정한 지도력의 귀감이라고 생각한다.

6월 14일에는 USS <아메리카> 함에서 출격한 F-4가 MiG-21보다 구식 기종인 MiG-17과 맞서 전투를 벌였다. 단시간 내에 끝난 전투에서 F-4는 MiG-17에 스패로우 미사일 4발을 발사했으나 모두 불명중했다. 이틀 후, <아메리카> 함의 VF-102(제102전투비행대대) 소속 F-4 1대가 다수의 MiG-21과의 근접 공중전 중 격추당했다. 이 전투에서도 미군은 4발의 스패로우를 사격했으나 역시 모두 불명중했다. 승무원 2명은 북베트남 영공에서 비상 탈출했다. 조종사는 북베트남 측에 생포되었고, RIO는 전사하고 말았다.

미 항공모함 <엔터프라이즈>와 <아메리카>는 한 달 동안 2대의 팬텀을 공중전에서 손실했고, 1명 전사, 1명 포로라는 인명피해도 입었다. 그러나 100만 달러 어치가 훨씬 넘는 최첨단 무기를 발사해 댔으면서도 격추한 적기는 하나도 없었다. 정말 충격적인 전투 결과가 아닐 수 없었다.

며칠 후, 나는 F-4 1개 편대를 이끌고 해군 헬리콥터를 위한 야간 공중 엄호를 실시하고 있었다. 그 헬리콥터의 임무는 북베트남 내륙에서 지대공 미사일에 격추당한 항공모함 <아메리카> 소속 VF-33의 팬텀 승무원 2명을 수색 구조하는 것이었다. 헬리콥터의 조종사는 클라이드 라센과 르로이 쿡이었다. 어둠 속에서 나무 높이로 낮게 날던 그 헬리콥터는 적 대공 화기의 맹공격을 당했다.

RIO 더피와 나는 그 현장을 선회 비행하고 있었다. 그 때 우리 항공기에 탑재된 것은 공대공 미사일 뿐이었다. 그런 상황에서는 전혀 쓸모 없는 무장이었다. 20mm 기관포 1문만 있었어도 급강하해서 적 대공 화기에 응사할 수 있었을 것이다. 기관포가 없었기 때문에 우리는 적 대공 화기에 전혀 대응할 수 없었다. 하늘에 떠서 구출 임무 및 관련 통신을 조정하고, 스스로의 무력감을 달래는 것이 할 수 있는 일의 전부였다.

라센은 격추당한 팬텀 승무원들을 발견하지 못했다. 팬텀 승무원들 역시 헬리콥터를 찾지 못했다. 연료도 고갈되어 가고 있었다. 그래도 라센은 끝까지 포기하지 않았다. 그는 항법등을 켰다. 그러자 그 지역의 모든 북베트남 병사들이 헬리콥터 항법등을 향해 조준 사격을 가했다. 무수한 총구 화염과 예광탄이 정글을 누볐다.

격추당한 팬텀 승무원들도 그 항법등 불빛을 보고, 그 쪽으로 발걸음을 옮겼다. 조종사인 존 홀즈클로는 RIO인 제크 번스를 끌고 개활지로 이동했다. 제크는 비상 탈출 및 경착지 과정에서 다리가 부러졌다. 그의 생존은 오직 홀즈클로의 체력과 의지력에 달려 있었다.

라센은 논에 착륙했다. 라센 기체의 선임 승무원 브루스 댈러스와 부조종사 르로이 쿡은 M-16 소총을 들고, 주변의 적군을 향해 제압 사격을 퍼부었다. 팬텀 승무원들이 헬리콥터에 올라타고 그들의 탑승을 도왔던 선임 승무원까지 모두 탑승하자, 적의 총격으로 걸레가 된 헬리콥터는 이륙하여 해안을 향해 날아갔다. 그들이 미 해군 순양함의 헬리콥터 갑판에 착함했을 때, 기체의 잔여 연료는 5분 분량뿐이었다. 라센은 그날 밤의 용맹한 활약으로, 미국 최고의 무공 훈장인 의회 명예 훈장을 받았다. 내가 생각해도 그의 활약은 내가 본 양키 스테이션의 모든 항공작전 중 가장 용감하고 자기 희생적인 것이었다. 그날 밤 이후 나는 F-4 팬텀 II에 기관총을 탑재하지 않은 해군을 죽도록 원망했다.

그 구출 작전 이후, 우리는 1968년 정초부터 머물렀던 양키 스테이션에서 철수해 본국으로 귀환할 준비를 했다. 적의 항공 작전은 나날이 활발해지고 있었다. 앞서 말한 것 외에도 6월 중 북베트남 공군과의 공중전이 3번 더 벌어졌다. 그 3번의 전투에 사용된 스패로우 미사일은 13발이었다. 그러나 그 중 표적에 명중한 것은 하나도 없었다.

우리가 양키 스테이션에서 철수한 것은 1968년 7월이었다. 당시 상황은 비등점이었다. 7월 10일, VF-33 소속 F-4가 사이드와인더 미사일로 MiG기 1대를 격추했다. 덕분에 우리는 구겨진 자존심을 조금이나마 세울 수 있었다. 그러나 1968년 8월, 우리 대신 양키 스테이션에 온 USS <콘스텔레이션> 함의 함재기들 역시 MiG-21에 맞서 졸전을 벌이고 말았다. MiG-21을 향해 사격한 사이드와인더 미사일이 아군 F-4를 격추해 버린 것이었다. 승무원들은 비상탈출했으나 구조 헬리콥터가 도착하기도 전에 적에게 생포당했다.

이 두 전투가 벌어질 무렵, 항공모함 <엔터프라이즈>와 동함 소속 제9비행단은 미 본토에 도착했다. 적군에게 신나게 두들겨 맞은 우리는 피로했고, 패배감마저 느꼈다. 우리 비행단은 그 해 2월말부터 6월말까지 전투를 벌이면서 100명의 조종사 중 13명을 손실(전사 및 포로)당했다. 항공기 손실도 공격기 10대, F-4 1대, 비질런트 정찰기 1대나 되었다. 뭔가 아주 아주 잘못되어 가고 있었다.

해군 항공이 과거 당연한 듯 누렸던 제공권을 되찾으려면, 변화가 필요했다. 다행히도 내게 그 변화를 주도할 기회가 왔다. 미라마 해군 항공 기지의 팬텀 기종 전환 교육 대대인 VF-121로 전속 명령을 받은 것이다. 그 바쁘게 돌아가던 부대에 천운으로 배치된 나는, 우리에게 크고 비극적인 희생을 가하던 문제를 해결하는 데 참여할 기회를 얻게 되었다.

제8장
<탑건>의 출발

1968년 가을, 캘리포니아 주 미라마 해군 항공 기지

<파이터타운 USA>. 미라마 해군 항공 기지가 오랫동안 가지고 있는 별명이다. 이 별명이 붙은 것은, 원 이름인 스페인어 미라마(Mira Mar, "바다가 보인다."는 뜻-역자주)가 이 곳에 별로 어울리지 않는다는 이유다. 미라마 해군 항공 기지에서는 바다가 보이지 않는다. 샌 디에고에서 북쪽으로 15마일(28km), 해안에서 5마일(9km)이나 떨어져 있기 때문이다. 물론 이 곳을 이륙하여 통제사들이 <바다 늑대 출항>이라고 부르는, 서쪽으로의 비행을 하면 바다를 볼 수 있기는 하다. 그러니 이곳의 제1격납고에 적힌 <파이터타운 USA>가 이 곳에 더 어울리는 이름이라고 할 수 있다. 이 거대한 항공 기지의 활주로, 주기장, 유도로에는 제트 엔진의 비명과 항공 연료의 냄새가 하루 종일 떠나지 않는다.

전쟁은 비행에 대해 내가 품고 있던 애정을 시험했다. 그럼에도 나는 제트기 소리만 들리면 하늘을 보는 버릇을 버리지 않았다. 누가 조종하는 거지?

조종은 잘 하고 있나? 비행기 상태는 어떤가? 교관으로서 교육생들의 상태를 점검하는 것이 내 일이었다.

미라마에 또 온 내가 맡은 보직은 VF-121의 전술 교관이었다. 이곳의 일상도 전시 체제로 빠르게 굴러가는 것을 알았다. 서해안 전체의 해군 기지는 베트남 전쟁 지원을 위해 돌아가고 있었다. 그 중에서도 VF-121이 맡은 책임은 엄청났다. 이 대대는 서해안 F-4 팬텀 기종 함대 보충 비행대대로, 태평양에 배치된 모든 미 해군 항공모함의 팬텀 승무원 교육을 책임지고 있었다. 이 부대는 제2차 세계대전때 생긴 이름인 RAG(Replacement Air Group, 보충 비행전대)라고도 불리웠다. 모든 해군 항공기는 기종별로 RAG 비행대대가 하나씩 있다. A-1 스카이레이더, A-3 스카이워리어, A-4 스카이호크, A-6 인트루더, A-7 코르세어 II, F-8 크루세이더, 그 외에 다양한 대잠기, 조기경보기 등도 마찬가지다. 앞서 말했듯이 VF-121의 담당 기종은 F-4 팬텀이다. 따라서 항공모함에서 해당 기종 기체가 손실되면, 대체기와 그 승무조를 보내 주는 것도 우리 임무였다. 우리 기지의 활주로에서부터, 양키 스테이션 행 항공모함의 비행갑판까지는 짧은 비행이다. 우리는 죽음과 파괴가 우리 직업의 일부임을 잘 알고 있었다. 수많은 우수한 장병들이 고향으로 돌아오지 못했다. 우리는 승무원의 전사, 포로, 실종 소식을 잊을 수 없었다. 1968년 미라마 기지의 누구도 노닥거릴 기분이 아니었다.

당시 VF-121은 미 해군 최대 규모의 비행대대였다. 보유 항공기 수는 F-4B와 F-4J를 합쳐 무려 약 70대를 유지하고 있었다. 소속 장병의 수도 행정 및 정비 인력을 합치면 1,400명이나 되었다. 이렇게 큰 비행대대지만 전투는 하지 않았다. 본토 주둔 교육훈련부대인 이 부대의 임무는 항공모함에 배치된 비행대대들이 언제나 완편 상태 및 전투 준비 태세를 유지하게 해 주는 것이었다. 이 비행대대의 별칭은 페이스메이커스(Pacemakers, 심장 박동 조율기)였는데, 당시 형편 없이 진행되던 베트남 항공전의 현실에 딱 어울리는 이름이었다. 우리의 임무는 손실이 누적되어 빈사 상태인 해군 항공대를 연명시키는 것이었으니 말이다. 즉, 전쟁으로 인한 승무원 인명 손실을 보충하는 것이었다. 1969년 한 해 동안 RAG를 수료한 신임 F-4 승무원은 150여 명에 달한다. F-4 팬텀에 관련된 인원이라면 조종사, RIO, 정비사, 기술자 할 것 없이 모두 강한 자부심을 가지고 있었다.

나는 대대의 고등 전술 과정(또는 <고등 전술과>로도 불리웠다)의 교관이었다. 내 직속 상관인 고등 전술 과장은 샘 리즈 소령으로, 좋은 사람이었다. 우리 교육생들은 다양한 교과를 통과해야 했다. 조종휼장을 이제 막 단 신참 조종사들은 우리 부대에서 항공전 전술, 수상과 육상에서의 생존술, 포로가 되었을 시의 대처 요령, 항공 정보의 해독과 보고 방법, 조종석 계기 사용법, F-4 팬텀 전투기의 다양한 하부 체계 지식 등을 배웠다. 이 중 기초 공중전 전술을 가르치는 것이 내 임무였다. 우리 비행단에 막 들어온 신임 조종사들은 늘 만면에 미소를 띠고 있다. 그들에게 나는 진짜 전투 비행을 가르쳤다. 그 외에도 그들이 배워야 할 강도 높은 교육은 많았다. 이 과정에서 그들은 기초 항공역학, 계기 비행술, 기초 공대공 요격술, 화기학, 항법술, 전자전, 함상 작전 능력 인증 등을 거쳐야 한다. 이 중 맨 마지막 것의 중요성은 몇 번을 말해도 지나치지 않다. 야간에 움직이는 항공모함을 발견해 정확히 착함하는 것은 아무나 할 수 있는 일이 아니다. 과목 이름과는 달리, 우리가 그들에게 가르친 전술은 절대 <고등>이라고 할 수는 없었다. 강의 요목은 해군의 표준 전술 교리 그대로였다. F-4 팬텀 운용 시의 공식 제한 사항을 모두 엄수하는 내용들 뿐이었다. 교육생들은 무기 사격법, 폭탄 투하법, 장거리 레이더를 사용한 표적 요격법을 배웠다. 솔직히 학교로 치면 대학교 학부 과정 수준밖에는 안 되었다. 물론 아무리 학부용 기초 생물학이라도, 영어영문학만 전공했던 사람들에게는 엄청난 고등 지식일 수 있겠지만 말이다. F-4 비행과 기동, 무기를 사용한 적기와 적 지상 표적 파괴 방법의 기본기만을 가르쳤다.

훈련 시 위험부담을 지지 않으려는 사람들 때문에, 우리는 팬텀의 공기역학적 한계에 도전할 수 없었다. 높으신 분들은 항공기를 손실하는 것을 무엇보다도 두려워했다. 그래서 나도 하루에 2번 있는 신임 팬텀 승무원들의 훈련 비행을 철저히 안전하게 실시할 수밖에 없었다. 물론 ACM도 실시했지만, 안

전 규정을 엄수한 상태였다. 항공기는 절대 고도 10,000피트(3,000m) 이하에서 훈련할 수 없었다. 해군은 큰돈을 들여 산 새 항공기를 무리하게 굴리다가, 품질 보증을 못 받게 되는 것이 두려운 것 같았다. 그 결과 우리는 실전과 같은 훈련을 할 수 없게 되었다. RAG를 거친 조종사들이 현대 제트 전투기의 진짜 실력을 처음으로 보는 장소는 훈련 공역이 아니라, 실탄이 난무하는 전쟁터였다. 이런 식의 훈련으로는 그들의 잠재력을 일깨울 수 없다. 전쟁터에 갈 젊은이들을 이렇게 가르쳐서는 안 된다.

그래도 우리 교육과정을 수료한 조종사들은 더 난이도 높은 교육을 받을 수 있고, 함대에 배치될 정도의 수준은 되었다. 비행 훈련의 속도는 위험하리만치 빨랐다. 다만 적의 실력이 향상되는 속도도 만만치 않게 빨랐다. 적 북베트남은 언제나 주도권을 갖고 있었고, 똑똑했다. 결국 우리 해군도 뭔가 특단의 조치를 취하지 않을 수 없게 되었다.

내가 전입한 지 얼마 안 된 1968년 12월 말, 샘 리즈는 나를 자기 사무실로 불렀다. 그리고 파란 표지를 단 두터운 서류철을 내밀었다. 그 서류철은 해군항공 시스템 사령부에서 발행한 연구 보고서였다. 제목은 <공대공 미사일 체계 능력 검토 보고서>였다. 그다지 드라마틱해 보이지는 않는 제목이었다. 그러나 항공모함 <코럴 시>의 함장을 지낸 프랭크 올트 대령이 주저자로 집필한 이 보고서는 그 어떤 블록버스터 영화보다도 충격적이고 중대한 내용을 담고 있었다.

약 200페이지 분량의 이 보고서는 북베트남 상공의 공대공 전투에서 미 해군의 패착을 철저 분석하고 있었다. 올트 대령의 연구는 꽤 오래 전인 1968년 여름부터 시작된 것이었다. 당시 그는 스패로우 미사일의 문제를 규명하는 연구단의 단장을 맡았다. 그 외에도 여러 가지 문제를 연구한 그는 로스 앤젤레스 이북 포트 무구의 해군 미사일 본부에서 열린 심포지엄에 200여 명의 청중을 초청했다. 그 중에는 해군 조종사와 지휘관도 있었지만, <레이시온>, <웨스팅하우스>, <맥도넬 더글러스> 등 전투기 관련 주요 방위산업체 경영자와 기술자도 있었다. 그들 중 올트만큼 문제의 전반적인 실체를 제대로 보여준 사람은 없었다. 이 심포지엄은 해군의 공중전 체계(전투기, 미사일, 사격 통제체계로 구성된)를 설계, 획득, 운용, 군수에 이르는 전 영역에서 전체론적으로 해부한 최초의 시도였다. 올트의 표현을 빌자면, 그는 무기 체계를 '요람에서 무덤까지' 속속들이 알고자 했다. 그리고 나서 그가 내린 결론은 매우 의미심장했다.

특히 샘 리즈가 지적한 보고서의 일부 내용은 내 시선을 확 잡아끌었다. 그는 보고서의 37페이지를 펴고, 그곳의 <제6절 공중근무자 훈련>의 <b. 권고안>의 15개 항목 중 11번째 항목을 지적했다. 여기서 올트 대령은 해군 참모총장과 태평양 해군 항공 사령관에게 다음과 같이 건의했다. "미라마 해군 항공 기지의 RCVW-12*에 F-8 및 F-4 기종을 위한 고등 전투기 무기 학교를 가급적 빨리 개교해야 합니다." 이 말은 <탑건>의 첫 태동이나 다름 없었다. 물론 RAG의 상급 부대에서도 이런 학교의 개교 논의가 이미 진행되고는 있었다. 그러나 좋은 의견이 실행되려면, 반드시 그것을 위해 직까지 내걸 용감한 사람이 필요하다. 올트 대령의 보고서는 그 좋은 의견을 실현할 것을 해군의 중직들에게 대놓고 요구하는 것이었다.

샘과 나는 미라마 기지의 모든 전술 교육 프로그램이 우리 부대를 통해서 이루어진다는 것을 알고 있었다. 샘은 나를 보며 이렇게 말했다. "댄, 이 새 학교의 교장이 돼 볼 생각 없나?"

나는 그 제안이 과분하다고 생각했다. 샘은 나보다 능력도 경륜도 뛰어났다. 그런 자리에는 나보다는 그가 훨씬 더 어울렸다. 하지만 그는 다른 큰 일을 앞두고 있었다. 그는 최신예 F-14 톰캣 전투기(그루먼 사에서 제작한 이 멋진 제트 전투기는 영화 <탑 건>과 톰 크루즈 덕택에 크게 유명해졌다)를 처음으로 수령, 운용할 비행대대의 대대장으로 영전이 예정되어 있었다. 물론 그가 이 학교를 개교하여 운영하다가, 그 대대로 넘어가게 되면 다음 대 교장으로 나를 임명할 수도 있었다. 그러나 그는 연속성이라는 점을 감안한다면,

* Readiness Air Wing 12(제12 준비태세 비행단)의 약자. 미라마 해군 항공 기지에 주둔한 VF-121의 상급 부대였다.

학교의 교장이 그리 자주 바뀌어서는 안 된다고 생각한다고 힘 주어 말했다.

잠시 동안 무거운 침묵이 흘렀다. 나는 이후 내 운명을 바꿔 놓은 결정을 그 자리에서 내렸다.

"하겠습니다."

샘과 나는 우리 대대장인 행크 핼리랜드 중령에게, 내가 해군 전투기 무기 학교의 첫 담당관(officer in charge, 이하 약자로 OIC, <탑건> 2대 교장까지를 부르던 공식 보직명, 3대 교장부터는 지휘관으로 불리웠다.) 자리를 수락했다는 사실을 알렸다. 그러자 그가 준 지침은 이것 하나 뿐이었다. "훈련 중 사망자도 항공기 손실도 절대 있어서는 안 되네." 물론 예전에도 훈련 시 인명 사고나 항공기 전손 사고는 있었다. 때문에 우리는 그의 지침을 더욱 엄중하게 받아들였다. 또한 핼리랜드 중령은 이 학교에 배정된 해군 예산이 거의 없다는 것도 분명히 밝혔다. 이 학교에는 강의실도, 조종사 대기실도, 행정실도 없었다. 정비사와 기술자도 배치되지 않았다. 심지어 항공기도 지급되지 않아서 타 비행대에서 빌려 써야 했다. 물론 자금 지원도 없었다. 이 학교는 전투 조종사들의 대학원격인데도 미라마 기지의 구석진 곳에서 약탈과 수렵, 채집에 의존해 꾸려가야 했다. 중요한 사실이 한 가지 더 있었다. 교육 과정 및 제1기생 입교 준비 기간도 턱없이 부족했다. 60일 내로 모든 것을 다 준비해야 했다. 그러나 이 모든 악조건에도 불구하고, 나는 이 새 학교의 교장 자리가 너무나도 좋았다.

얼마 안 있어 우리는 이 학교를 <탑건(Topgun)>이라고 부르기 시작했다. 물론 해군에서 이 용어를 사용한 것은 우리가 처음이 아니었다. 미 해군 항공대는 연례 공중 사격 대회를 열었는데, 1958년까지 이 대회는 <탑건>으로 불리웠다. 후일 내가 함장을 맡았던 항공모함 <레인저>의 승조원들도 자신들을 "태평양 함대의 탑건"으로 불렀다. 우리의 전우이자 경쟁자인 미라마 기지의 F-8 조종사들도 자신들을 "최후의 총잡이"로 불렀다. 앞서 언급한 올트 대령의 보고서에 의거해, F-8 조종사들을 위한 공중전 학교도 생겼다. 그러나 F-8은 당시 이미 퇴역 수순을 밟고 있었으므로, 그 기종을 위한 전술전기도 오래 가지는 못했다.

지금 와서 생각해보면 내게 <탑건>의 교장 자리가 떨어진 건 순전한 우연의 산물이었다. 당시에는 몰랐지만 그 자리는 내가 그 때까지 맡았던 어떤 직위보다도 크고 중요했다. 세상에 꼭 필요한 변화를 일으킬 수 있는 일생 일대의 기회였다. <탑건>이 해군에 정착하고 커 나가는 데는 수년간의 시간은 물론, 나를 따르던 수많은 우수한 조종사들의 희생이 필요했다. 그러나 이 전투조종사 대학원은 해군의 어떤 개인 및 집단보다도 위대하게 여겨졌다. 이 학교는 뿌리를 내리고 꽃을 피웠다. 이 학교는 주어진 사명 이상의 것을 성취했고, 매우 높은 능력과 헌신성을 보였다. 이 학교의 전통은 수십년간이나 이어질 것이었다. 물론 1968년 12월 당시에는 이 중 어떤 것도 예측할 수 없었다. 당시에는 이 학교를 세우는 것 역시 그저 임무일 뿐이었다.

어찌 보면 이 학교는 실패가 예정된 것처럼 보이기도 했다. 나도 했던 얘기지만, 미 해군은 제독이 이끌지 않는 곳은 전혀 중요하게 여기지 않는다. 그런데 당시 나는 33세 먹은 소령에 불과했다. 제독 중 최하급자인 준장보다도 3계급이 낮았다. 해군이 <탑건>의 교장으로 영관급을 선택한 것은 그 성공 가능성을 그리 높게 보지 않는다는 의미였다. 우리는 지극히 위험한 임무를 수행할 것이었다. 즉 전통적인 전술 교육 방식을 무시해 버리는 것이었다. 나중에 더 자세히 말하겠지만, 당시만 해도 가장 실전적인 전술 교육은 함대의 실무 부대에서 진행되었다. 따라서 항공모함 소속 비행대대장들은 자신들이 공중전 전술을 독점하고 있다고 생각했다. <탑건>은 그런 낡은 방식에 도전할 것이었다. 물론, 그러다가 실패할 위험성도 컸다.

해군에서 한 부대의 실패는 지휘 계통을 타고 그 상급 부대 지휘관들의 관운에까지 줄줄이 악영향을 준다. 그리고 그 악영향의 크기는 실패한 해부대의 지휘관 계급에 비례한다. <탑건>이 실패한다면, 당연히 그 직격탄은 교장인 내게 떨어질 것이다. 그러나 내 계급은 소령에 불과하기 때문에, 상급 부대 지휘관에게는 불똥이 그만큼 덜 튄다. 우리가 아무리 철저히 준비한다 하더라도, 실패한다면 '임무 수행 중 사고'가 아닌, '철없는 청년 장교들의 치기'로

치부될 것이다. 아마 그래서 나 같은 녀석이 <탑건>의 초대 교장으로 선정되었을 것이다. 모든 것을 다 아는 지금 와서 생각해 보면 그 자리를 수락한 것은 생각보다 훨씬 큰 도박이었다.

이런 위험한 자리에 있으면서도, 나는 행크 핼리랜드의 지원을 받을 수 있어 편안했다. 그는 처음부터 이 학교를 열렬히 지원했고, 학교에 필요한 인원과 자원을 구해다 주었다. 올트 보고서에 동조하는 높으신 분들도 도움을 주었다. 올트의 연구는 해군 참모총장의 명령으로 수행된 것이므로, 태평양 해군 항공 사령부와 국방부 역시 우리 학교에 관심을 가지지 않을 수 없었다.

그러나 전쟁은 냉혹한 사업이다. 그리고 <탑건> 역시 전쟁 때문에 태어났다. 전쟁은 우리를 기다린다. 준비되지 않은 채로 참전하는 자를 잡아 먹을 것이다. 다음 번에 서태평양 항해에 나설 때는 더 철저히 준비되어야 한다. 그래야 살아남을 수 있다.

과거에 어느 전투 조종사가 이런 말을 했다. "하느님은 나의 부조종사"라고 말이다. 나 역시 그 말을 늘 염두에 두며 살아갔다. 돌이켜 보면, 우리가 뭐라도 해낼 수 있었던 것은 나 혼자의 힘 때문이 아니라 그보다 더욱 큰 어떤 힘 때문이었다. 나는 성공을 위한 안목을 달라고 하느님에게 기도했다. 우리 앞에 놓인 길은 쉽지 않았다. 그러나 파이터타운 USA에서 우리에게 필요한 모든 것은 바로 우리 눈 앞에 있었다.

올트 대령은 우리가 도달해야 할 목표를 명시했다. 그의 탁견과 선구안에 찬사를 보낸다. 그러나, 그 목표에 도달하는 방법은 명시하지 않았다. 그는 해군 전투기 무기 학교의 창설을 처방했으나, 그 학교의 교육내용과 교육방식, 구성 등에 대해서는 거론하지 않았다. 요즘은 이런 계획 하나를 진행할 때도 수백만 달러 규모의 특별 연구가 진행되고, 외부 전문가들이 초빙된다. 모두가 만장 일치로 합의한 결론이 나올 때까지 어떤 것도 실질적으로 진행되지 않는다. 사전 서류 작업에만 몇 년씩 걸린다. 그러나 1969년, 이미 내 손에는 필요한 도구가 들려 있었다. 또한 행크 핼리랜드를 비롯한 여러 믿음직한 이들의 자문도 받을 수 있었다. 나는 지금 과감히 시도하면 성공할 수 있다고 생각했다. 나는 바로 일을 시작했다.

앞서도 말했듯이, <탑건>은 전투 조종사의 대학원이라고 생각하면 알기 쉽다. 그 대학원에서 가르치는 과목은 교육학이다. 우리의 임무는 세계 최강의 조종사를 양성하는 데 그치지 않는다. 세계 최강의 조종사를 양성할 수 있는 교관 조종사를 양성하는 것이다. <탑건> 제1기생은 각 비행대대의 대대장들이 엄선한 인재들이다. 그들이 <탑건>에서 약 5주간의 교육을 받고 실무 부대로 복귀하면, 자신이 배운 내용을 동료들에게 전파하는 것이다. 해군은 이런 방식으로 승수 효과가 발생하기를 바랬다. 8명의 교육생으로 구성된 <탑건> 1기생이 졸업 후 그 8~16배에 달하는 64~128명의 조종사들의 기량을 끌어올리기까지를 바란 것이다.

남에게 가르칠 수 있을 만큼 잘 알아야 진정으로 숙달되었다고 할 수 있다. 그래서 내 첫 임무는 어려운 것도 매우 알아듣기 쉽게 잘 가르치는 교관 조종사를 찾는 것이었다. <탑건>은 교육생 뿐 아니라 교관들이 갖춰야 하는 자격도 매우 높았다. 우리는 불과 60일 내에 팬텀에 맞는 새로운 근접 공중전 전술을 개발해야 했다. 스패로우 및 사이드와인더 미사일의 새롭고 올바른 운용법도 개발해야 했다. 교육 과정과 계획도 짜야 했다. 비행 강의요목과 브리핑 및 귀환정보보고 지침도 짜야 했다. 실무 부대에서 제1기생도 선발해야 했다. 단 1초도 헛되이 낭비할 수 없었다.

샘 리즈가 올트 보고서를 보여준 무렵, 나는 샌 디에고의 집에 이스라엘 공군 조종사들을 초대한 적이 있었다. 그들 패거리의 우두머리는 에이탄 벤 엘리야후 중령이었다. 그는 뛰어난 전투 조종사이자 지휘관으로 잘 알려져 있었다. 그들 중에는 훗날 이스라엘 공군 참모총장을 지내는 대니 할루츠도 있었다. 우리가 만났을 때 이스라엘 공군은 프랑스제 다소 미라지 전투기를 퇴역시키고 대체 기종으로 팬텀을 도입하고 있었다. 그래서 그들은 팬텀의 운용법을 배우러 미라마를 찾은 것이었다. 나도 엘리야후에게서 여러 가지 것들을 알게 되었다. 우리는 금새 절친한 친구가 되었다.

나는 이스라엘 친구들과 맛있는 미국식 바비큐를 먹으며, 그들의 말을 경청했다. 나는 이스라엘 공군 전투비행대대들이 기술 전문화의 힘을 강하게 믿고 있음을 알게 되었다. 엘리야후의 말에 따르면, 이스라엘 공군은 장병 개개인을 레이더, 무기, 장비, 공기역학, 전술 등 여러 가지 분야 중 한 가지의 초전문가로 육성시킨다는 것이었다. 때문에 이스라엘 공군에는 어느 분야를 가나 반드시 다 장인들이 있었다. 이러한 체계 덕택에 매우 짧은 시간 내에 팀을 구성하거나 기술 교육 내용을 개발하는 것도 쉽다는 것이다. 나는 그 방법을 탑건> 초대 교관진을 선발할 때 사용했다.

이스라엘 공군 방식을 적용해 보니, 내 밑에서 일할 교관은 8명이면 적당할 것 같았다. 그 정도 사람이 있어야 우리가 다루는 과목을 다 제대로 가르칠 수 있다. 조종사 4명과 RIO 4명이 나와 함께 <탑건>의 초대 교관진이 될 것이다. 나는 열정적이고 똑똑하며 강의 전달력이 좋은 초급장교 교관 8명과 함께 1969년 3월부터 <탑건>을 시작할 것이다. 교관이 9명이 넘어가면 내가 관리할 수 없다고 생각했다. 나는 <탑건>의 교장으로서 교장 본연의 직무는 물론 개교 준비, RAG에서의 교육 및 비행 임무도 해야 하기 때문이다. 그렇게 이중보직을 가진 건 <탑건>의 교관들도 마찬가지이고 말이다. 교관진을 구성하고, 교관들과 함께 교육 과정을 설계하고, 필요한 장비를 모으고, 여기서 8,000마일(14,800km) 떨어진 태평양 건너 남쪽의 전쟁터에서 벌어지는 항공전의 향방을 바꿀 방법을 모색하기에도 시간이 모자랐다.

어디를 가 봐도 결국 사람이 전부다. 기업이건, 자선 단체건, 정부 조직이건, 군대건 마찬가지다. 지도자를 목표로 데려다 줄 수 있는 건 아랫 사람들의 힘 뿐이다. 우리 학교는 반드시 성공을 거두어야 했다. 그렇지 못하면 여기 참여한 장교들의 이력과 명성은 끝장이 날지도 모른다. 그보다 더 심한 일이 터질 수도 있고 말이다. 우리가 실패하면 우리 군은 정치가들이 강요한 교전 규칙 아래, 과거와 같은 어설픈 전술로 계속 싸워야 한다. 더 정확히 말하자면, 우리가 이겨서는 안 되는 전쟁이 정한 한계 때문에 전우와 전우애를 계속 잃어야 한다는 것이다.

이 전례 없는 임무를 도와줄 사람들은 멀리 있지 않았다. RAG에는 실전으로 단련된 조종사들이 얼마든지 있었다. 때문에 굳이 다른 부대에 있는 사람을 여기로 보내달라고 서류를 쓸 필요도 없었다. 전술 과정에서 나와 함께 일했던 동료 교관들은 모두 전투 경험자들이었고, F-4 비행 시간도 많았다. 그들은 매일 같이 신임 조종사들과 함께 비행 훈련을 했다. 나는 그들을 조종사가 아닌 교관으로 여겼다. 나는 그들의 전사로서의 평판만큼이나, 미라마 교육생들이 그 교관들에 대해 내린 평가도 중요하게 생각했다. 나와 함께 <탑건>을 창설할 8명의 교관을 선발해야 할 시간이 오자 나는 적임자들의 이름이 바로 떠올랐다. 나는 그들을 모두 만나 이야기했다. 그들에게 올트 보고서를 읽게 했다. 그리고 60일 내에 고등 전술 교육 과정을 갖춘 대학원을 세우고, 교육 준비를 완료하는 임무의 엄중함에 대해서도 이야기했다.

그들에게 첫 발표를 했을 때 내가 구체적으로 무슨 말을 했는지까지는 기억나지 않는다. 그러나 그 때 내가 했던 말들은 선배 해군 조종사들이 물려준 유산을 부활시켜야 한다는 마음에서 우러나온 것이었다. 그 유산은 근접 공중전이었고 말이다. 올트 대령 덕택에 일선 조종사들은 목소리를 낼 수 있었다. <탑건> 창설을 권고한 부분을 집필한 보고서 공동 저자가 노련한 F-8 크루세이더 조종사 멀 고더라는 사실을 알았을 때 나는 놀라지 않았다. 물론 크루세이더 운용 장병들과 팬텀 운용 장병들 사이에 경쟁심은 있었다. 그러나 둘은 사실상 동족이었다. 제2차 세계대전에서 왕복 프로펠러 엔진 전투기를 운용하던 선배 전우들이라는 한 뿌리에서 태어난 두 부족이었던 것이다. 그러한 메시지를 전하자, 내가 선정해 두었던 8명의 장교 전원은 나와 함께 이 새로운 모험에 동참하겠다고 했다.

내가 <탑건>의 교관으로 초빙한 조종사들의 관등성명은 다음과 같다. 대위 멜 홈즈, 존 내시, 짐 룰리프슨, 중위 제리 사와츠키였다. 나는 이들을 한 사람씩 내 사무실로 불러, 올트 보고서에 나온 <전투기 무기 학교>의 구상을 설명했다. 그리고 조종사들에게 그 보고서를 읽게 했다. 그들은 망설임 없이 자원했다. 우리 조종사들은 베트남 항공전에서 이길 방법에 대해 오랫동안 주장해 왔다. 이 학교의 창설이야말로 그 주장을 실현할 기회였다.

특히 멜 홈즈는 모두가 인정하는 1급 조종사였다. 나는 수많은 조종사들의 비행과 전투, 업무 모습을 보았다. 그리고 멜은 다른 어떤 조종사보다도 뛰어났다. 한때 나의 요기도 맡았던 그는 1969년초 당시 세계 최고의 F-4 팬텀 조종사였다. 키가 크고 잘 생겼으며 자신감에 가득한 그는 자기 주장이 강한 타고난 지휘관이었다. 그는 오레곤 주 북동부에서 나고 자랐다. 그런 오지에서 자라난 사람들은 거칠고 독립적이 될 수밖에 없다. 하루는 멜이 미라마 기지 체력단련장에서 골프를 치는데, 공을 잡초 속으로 날려 버리고 말았다. 그런데 멜은 잡초 속에 방울뱀이 있는데도 개의치 않고 공을 찾으러 잡초 속으로 뚜벅뚜벅 걸어 들어갔다. 멜의 눈에 앞을 가로막던 방울뱀들이 보이자, 그는 7번 아이언을 꺼내 방울뱀들을 두들겨 팼다. 함께 골프를 치던 친구들도 모두 목격한 사실이었다. 이 사건 때문에 그는 래틀러(Rattler, 방울뱀)라는 별명을 얻었다. 그의 좋은 특징 중 한 가지는 과연 타인에게 전수가 가능할까 의심스럽기조차 했다. 그것은 타고난 강렬한 저돌성이었다. 그 저돌성은 하다못해 그가 농구 경기를 할 때도 지독하게 나타났다. 그는 체육 장학생이라 집안이 가난했음에도 학비 걱정 없이 대학을 다닐 수 있었다. 그러나 그 저돌성이 가장 크게 효과를 나타내는 곳은 하늘이었다. 멜은 조종석에 앉아 안전벨트를 매는 순간, 문자 그대로 항공기와 혼연 일체가 되었다. 그는 내가 아는 누구보다도 비행에 천부적인 재능을 타고 났다. 내가 아는 한 1:1 전투에서 멜을 언제나 이길 수 있는 조종사는 없다. 그야말로 <탑건>의 전술학 및 공기역학 교관으로 안성맞춤인 인재였다.

존 "스매시" 내시는 머리와 가슴이 언제나 함께 움직이기 때문에 선발했다. 그는 내가 선발한 8명의 장교 중 RAG의 전술 과정 교관이 아닌 유일한 인물이었다. 그러나 그는 1963년 <행콕> 함에서 F3H 데몬 전투기 조종사로 근무하면서부터 나와 인연을 쌓아온 인물이었다. 그 해 그와 나는 다행히도 살아서 함상 근무를 마칠 수 있었다. 존은 적이 자신보다 더 우수하다고 판단될 때 최상의 기량을 발휘하는 타입이었다. 자신이 불리한 싸움을 벌이고 있다는 느낌이 조금이라도 들면, 바로 투쟁심을 강하게 일으키는 인물이었다. 그의 좌우명은 "패배보다는 죽음을"이었다. 그리고 그는 그 말을 그대로 실천했다. 물론 대부분의 전투 조종사들이 임무에 임하는 태도도 그렇기는 하다. 그러나 내시는 비행에서 사소한 것 하나까지 극도의 집중력을 발휘해 정확히 임한다는 점이 달랐다. 교육생이 그가 가르쳐 준 것을 정확히 따라하지 않고 조금이라도 대충 하고 넘어갔다가는 범람한 미시시피 강 같은 그의 분노를 뒤집어쓰기 일쑤였다. 대부분의 교육생들은 머리가 좋아 같은 잔소리를 두 번 이상 하지 않아도 되었다. 그러나 내시는 교육생들에게 완벽함을 요구했다. 내시는 지상 근무에서도 뛰어났다. 그는 기술 연구에 재능이 있었다. 덕택에 우리는 확실한 사실에 기반해 전술을 연구 개발할 수 있었다. 또한 내시는 시스템을 철저히 신봉했다. 그는 교육생들에게 이렇게 말했다. "아무리 좋은 자동차나 항공기, 공대공 미사일이라도 고장은 생긴다. 그러니 문제점을 예측하고 예방해야 한다." 꼼꼼함과 저돌성이 시너지를 일으키는 그의 특징이야말로, <탑건> 교관으로서 가져야 할 모범적인 정신 자세라고 나는 생각했다.

짐 "코브라" 룰리프슨은 아마 우리 중에서 지력이 가장 뛰어난 인물이었을 것이다. 우리 중 팬텀 전투기의 항공전자 체계를 그보다 더 잘 아는 사람은 없었다. 그는 또 전기공학을 전공했기 때문에 기술자적인 풍모가 강했다. 그런 그는 사이드와인더와 스패로우 미사일 체계 연구와 교육을 진두지휘하기에 적임자였다. 그런 최첨단 무기들도 하위 모델별, 개체별로 미묘한 성능 차이는 있었다. 또한 최적의 조건 하에서 사용되어야 최상의 성능을 내었다. 그런 지식이 없으면 전투에서 죽을 수도 있었다. 그리고 그 부분에 정통한 것이 짐의 특기였다. 물론 그는 비행에도 전술에도 뛰어났다. 그는 동해안 해군 전투기 부대의 거물인 듀크 헤르난데스에게서 공중전을 사사받았다. 그러나 복잡한 것을 알기 쉽고 응용하기 쉽게 가르칠 수 있는 것이야말로 룰리프슨의 가장 큰 강점이었다.

내가 "스키 버드"라고 부르던 제리 사와츠키는 알라바마 주립대학 미식축구단 선수 출신으로, 베어 브라이언트 코치의 지도 하에서 라인배커 포지션을 맡았다. 체격이 크고 당당했으며, 매우 원기왕성했다. 그러면서도 매우 겸

손했고, 내가 아는 모든 조종사 중에서 가장 호감형인 인물이었다. 1967년 7월, 항공모함 USS <포레스탈> 함에 탑재되어 있던 그의 비행대대에서 대형 화재 사고를 냈다. 이 사고로 39명이 죽었으나 그는 살아남았다. 타고난 교관 체질이었던 그는 소위 시절 당시 해군의 최신예기인 팬텀으로 기종 배정을 받았다. 그는 팬텀의 모든 것을 속속들이 공부했고, 그 항공기에게 홀리다시피 했다. 우리 동료들의 말을 빌면 그는 전투기가 휘어지기 직전까지 거칠게 조종하는 스타일이었다. 제리는 공중전에서 꼭 필요한 상황 인식 능력도 매우 뛰어났다. 공중전을 하다 보면 공격할 적에게만 정신이 팔리는 경우가 많다. 그러다간 위험해진다. 조종사는 자신으로부터 반경 수 마일 내의 공역에서 벌어지는 다른 일도 다 알아야 한다. 공중전은 1:1로 벌어지는 일이 별로 없고, 그 공역 내에서는 다른 조종사들도 나름의 방향으로 고속 비행하고 있으니 말이다. 제리는 교육생들에게 상황 인식 능력을 개선하고 유지하는 방법을 가르칠 수 있었다. 그는 또한 적의 입장에서 전투를 바라보는 능력도 뛰어났다. 홈즈와 내시도 제리의 능력을 높게 인정하고, 내게 기회 있을 때마다 그 점을 이야기했다. 제리는 다른 동료들과의 팀워드 좋았다. 그는 학교의 구심점 역할을 할 수 있는 사람이었다. 브리핑 시간이 정해지면 늘 10분 전에 출석했다. 그는 우리가 원하던 유형의 교관이었다. 우리 학교의 교육은 교범에 얽매이지 않고, 항공기를 한계 이상으로 몰아부쳐야 하기 때문이다.

홈즈, 내시, 룰리프슨, 사와츠키는 내가 선발한 4명의 조종사 교관이었다. 그러나 나는 전투에서 RIO도 매우 중요하다는 것을 잘 알고 있었다. 그 사람들이 없으면 어떤 F-4 조종사도 전투를 제대로 치를 수 없다. 때문에 나는 4명의 RIO 교관 역시 구할 수 있는 중에서 최고의 인재만을 영입했다. RIO 교관들 중 수석은 존 "J.C." 스미스였다. 그는 당대 최고의 RIO였다.

1965년 6월, USS <미드웨이> 함에서 발함한 J.C.와 조종사 루 페이지 중령은 베트남 전쟁 미 해군 최초의 공대공 격추 전과를 세웠다.** 그는 정면에 나

** B. Elward & P. E. Davies, *US Navy F-4 Phantom II MiG Killers 1965-70*, Osprey Publishing, 2012에서는, 베트남 전쟁 미 해군 최초의 공대공 격추 전과는 1965년 4월 9일 VF-96

타난 2대의 MiG-17을 상대로 교과서적인 레이더 요격을 실시, 1대를 격추했다. 스패로우 미사일도 이 때만큼은 광고와 마찬가지로 작동해 주었다. 잠시 후, 요기 조종사인 잭 배트슨도 나머지 MiG기 1대를 격추했다. 당연한 얘기지만 국방부는 이 전투 결과에 크게 고무되었다. 그러나 내가 알기로는 이 승리는 미 해군이 베트남 전쟁 중 '순수한 요격전'을 통해 얻은 유일한 격추 기록이었다. 얼마 지나지 않아 북베트남은 우리가 더 이상 이런 식으로 싸우도록 놔두지 않았다. 그리고 레이더 유도식 AIM-7 스패로우도 광고 문구대로 작동해 주는 확률이 크게 떨어졌다.

J.C.는 엄청난 수다쟁이었다. 그는 1분에 천 마디씩 말을 쏟아냈다. 어떤 때 그의 말은 절대 끝나지 않을 것 같기도 했다. 하지만 이 또한 RIO에게 매우 필요한 자질이었다. 훌륭한 RIO는 조종사가 "조용히 좀 하라."는 명령을 내릴 때까지 절대 말을 멈춰서는 안 된다. J.C.는 또한 교육생들과 매우 친하게 지냈다. 교육생 중 학습이 좀 부진해 보이는 녀석이 있으면, 나는 그 친구의 후방석에 J.C.를 탑승시켜 몇 번 훈련 비행을 뛰게 했다. 그러면 그 교육생의 학습 효율은 엄청나게 높아졌다. J.C.와 그의 아내 캐롤은 독실한 기독교도였다. 다른 사람을 가르치는 것은 그의 특기였다. 그는 또한 뛰어난 교섭자이기도 했다.

RIO 교관 중에는 짐 "호크아이" 라잉이라는 친구도 있었다. 당시 23세의 젊은이였던 그는 매우 조용한 인물이었다. 그러나 그는 발톱을 숨기고 있었다. 그는 USS <키티 호크>를 타고 베트남에 2번 파견되었다. 여기서 그는 조종사와 함께 하이퐁 항구 인근 상공에서 MiG-17과 격전을 벌여 격추시켰다. 또한 한 달 사이에 2번이나 비상 탈출하고도 살아남았다. 두 번째의 비상 탈

소속 Terrence M. Murphy 중위(조종사)와 Ronald J. Fegan 소위(RIO)가 F-4B(기체 일련번호 151403)로 하이난 인근 상공에서 중국 공군 소속 MiG-17을 격추한 것이라고 밝히고 있다. 이 격추 기록은 F-4 기종 전체의 첫 공대공 격추 전과이기도 했다. 그러나 Murphy와 Fegan의 항공기 역시 그 직후 격추당했다(중국군에게 격추당했다는 설과 미군의 오인사격에 격추당했다는 설이 있다). 두 승무원은 그 이후 발견되지 않았고, 항공기와 함께 전사한 것으로 추정된다. 북베트남 공군기가 아닌 중국 공군기를 격추했고, 불명확한 부분이 많았던 사건 성격상 이 격추 전과는 한동안 공식 인정받지 못했다.-역자주

출은 정말 무서웠다. 탈출한 호크아이는 조종사 데니 위즐리와 함께 정글 속에 착지했다. 아군은 그들을 찾으러 영화와도 같은 극적인 수색 구조 작전을 펼쳤다. 존 내시는 적의 엄청난 대공 포화를 당하면서도 연료가 한계에 달할 때까지 아군 수색 구조 헬리콥터를 위해 공중 엄호를 실시했다. 존 내시는 그 공로를 인정받아 은성 무공 훈장을 탔다. 그리고 적에 맞서 살아남은 라잉은 <탑건>의 높은 사기와 불굴의 투지의 화신이 되었다. 그는 아무리 힘든 전투에서도 무사히 살아 귀환했다. 종교심이 깊고 가정적인 사나이인 짐은, <탑건>의 불사신이었다. 또한 내가 아는 가장 끈기 있고, 튼튼하며, 종교적이고 믿음직한 사람이었다. 그가 입을 열면 누구건 귀를 기울이지 않을 수 없었다. 또한 교육 과정의 전 영역에 관여할 수 있는 제네럴리스트였다. 교육도 최선을 다해 실시했고, 부하가 도움이 필요하면 언제라도 도울 수 있는 훌륭한 지휘관이었다.

또다른 RIO 교관인 스티브 스미스는 최고급 RIO가 되기 위한 필수 자질을 모두 갖추고 있었다. 그러나 그가 가장 잘 하는 것은 판촉, 조직, 도박이었다. 그는 베두인에게서 낙타를 공짜로 얻은 다음, 그 낙타를 타고 알래스카에 가서 에스키모에게 얼음 덩어리를 돈 받고 팔 수 있는 사람이었다. 그는 유머 감각도 뛰어난 미남자라 여자들에게 인기가 많았다. 같은 남자로서 질투가 날 지경이었다. 하지만 우리 <탑건>에서 그를 시기한 사람은 없었으리라 생각한다. 그는 조직력도 매우 뛰어났기 때문이다. 직업 윤리 면에서도 나보다 더 뛰어났다. 그는 무슨 일이든지 알아서 스스로 했고, 주머니 속에는 늘 그날 할 일의 목록이 들어 있었다. 그리고 어지간해서는 해가 지기 전에 그 모든 일을 다 해냈다. 그는 반골 기질도 다분했다. 그래서 나는 그에게 어지간한 건 다 맡기고 불필요한 질문을 하지 않았다.

RIO 교관 중 막내는 다렐 개리 중위였다. <탑건> 창설 멤버 중 최연소자였다. 그 역시 내가 필요로 하는 교관으로서의 자질을 다 갖추었다. 실제 나이 이상으로 성숙하고, 근무 연수 이상으로 자신감을 갖추었다. 무엇보다 매우 열심히 일했다. 다렐은 뭘로 봐도 실제 전투기 조종사보다는 영화 속에서 미화된 전투기 조종사에 더욱 가까웠다. 재능이 넘치는 인물이었다. 물론 그보다 더 똑똑한 조종사도 많았고 그보다 더 경험이 많은 조종사도 많았다. 그러나 그만큼 동기 부여가 잘 된 조종사는 없었다. 과업 시간이 끝난 다음에도 그는 다양한 일을 해야 했다. 그 중에는 비행과는 상관 없는 잡무들도 많았다. 그러나 그는 그 모든 일에 성심 성의껏 임했다. 그는 사관후보생 시절에도 남들 다 자는 취침 시간에 몰래 플래시를 켜고 교범을 펴고 공부를 했다. 그 때문에 그는 NFO(Naval Flight Officers, 해군 비행 장교) 학교를 수석으로 졸업했다. 그는 항공모함 <키티 호크>에 탑승하여 2번의 전투 항해를 실시한 후, 1968년 VF-121에 전입했다. 그는 엄청난 자만심으로 어디서나 튀었다. 생물의 진화사를 살펴보면 그런 특징을 가진 새는 멸종하기 쉽다는 것을 알 수 있다. 그래서 우리는 다렐에게 "콘도르"라는 콜 사인을 붙여 주었다. 좀 겸손해지라는 뜻이었다. 그러나 오랜 시간이 흐른 지금 나는 자신있게 말할 수 있다. 다렐은 <탑건>의 가장 엄격한 교관이었으며, 매우 꼼꼼한 기준으로 전술을 다루었다고 말이다. 콘도르는 내가 아는 사람 중 가장 저돌적이면서도 지적인 인물이었다. 그리고 사람들을 따르게 만드는 타고난 혁신가였다.

우리는 공중 근무자가 아닌 사람 중에도 에이스를 찾아내 등용했다. 스티브 스미스가 처크 힐데브랜드를 처음 만났을 때, 처크는 정보 장교였다. 그는 자기 일을 지겨워했고 재미없어 했다. 처크는 미라마의 F-8 사진 정찰기 비행대대에서 근무하고 있었다. 그와 이야기를 나눈 스티브는 그의 뛰어난 재능을 알아보고, 그날 바로 그가 <탑건>으로 전속할 수 있도록 도왔다. 처크는 <탑건>의 정보 장교로 적임자였다. 그는 진공 청소기처럼 좋은 자료란 자료는 모조리 챙길 줄 알았다. 결국 그의 별명은 "스푸크"로 정해질 수밖에 없었다. 키가 컸던 그는 아직 젊었지만 나이에 비해 학구적이고 프로 근성이 넘쳤다. 그는 쉴 새 없이 적 항공기와 조종사들에 대한 참고 자료를 구해 우리 학교의 도서관에 채워넣었다. 스푸크가 없었다면 <탑건>이 전투 조종사를 위한 연구 도서관이자 지식 정보의 중심지로 커나가는 데는 몇 년이 더 걸렸을 것이다.

이들이 바로 우리 팀이다. 이들이 최적의 시기에 한 자리에 모여 있었던 것은 내 힘이 아니라 나보다 더 위대한 존재의 힘이었다고 믿고 싶다. 이제 사람들이 모였으니, 우리의 본거지를 마련해야 했다.

어느 금요일 오후, 미라마 기지의 으슥한 곳을 돌아다니던 스티브 스미스는 기지 운영 본부 근처에서 버려진 낡은 이동식 사무실을 발견했다. 그거면 충분했다. 그는 비번인 크레인 조작사를 만나 이야기하면서, 그가 그 사무실을 <탑건> 구역으로 이동시켜 준다면 스카치 한 상자를 주겠다고 약속했다. 그날 늦은 오후 10×40피트(3×12m) 크기의 그 사무실은 VF-121 격납고 인근의 <탑건> 구역으로 옮겨졌다. 주말 내내 우리는 사무실 단장에 매달렸다. 바닥을 새로 깔고, 페인트칠도 새로 했다. 테두리에는 밝은 빨간색을 칠했다. 그리고 출입구에는 <해군 전투기 무기 학교>라고 적힌 간판도 달았다.

다른 모든 사람들이 사무실 새단장에 여념이 없을 때, 스티브는 대량의 사무용 가구는 물론, 두어 개의 비밀 서류 보관용 금고도 구해 왔다. 그가 그 물건들을 대체 어디서 구해 왔는지는 아무도 모른다. 일설에 따르면 그 중 일부는 공군에서 훔쳐 왔다고 한다. 물건의 출처야 어찌되었든, 우리는 낡은 사무실을 말끔하게 손봐서 진짜 교육 장소 답게 변모시키고 그 곳을 우리의 본부로 삼았다. 다음 주 월요일 아침, <탑건>은 공식적으로 운영을 개시했다.

제9장
창설 멤버

1969년초, 베트남 앞바다 양키 스테이션

우리 학교의 이름을 제목으로 사용한 어느 유명한 영화가 있다. 우리 조종사들도 모두 그 영화를 좋아한다. 하지만 그 영화를 보면, 해군 조종사들을 모두 걱정을 사서 하는 성격의 소유자로 오해하기 쉽다. 그리고 교육생들 간은 물론 교관들 간에도 끊임없이 자아의 충돌이 일어나는 곳으로 우리 학교를 묘사하고 있다. 심지어 훈련 비행 중에도 말이다. TV 드라마 <제8전투비행대(원제 Black Sheep Squadron)>에서 그레고리 "페피" 보잉턴 소령과 그가 이끄는 해병대 제214전투비행대대를 부적응자들의 집단으로 묘사한 것과도 비슷하다.

그러나 <탑건>의 창설 멤버에 한해서 말하자면, 그건 전혀 사실이 아니었다. 그들은 1주일에 무려 6일 반을 학자, 아니 승려처럼 살았다. 창설 멤버들은 1969년 초 제1기생 도착 이전 정신 없이 교육 준비를 했다. 어떤 물리학자도 그 짧은 시간 내에 교육 준비가 완벽히 이루어졌다는 사실을 이해할 수 없을 것이다. 우리의 임무는 항공기와 무기의 전투력을 완벽히 활용하여 항공전의 향방을 바꾸는 방법을 강구하는 것이었다. 나는 교장으로서 학교의 교육 기조를 정하고 주요 의사 결정을 맡았다. 그리고 내 휘하의 교관들은 F-4 팬텀과 그 탑재 미사일의 비행 영역선도를 재정의하는 일에 지력을 써야 했다. 그것이야말로 우리가 할 일 중 가장 중요했고, 우리 학교의 전통의 기반이었다.

우리 미사일은 급기동에 수반되는 고G, 고각속도(高角速度) 환경에 알맞게 설계되지 않았다. 바로 그 때문에 우리 조종사들이 공중전에서 패배해 죽어가고 있는 것이다. 이 기술적인 말투를 알아듣기 쉽게 번역하자면, 공중전은 너무나 빨리 진행되기 때문에, 조종사는 미사일의 성능에만 의존해서는 이길 수 없다. 즉, 조종사는 미사일보다 더 똑똑해야 한다는 것이다. 미사일은 칼과 마찬가지로 그저 도구일 뿐이다. 사람이 그 도구를 언제나 정확히 사용할 수 있어야 효과를 보는 것이다.

우리는 함상에 실린 미사일이 계속적인 진동과 충격에 노출되어 있음도 주목했다. 그 무거운 미사일을 무장사들이 수작업으로 취급 및 운반한다. 또한 항공기가 사용하지 않은 미사일을 가지고 착함할 때도, 착함 시의 충격을 미사일이 다 받게 된다. 미사일에 계속 충격을 줘서 성능에 좋을 건 하나도 없다. 조종사는 항공기는 물론, 탑재되는 무기에 대해서도 그 성능과 한계를 확실히 알아야 한다. 그래서 우리 학교는 장비의 단점을 철저히 연구했다. 드러난 단점들은 많았다. 그러나 그에 대한 기술적 해결책도 많이 발견되었다.

미국 정부의 상층부에도 근접 공중전이 다시 필요하다는 것을 절감한 선구자들은 있었다. 그러나 그들도 <알파 스트라이크>의 일원이 되어 하노이 상공으로 출격하는 게 구체적으로 무엇을 의미하는지는 전혀 몰랐다. 30대의 공격 편대군의 일원으로 비행하다가 15발의 적 지대공 미사일을 얻어맞는 기분이 어떤지도 몰랐다. 레이더 및 육안으로 발견한 미식별 접촉들이 어지럽게 몰려다니다가, 북베트남 MiG기로 변해 우리를 향해 상승해 올 때의 기분도 몰랐다. 그런 접촉들은 우리에게는 일절 사전 통보도 없이 느닷없이 표적으로 날아와, 잘 진행되던 작전을 망치는 미 공군기들인 경우도 있었다. 600노트(시속 1,111km)의 속도로 비행할 때 어지럽게 날아와 캐노피를 스치는 적 대공 화기와 소병기들의 예광탄 빛줄기도 본 적이 없었다.

앞서도 얘기했듯이, 교전 규칙 상 우리 군은 표적을 육안 식별한 후에야 무장을 사격할 수 있었다. 즉, 육안으로 미식별기의 국적을 확인할 수 있을 만큼 가까이 다가가야 한다는 얘기다. 미식별기가 아군기면 다행이다. 그러나 적기라면? 그 정도로 가까운 거리에서는 팬텀에 달린 첨단 레이더 유도 미사일은 무용 지물이다. 베트남 전쟁의 첫 3년간 미군이 적기에게 사격한 미사일은 약 600발이다. 이만큼 미사일을 쐈는데도 격추 전과는 약 60대밖에 못 올렸다. 미사일 10발 중 1발만 명중했다는 얘기다. 북베트남 군이 운용하는 날렵하고 작은 MiG 전투기는 우리 군의 미사일 사격을 피하고 나면, 요기가 상황을 알아 차리고 "6시 방향에 밴디트! 우로 급선회하라!"라고 말하기도 전에 우리 항공기 꽁무니에 붙어서 기관포탄을 날려댔다. 뭔가 잘못되어 가고 있었다. 프랭크 올트 대령의 제안을 따라, 이 문제를 근본적으로 해결하는 것이 우리 학교의 임무였다.

그 이동식 사무실에서 지낸 시간이야말로 내 군생활 중 가장 많은 일을 해낸 시기일 것이다. 이동식 사무실의 왼쪽 문 아래에는, 문으로 올라가는 계단 역할을 하는 몇 개의 콘크리트 블록이 놓여져 있었다. 그 블록을 딛고 올라가 문을 열면, 그 안에는 우리 학교의 본부가 있었다. 본부에는 책상과 의자 1개씩, 캐비넷 여러 개, 비밀 문서 보관용 금고 2개가 있었다. 모두 스티브 스미스가 구해온 것이었다. 물론 해군 사무실의 필수품인 커피 세트도 있었다. 교육생들의 자리에는 탁자 6개가 2열 종대로 열당 3개씩 늘어서 있고, 그 주변에는 의자 10여 개가 있었다. 본부 저편에는 칠판과 연단, 그리고 교관 1명이 간신히 서 있을 만큼 좁은 자리도 있었다. 창문은 작았다. 한 쪽에 1개, 반대편에 2개가 있었다. 우리 청년 장교들은 미합중국 해군의 패착에 대해 모두 나름의 견해를 갖고 있었다. 거기에 기초하여 우리는 F-4 팬텀 기종의 공중전 규칙과 전술을 처음으로 새로 쓸 것이었다.

멜은 F-4의 공기역학적 성능을 철저 분석하여, 그 성능 영역선도를 다시 쓰고, 이 기종이 제작사 맥도넬 더글러스가 정한 한계 이상의 성능을 공중전에서 낼 수 있음을 입증해냈다. 우리는 활발한 연구와 발표, 토론을 통해 <탑건>의 교육 과정을 개발했다. 특히 공대공 전술 교육 과정 개발은 멜 홈즈, 존 내시, 사와츠키를 모아놓고 토론을 시키기만 해도 되었다. 나머지 사람들은 기분 내키면 참가해도 되고 안 해도 되었다. 일단 토론에 불이 붙으면, 정신을 번쩍 차리고 그들의 말을 열심히 받아적기만 하면 된다. 우리의 토론은 언제나 누구에게나 열린 원탁 토론이었기 때문이다.

래틀러는 RAG에서 가르치기에는 너무 난이도가 높은 전술에 대한 의견을 말해 토론을 주도해 나갔다. 토론이 종결될 때쯤이면 늘 뭔가 중요한 것을 발견해냈다. 그것을 발전시켜 교육 계획을 만들고 강의 요목, 교육 과정을 작성했다. 그리고 그 교육 책임을 각 기술 분야별로 해당 교관에게 분배해 주었다. 이 모든 것은 교관들이 다른 교관들에게 자신이 가르칠 내용을 발표하면서 거듭 검토되었다.

존 내시는 공대지 전술 전문가였다. 어찌되었건 미군에서 팬텀의 임무기능 분류는 <전투 폭격기>였다. 때문에 공대공 전투만큼이나 중시해야 하는 것이 공대지 전투였다. 내시는 그 분야에서 우리 중 최고였다. 물론 공대공 전술에도 뛰어났지만 말이다.

코브라 룰리프슨이 가장 큰 기여를 한 장소는 미라마 기지 밖이었다. 그는 메사추세츠의 레이시온 사를 자주 방문했다. 그는 기술자들과 함께 스패로우 미사일 개발에 참여, 이 무기의 비행 역학 개선에 기여했다. 그 동안의 전술은 스패로우의 센서와 전자장치의 실제 한계를 전혀 반영하지 못하고 있었다. 스패로우 미사일을 적에게 명중시키려면 최적의 시기와 장소에서 발사해야 했다. 그렇지 않은 경우, 즉 조종사가 미사일의 운동학과 처리 시간, 더 자세히 말하면 발사 순간에 미사일에 부여되는 다양한 변수(G와 각속도, 미사일과 표적 간의 교차각 등)의 총합이 명중 여부에 주는 영향을 이해하지 못할 경우 미사일은 아무 것도 맞출 수 없다. 짐은 공대공 미사일의 명중을 좌우하는 모든 시공간적 요소를 제대로 알고 있었다. 그의 연구 결과와, 우리가 새로이 알아낸 팬텀의 성능 한계인 <비행 영역선도>를 조합함으로서, 우리는 가지고 있던 무기를 더욱 잘 활용하는 방법을 알아냈다.

매우 분주하게 일하지 않았더라면 이 모든 것을 60일 내에 해내지 못했을 것이다.

우리의 멋진 F-4 항공기에는 여러 가지 중요한 특징이 있다. 그 중 한 가지는 제네럴 일렉트릭 사제 J79 터보제트 엔진 2대를 보유하고 있어, 로켓처럼 빠르게 가속할 수 있다는 점이다. MiG기는 기동성은 뛰어나지만 엔진 추력 면에서는 팬텀의 상대가 되지 못했다. 이전에도 이 점을 이용해 공중전 중 급상승한 다음 급강하하여 공격 기회를 노리던 일부 팬텀 조종사들이 있었다. 우리는 이 전술을 <수직 이용>이라고 불렀다. 팬텀의 개발자들은 팬텀으로 이런 전술을 구사하는 것까지는 예상치 않았다. 그러나 이 <수직 이용> 전술을 팬텀에 맞게 개량하는 것이 우리의 지상 과제 중 하나가 되었다.

교육 과정을 준비하던 중 나는 처크 힐데브랜드와 J.C. 스미스를 데리고 버지니아 주 랭글리 CIA 본부로 출장을 갔다. 거기에서 우리는 베트남에서 싸웠던 항공모함 비행대대의 비밀 작전 보고서를 볼 수 있었다. 정작 해군에서는 그런 자료를 볼 수 없었다는 게 웃기는 일이기는 했다. 그 보고서를 작성한 것은 우리 비행대대의 장병들인데도 말이다. 물론 당시 우리에게는 1급 비밀 취급 인가가 없었다. 때문에 우리는 CIA 내부 인원들의 협조를 얻어야 했다. 워싱턴을 떠나 미라마로 복귀할 때 J.C.와 나는 두 개의 서류 가방에 비밀 귀환정보보고서들을 잔뜩 넣어 가지고 왔다. 그 서류들에는 피를 주고 산 귀중한 전훈들이 가득했다.

물론 남에게 뭔가를 가르치려면, 가르치는 사람부터가 철저한 연구를 통해 가르치는 내용을 매우 정확히 알고 있어야 한다. 우리는 엄청난 속도로 교육 과정을 만들고 점검하고 수정했다. 하루 온종일 독수리 타법으로 수동식 타자기의 자판을 눌러 가며 원고를 작성하고, 다른 사람이 만든 원고를 교정했다. 그리고 한 사람씩 모두의 앞에서 강의를 연습했다. 맨 마지막 부분이 제일 중요했다. 이 때 우리는 동료의 강의를 지독하게 철저하게 평가했다. 미군에서는 다른 교관의 강의에 대한 까다로운 동료 평가를 <살인 위원회>라고까지 부른다. 강의 스타일의 사소한 문제점, 사소한 강의 내용 전달 실수, 복장과 외모의 사소한 빈틈 하나 그냥 넘어가지 않고 현장에서 지적한다. 우리 교육생들 역시 최고 수준의 인재들이다. 그런 사람들에게 어찌 부실한 강의를 할 수 있겠는가? 그랬다가는 우리 학교가 어떤 꼴이 나겠는가? 그들에게 대학원 수준의 교육을 시키지 못한다면, 그들이 우리 교관들을 어떻게 여기겠는가? 한편으로 우리는 제1기생을 모집하러 함대 비행대대에 연락을 시작했다.

제1기 교육생은 4개 팬텀 비행대대에서 대대당 2명씩, 총원 8명(조종사 4명, RIO 4명)을 선발할 것이었다. <탑건> 최고의 외판원인 스티브 스미스가 동해안 및 서해안의 해군 비행대대에서 신입생을 모집하는 임무에 투입되었다. 그는 텔레마케팅 임무에 상당한 시간을 들였다. 각 비행대대의 부대대장에게 전화를 걸어, 그 부대 최고의 초급장교 2명(조종사 1명, RIO 1명)씩을 5주간의 고등 전술 교육에 보내달라고 권유하는 것이었다. 통화가 시작되면, 상대 부대대장의 반응은 보통 이랬다.

"미안한데, 귀관은 대체 누군가?"

그럼 스티브는 자기 소개를 열심히 한다. 그러면서 상급 부대에서도 우리 학교를 알고 있다는 식으로 이야기한다. "부대대장님. 비행단장님께서 우리 학교에 대해 브리핑을 해주신 적이 있지 않습니까?" 그런 말을 해도 상황이 악화되는 경우가 많다. 상대의 꼰대 말투가 시작되는 것이다.

"그런 브리핑 못 받아봤어. 자네가 대체 뭔데 우리 부대의 최고의 승무원들을 거기로 보내라는 건가? 대체 뭘 믿고 지금 자네가 나보다 전술을 더 잘 가르칠 수 있다고 말하는 건가?"

이 시점에서 스티브는 상대 비행대대가 승무원 2명뿐 아니라, 팬텀 전투기 1대와 정비사들도 보내줘야 한다고 말해야 한다. 이쯤이면 상대방도 더욱 짜증이 난다.

물론 다른 사람의 도움을 받아 거래를 성사시키는 경우도 없진 않았다. 짜증이 난 부대대장이 전화를 끊고 국방부에 <탑건>의 현황을 문의한다면, 그때야 말로 높으신 분들의 지원이 나온다. 해군부의 항공전 관련 최고 사령부인 OP-05가 그 부대대장의 문의에 정확한 답변을 해 줄 것이다.

스티브의 재능은 동해안 비행대대와 교섭할 때 진가를 발휘했다. <탑건>이 베트남 전쟁 지역으로 가는 입구에 있다는 사실도 도움이 되었다. 스티브는 상대에게 이런 식으로 말했다. "여기 미라마가 어떤 곳인지 알고 계시지요? 저희는 동해안 비행대대들에서 신입생을 선발하고자 합니다. 저희 교관들은 모두 전투 경험이 있어서 교육 효과가 정말 뛰어납니다. 혹시 동해안에도 전투 경험이 있는 조종사가 있나요?" 물론 동해안에는 그런 조종사가 거의 없었다. 때문에 이런 말은 상대방의 성장 욕구를 자극했다. 스티브는 계속해서 소란을 일으키면서 <탑건> 교육을 알리고, 그 수요를 키웠다.

제1기생 명단이 나왔을 때, 우리는 RAG 교육생들을 상대로 완성된 교육 계획 일부를 실험해 보기도 했다. 어쨌든 우리는 RAG 교육생들에게는 기존 방식대로 교육을 해나갔다. <탑건>의 모든 교관들은 여전히 VF-121에서 기초 전술을 교육하고 있기 때문이다. 1969년 2월 중순 어느 날, 멜 홈즈와 나는 2대의 항공기를 가지고 훈련 비행에 나섰다. 두 항공기의 후방석에는 장거리 레이더 요격을 학습 중인 RIO 교육생이 탔다. 캘리포니아 해안에서 100마일(185km) 정도 떨어진 해상에서 후기 연소기를 최대 추력으로 가동시키며 샌클레멘트 섬으로 날아가는데, 갑자기 이상한 쿵 소리가 들렸다. 계기판에 경고등이 켜졌다. 우현 엔진에 화재가 발생한 것이었다.

내가 우현 엔진을 끄는 동안, 후방석에 탑승한 RIO 교육생 길 슬리니 중위는 비상 체크리스트 절차를 진행했다. 멜은 우리 항공기에 가까이 접근, 연기를 뿜는 기체의 상태를 육안으로 살폈다. 설상가상으로 미라마에서 30마일(55km) 떨어진 라 호야 앞바다 상공에서, 내 팬텀 후미의 7리터짜리 액체산소 용기가 폭발했다. 이 폭발로 팬텀기 후방동체가 떨어져 나갔다. 항공기는 빙글빙글 돌며 추락하기 시작했다. 시간이 갑자기 느리게 가는 것 같았다. 헤드폰으로 멜의 목소리가 들렸다.

"댄, 탈출하세요! 어서!"

길이 사출 핸들을 당기자 그와 나는 추락하는 팬텀기에서 좌석째로 튕겨져 나갔다. 사출 고도는 21,000피트(6,300m)였다. 우리 두 사람은 포물선을 그리며 날아갔다.

사람이 위기에 처하면 체감하는 시간의 속도가 이상해진다. 엄청나게 분비되는 아드레날린에 힘입어 나는 그 짧은 시간 내에 고개를 들어 라 호야의 아름다운 경치를 굽어보았다. 내 헬멧의 바이저는 사라졌다. 그러나 이상하게도 내 레이밴은 아직 얼굴에 걸려 있었다. 이건 정말 질기게도 나랑 함께 있어 주는구나 싶었다. 그 레이밴은 펜사콜라의 후보생 시절에 산 것이다. 이제와서 잃는다니 안 될 말이었다. 나는 손을 뻗어 레이밴을 벗은 다음, 비행복의 주머니 속에 집어넣었다.

그리고 나서 내 몸이 자유낙하를 하고 있음을 알았다. 사출 좌석에 앉아 있는 채로 말이다. 아직 사출 좌석에서 몸이 분리되지 않은 것은 문제였다. 이 무거운 좌석은 고도 12,000피트(3,600m)에서 강력한 스프링에 의해 자동으로 떨어져 나가야 한다.

바다를 향해 떨어지던 나는 길의 낙하산을 찾아 두리번 거렸다. 결국 내 뒤 위쪽에서 그의 낙하산을 발견하고는 안심했다. 나는 결국 사출 좌석을 수동으로 분리한 다음, 자유 낙하를 계속하며 낙하산을 개산하기 위해 D링을 당겼다. 아무 일도 일어나지 않았다. 나는 다시 한 번 D링을 당겼다. 이번에는 더 세게 당겼다. 그러자 D링을 낙하산과 연결한 케이블이 끊어져 버리고 말았다. 나는 종말 속도로 돌처럼 떨어져 나가고 있었다. 나는 간신히 손을 낙하산 배낭에 가져다 댔다.

남은 시간과 고도가 얼마 없었다. 집에 있는 아내와 아이들의 모습이 눈앞을 스쳤다. 그 순간 하느님께서 내게 힘을 주셨다고 나는 지금도 확신한다. 나는 맨손으로 낙하산 배낭을 열었고, 낙하산이 개산되었다. 내 머리 위에 백장미가 피어났다. 그 반동으로 내 몸이 순간 위로 솟구쳤다가, 낙하산의 공기 저항으로 인해 천천히 하강하게 되었다. 주님, 감사합니다.

아래의 차가운 바다를 내려다보니, 수면 바로 아래에 뭔가 유선형의 그림자가 헤엄치는 것이 보였다. 그게 뭔지 오래 생각할 여유가 없었다. 내 낙하산은 매우 낮은 고도에서 개산되었다. 멜에 따르면 고작 2,400피트(720m)였다고 한다. 낙하산이 개산되고 나서 바람에 한두번 흔들리자마자 내 몸은 착수했다. 그와 동시에 내 생존 장비에 들어 있던 구명 보트가 펴졌다. 나는 엄청나게 빨리 구명 보트에 올랐다. 상어가 무서웠기 때문이다. 잠시 후 두 마리의 커다란 바다 동물이 나타나서, 구명 보트 뱃전에 뭉툭한 주둥이를 갖다 대었다. 상어가 아니라 돌고래였다! 그들은 구명 보트가 신기했는지 본험 리처드에서 발함한 구조 헬리콥터가 올 때까지 계속 내 옆에 있었다.

헬리콥터의 로터 후류가 해면을 때리자 짠 물보라가 피어났다. 헬리콥터 승무원들이 로프를 타고 내려와 나를 하늘로 데려갔다. 길은 어떻게 되었을지 궁금했다. 그런데 헬리콥터 기내에 들어가 보니 몸을 벽에 기대고 앉아 미소짓는 길이 보였다. 내가 탄 구조 헬리콥터는 길을 구조하고 오는 길이었던 것이다. 길은 기쁜 표정으로 나를 끌어안았다. 나는 길에게 내게 키스하면 죽여버리겠다고 했다. 물론 그는 키스까지는 하지 않았다. 분명 그 날은 우리의 제삿날은 아닌 것 같았다.

사고 조사 위원회는 내 사출 좌석의 판 스프링이 결함품이었음을 밝혀냈다. 야간 비상 탈출을 시도한 해군 조종사 중 5명이 죽었는데, 해군은 이 스프링이 그 원인일지도 모른다고 생각했다. 나도 우리가 야간에 비상 탈출을 시도했어도 살아남았을 거라고 자신할 수 없었다. 보니 딕(본험 리처드의 별칭-역자주) 함상에서 건강 검진을 받은 우리는 C-1 트레이더에 탑승하여 야간 발함해 미라마로 향했다.

물론 그 날도 새털같이 많은 날 중 하나일 뿐이었다. 일상의 위험으로 가득하지만, 영광을 향해 또 한 걸음을 내딛었던 날들 말이다. <탑건>의 교관들은 일과를 마치고 나서 모여 놀며 스트레스를 푸는 법도 잘 알고 있었다. <탑건>의 첫 회식은 개교한 날 저녁에 미라마에서 거행되었다. 나중에는 코로나도의 해변 장교 회관인 <다운윈즈(Downwinds, 하향풍)>에서도 하고, 샌 디에고의 <불리스(Bully's)>에서도 했다. <불리스>가 라 호야로 이전하자 거기까지 원정도 갔다. 라 호야에서는 콘도르와 호크아이 라잉이 빌린 집에서 놀기도 했다. 그 집은 라 호야 해변의 259번지에 있는 스타코를 바른 건물이었는데, 우리 교관들은 그 집을 <라파예트 비행대대>로 불렀다. 그 집에는 냉장 생맥주가 언제나 갖추어져 있었고, 출입문은 늘 열려 있었다. 그 집 길건너에는 미라마 기지의 젊은 조종사들이 빌린 다른 집 두 채가 있었다. 그 3채의 집은 샌 디에고 주립 대학의 학생들은 물론 샌 디에고 지역 프로 미식축구단 <차저스>의 단원들까지, 파티를 즐기고자 하는 이들은 누구나 오는 곳이었다. 다렐은 금요일에 퇴근을 해서 자기 집 침실에 오면 누가 거기를 먼저 점령하고 있을지 알지 못했다. 그러나 우리 모두가 살아가는 이유는 다름 아닌 <탑건>이었다. 근무 후의 놀이도 어디까지나 최상의 컨디션으로 일에 임할 수 있게 하기 위함일 뿐이었다.

항공기 추락 사고로 인해 본의 아니게 차가운 바다에서 수영을 한 지 며칠이 지나, 나는 업무에 복귀했다. 이제는 <탑건>의 교육 과정 개발을 완료하고, 대부분의 <살인 위원회>도 종료되었다. 제1기생을 입교시킬 준비가 되었다. 이제 우리만의 모험을 시작해야 했다. 교육생들을 세계 최고의 전투 조종사로 양성하는 것이 이 모험의 목표였다.

1969년 3월 3일, 파이터타운 USA의 주워 온 이동식 사무실 앞에 <탑건> 제1기생이 집합했다. 1기생 8명은 모두 태평양 주둔 비행대대인 VF-142와 VF-143에서 모집되었다. 그 두 비행대대는 항공모함 USS <콘스텔레이션>에 탑재되어 베트남 전개를 마치고 막 돌아온 참이었다. 그들은 미 해군 항공대 최고의 초급 장교들 중 하나였으며, 당연한 얘기지만 전원이 전투 경험이 있었다. 또한 전원이 해군 사관학교를 졸업한 현역 장기 자원이었다. 당시 <탑건>에 예비군 조종사는 교육생으로 받지 않았다. 제1기 교육생들의 이름은 다음과 같았다. 조종사는 제리 보리어, 론 스툽스, 클리프 마틴, 존 패짓. RIO는 짐 넬슨, 잭 호버, 봅 클로이스, 에드 스쿠더였다. 교관들과 나는 이들을 처음 보자마자 대대장들이 가장 좋은 인재를 골라 보냈음을 알아챘다. 모두 똑똑하고 준비가 잘 되어 있었다.

당시 나는 해군에 입대한 지 이미 15년이 지났지만, 지도력에 대해서는 말로 배운 바가 없었다. 해군 사관학교나 ROTC 출신의 장교가 아니라면, 강의를 통해 지도력을 배울 기회는 사실상 없다. 대신 실무에서 만난 우수한 지도자를 통해 지도력을 배워야 한다. 물론 따라해서는 안 되고, 오히려 반면교사로 삼아야 할 불량한 지도자도 있다. 그러나 이제까지 군생활을 하면서 모셨던 상관들 대부분은 내게 도움이 되었고, 더 나은 방향으로 갈 수 있도록 영감을 주었다. 특히 그 중에서도 진 발렌시아, 스캥크 렘센을 거명하지 않을 수 없다. 그 외에도 많은 뛰어난 조종사들이 내게 조언을 주었다. 나는 그들의 가르침을 잊지 않고 실천했다. 나는 그들로부터 모범적인 지도자상을 배웠다.

전설적인 조종사 스웨드 베즈타사가 미라마 기지에서 비행단장을 지낼 때, 그는 모든 RAG 신입 교육생들에게 다음과 같은 요지의 환영 인사를 했다. “친구들. 자네들이 여기 오기 전에 있었던 훈련 부대는 즐거운 곳이었다. 여러분이 잘 배웠기 때문이다. 잘 배우지 못하는 사람은 전투기에 배정되지 않는다. 하지만 여기는 즐거운 곳이 아니다. 여기를 수료하면 자네들은 전쟁터로 간다. 그것도 아마 수료 직후에 보내질 거야. 정신 바짝 차려라! 항공기의 성능, 전술, 예규에 대해 모든 것을 다 알아야 한다. 그렇지 못하면 전쟁에서 죽을 수도 있다. 이상이다. 해산!”

스웨드의 인삿말에는 너겟들이 꼭 알아야 할 것들이 들어 있었다. 하지만 <탑건> 제1기생과 같은 뛰어난 인재들 앞에서는 너무 무게를 잡고 싶지 않았다. 나는 진심을 담아 “승함을 환영한다.”라는 인사부터 건넸다. 그리고 우리 학교의 목표는 중대하다는 점을 밝혔다. 그 다음에는 교관진을 소개하고, 지금 보이는 사람들이 우리 학교의 전직원임도 밝혔다. 그리고 모두 함께 열심히 공부하자고 말했다. 모든 부하들은 지휘관이 자신들의 복지와 생존을 신경써주기를 바란다. 모든 지휘관은 그 점을 항상 염두에 둬야 한다. 지휘관의 대화 스타일이 어떻건 반드시 지켜야 하는 부분이다. 아무리 융통성 없고 냉혹한 지휘관이라도 예외는 없다. 어떤 지휘관들은 부하들의 복지와 생존을 말로만 챙긴다. 그러나 실천이 따라야 말도 무게를 갖는 것이다. 나는 휘하 교관들이 언제나 교육생들에게 도전 과제를 주고, 그를 통해 교육생들을 성장시키기를 바랬다. 우리는 교육생들의 자신감을 무너뜨리기를 원하지 않았다. 자신감을 키우기를 바랬다. 우리 교육생들은 이미 실전을 겪은 프로고, 미래의 교관이다. 때문에 우리는 그들에게 가르치는 법도 가르쳐야 했다.

입학 축하 연설의 마무리에 나는 이 말을 했다. "현재 우리 군의 상황은 그 어느 때보다도 위급하다. 전우들의 생명이 우리 손에 달려 있음을 잊지 말라." 그리고 지금도 나는 확신을 가지고 그 말을 할 수 있다.

교육생들이 짐을 채 풀어놓기도 전에 교육이 시작되었다. 제1주차 교육은 대부분 지상 강의였다. 교육생들이 도착한 다음날, 해가 뜨기도 전인 0430시에 일일 브리핑으로 교육이 시작되었다. 우리는 양키 스테이션의 처절한 상황을 검토하고, 그 개선 방안을 논의했다. 작전 후 보고서 연구는 우리 모두가 잘 알던 사실을 다시 보여 주었다. 근접 공중전의 승패는 눈 깜짝할 새에 정해진다는 점이다. 가장 중요한 순간은 머지다. 머지란 두 대의 항공기가 수백 야드 간격을 두고 스쳐 지나가는 것이다. 이후 적의 행동을 보면 많은 것을 알 수 있다. 적은 저돌적인가? 자신 있게 급선회하면서 아군을 압박해 오는가? 혹은 머지 후 1.5초 정도의 시간 동안 아무 것도 안 하고 머뭇거리면서, 아군의 후속 행동을 허용하는가? 현명한 전투 조종사라면 머지 후 강하고 신속한 첫 움직임을 통해 기선을 제압한다. 왜냐하면 근접 공중전은 길어야 1분 내에 승패가 갈리기 때문이다. 머지에서부터 한 쪽이 격추당할 때까지 걸리는 시간은 30~45초에 불과하다. 죽기 싫으면 이 짧은 시간 내에 모든 역량을 총동원해야 한다.

우리는 교육생들에게 준비운동격의 비행을 두어 번 시켰다. 물론 그들은 이미 잘 준비되어 있었다. 가상적기 역할을 하는 2인승 TA-4 스카이호크로 비행을 해 보고, 우리는 교육생들 중에 초보자는 없다는 것을 알았다. 교육생들의 학습 곡선은 빠르게 올라갔다. 나는 적군에 대해 그랬듯이, 교육생들의 역량 또한 인정할 수밖에 없었다.

비행 횟수가 급증하면서 교육의 속도에도 가속이 붙었다. 제1주가 종료된 후에는, 매일 2~3회씩의 훈련 소티가 있었다. 교관들이 가상 적 역할을 맡아, 교육생들에게 다양한 시나리오를 부여했다. 가능한 모든 기본 대전 편성을 경험하게 했다. 1대1, 2대1, 1대2, 2대2, 4대2, 4대4, 2대4 등.

근접 공중전은 조종사와 기체에 물리적인 시련을 준다. 전투기로 급기동을 하면 조종사는 롤러코스터보다 더 큰 중력가속도를 받으면서 실신하기 직전까지 간다. 조종사의 몸이 좌우로 쏠리고, 헬멧이 플렉시글라스 캐노피를 두들기고, 하네스가 어깨와 허리 속으로 파고든다. 중력가속도로 인해 머리를 포함한 몸의 말단에서 피가 빠져나갔다가 마구 몰려들어왔다를 반복한다. 우리 교육 과정은 교육생의 체력 뿐 아니라 정신력도 시험했다.

매 비행마다 4~5회의 모의 교전이 있었다. 그러니 거기 임하는 조종사가 느끼는 긴장감의 크기는 짐작이 될 것이다. 교육생들은 뼛속까지 피로감을 느끼면서, 그만큼 강렬하게 학습했다. ACM은 자신의 모든 것을 걸고 벌이는 살인 스포츠다. 아무리 좋은 상태의 조종사라도 엄청나게 빠르게 진행되는 작전 앞에서는 탈진하지 않을 수 없다. 0430시의 브리핑부터 시작되는 하루의 일과는 너무나도 피곤했다. 결국 신체의 회복을 위해서 스케줄을 조정할 수밖에 없었다. 하루를 새벽 일찍 비행하고 나면, 다음 날은 비교적 늦잠을 자고, 0630시나 0700시에 교육 집합을 하는 식이었다. 교육은 그야말로 쉴 새 없이 이어졌다. 식사도 먹을 수 있을 때 먹었다. 보통은 VF-121의 주기장에 세워진 푸드 트럭에서 해결했다. 우리는 그 트럭 여사장님의 특별 고객이었다. 겨자와 양파가 잔뜩 얹힌 슬라이더와 핫도그를 엄청나게 많이 사서 먹어댔으니 말이다.

MiG와 싸우는 F-4 기종을 위해 우리는 여러 가지 신전술을 개발했다. 그리고 그 이름도 지어주었다. 그 전술들의 공통점은 팬텀을 새턴 5형 로켓 마냥 수직상승시키는 것이다. 가끔씩 우리는 이를 두고 "수직 영역선도를 사용한다."는 표현도 썼다. 이 전술은 <하이 요요(High yoyo)>라는 이름으로도 알려졌지만 결국 최종적으로 낙착된 이름은 <계란(egg)>이었다. 그 이름은 J.C. 스미스가 지어 주었다. 이 전술을 위해 사용하는 공역이 계란 모양이었기 때문이었다. 급상승했다가 공중제비를 돌며 떨어져 원위치로 돌아오는 팬텀의 비행 궤적은 영락 없이 계란을 닮았다. 물론 이 기동을 개발한 것은 <탑건>이 아니라는 점은 짚고 넘어가겠다. 이미 F-8 크루세이더 조종사들이 몇 년 동안 이런 기동을 <수직 옵션>이라고 부르며 사용해 왔다. 다만 우리는 이 기동을 F-4 팬텀에 맞게 개량 적용했을 뿐이다. 물론 팬텀은 이런 기동을 하도록 설계되지는 않았다. 그러나 엔진이 매우 강력하기 때문에 이런 기동을 충분히 소화 가능하다는 것이 입증되었다.

이 기동을 통해 새로운 지평이 열렸다. 안전을 매우 중요시하는 RAG에서 근접 공중전 훈련은 매우 드물게 실시되었고, 그것도 수평 선회전을 통해 이루어졌다. 수직 옵션은 극소수의 이단적인 교관들이 몰래 시전하고 전수해 왔을 뿐이었다. <탑건>의 멜 역시 그런 교관이었다. 나 역시 10년 전 샌 클레멘트 상공 파이트 클럽에서 그런 기동을 했다. 거기서 만난 최고의 조종사들도 모두 수직 기동을 했다. 그들과 대련한 덕분에 나는 제일 좋은 것이 무엇인지 알 수 있었다. 그것은 당시 노스 섬에서 근무하던 멜 역시 마찬가지였다.

물론 우리 교육생들 중에 여기 오기 전에 F-4를 몰고 로켓처럼 수직 상승을 해 본 사람은 없었다. 모든 조종사에게 첫 수직 상승의 경험은 잊을 수 없을만큼 강렬하다. 우리는 항공기 후방석에 교육생을 태우고 태평양 상공, 또는 엘 센트로 사막 상공에서 시범 비행을 실시했다. 후기 연소기를 작동시켜 500노트(시속 926km)까지 가속한 후, 조종간이 배에 닿을 때까지 최대한 잡아당긴다. 팬텀은 수평비행 시 최고속도가 마하 2에 달하므로, 수직 상승에 전혀 문제가 없다. 항공기가 수직 상승하면 승무원의 몸은 좌석 속으로 파고든다. 두 대의 J79 엔진은 화염을 뿜어내고, 수직으로 들린 팬텀의 기수는 별이 빛나는 우주를 향한다. 그 상태를 유지한다. 유지한다. 좀 더 유지한다. 여전히 기수는 수직으로 들려 있다. J79 엔진의 엄청난 추력에도 불구하고, 이 항공기는 언젠가 결국 감속되기 시작한다. 그러면 후방석의 교육생은 불안해 한다.

속도가 줄어들면 운동 에너지가 고도의 잠재 에너지로 바뀌게 된다. 양력에 관한 기초적 공기 역학이 작용한다. 항공기는 초저속으로도 비행할 수 있도록 설계되어 있지 않다. 항공기 날개골 형상 상 불가능하다. 물론 이런 기동을 허가해주는 RAG도 하나도 없다. 속도는 느려졌지만 여전히 엔진 추력은 최대인지라, 기체는 희미하게나마 진동을 시작한다.

이 시점에서 대부분의 조종사는 기수를 숙이고 중력의 힘을 받아 다시 움직이고 싶을 것이다. 날개에 공기의 흐름을 받아 양력을 다시 얻고 싶을 것이다. 그러나 <탑건> 교육에서는 그 전에 보여줘야 할 기동이 있다. 나는 양손으로 온 힘을 다해 조종간을 최대한 잡아당기고, 에일러론 입력 없이 여전히 기수를 높이 쳐든 상태를 유지한다.

팬텀의 기수는 여전히 지면에 대해 수직이다. 엔진도 최대 추력이다. 그러나 항공기의 대기 속도는 0노트에 가깝게 떨어진다. 이러한 상태를 테일 슬라이드(tail slide, 급상승의 정점에서 실속 후 한 동안 꼬리 부분이 먼저 아래로 처지는 비행 기동-역자주)라고 한다. 대형 제트기에게는 부자연스러운 동작이다. 그러나 제대로만 실시하면 안전하다. 엔진이 기침을 해대며, 불규칙하게 매연을 뿜어내기 시작한다. 그러나 아직은 잘 돌아가고 있다.

이 때쯤이면 인터컴을 통해 겁에 질린 교육생의 고함 소리가 들려온다. “왜 가만히 계세요?” 그러나 나는 신경쓰지 않는다. 이런 특이한 비행을 할 때의 감각을 교육생에게 체험시키고, 이러한 상황에서도 생존 가능하다는 것을 알게 하는 것이 이 훈련의 목적이니까 말이다. 이 순간 우리가 하늘에 떠 있는 것은 실로 마법과도 같다. 3온스(85g)짜리 가변익 발사나무 글라이더의 날개를 최대한 전진시켜서 날려 본 사람이라면 알 것이다. 무척이나 우아하게 상승했다가 떨어질 때도 우아하게 떨어진다. 나는 팬텀을 가지고 그런 비행을 하고 있는 것이다.

실전에서 이런 기동을 쓰면, 순식간에 적기와의 거리를 벌리면서, 적기보다 훨씬 높은 고도에 올라갈 수 있다. 상승의 정점에서 기체를 뒤집으면 RIO는 적기를 찾으러 주변을 관측한다. 적기가 우리 항공기 꽁무니에 찰싹 붙어 따라오지 않았다면, 전황은 적기에게 불리해지게 된다. 공중전 기동 중 엄청난 중력 가속도를 견디면서 상대를 계속 주시하는 것은 어려운 일이다. 그러나 기동 중 집중력을 발휘하면 가능하다. 그리고 이 상태에서 아군기가 적기를 발견하게 되면, 바로 다음 기동을 통해 적기 격추를 시도할 수 있다.

팬텀의 기본 운용 단위는 항공기 2대로 구성된 분대다. 그리고 분대가 통상 사용하는 편대 대형은 루스 듀스(Loose Deuce)다. 두 항공기가 옆으로 나란히 비행하는 형태다. 이 상태에서 접적을 하게 되면 팬텀 한 대는 바로 선회전으로 공격을 시도한다. 나머지 팬텀 한 대는 수직 상승을 한다. 방금 내가 했던 것처럼 말이다. 선회전 팬텀과 격전을 벌이느라 정신이 없던 적기는 <계란>의 정점으로 올라가는 수직상승 팬텀을 찾을 여력이 없다. 그러면 수직상승한 팬텀은 누구의 방해도 받지 않고 기동해, 적기를 미사일 영역선도의 살상 범위 내로 넣을 수 있는 것이다.

이제부터는 기술이 중요하다. 숙련된 솜씨로 후기 연소기를 끄고, 러더 페달을 밟아 방향타를 적절히 조작한다. 기수가 처져 지면을 향하게 되면, 항공기는 하강하면서 다시 속도가 늘어난다. 벡터를 얻어 적기를 압도하거나, 적기의 꼬리를 잡을 수 있다. 물론 미사일 발사에 필요한 최소사거리는 유지해야겠지만.

이상이 우리가 <탑건>에서 개발한 혁신적 전술이다. 나는 귀환하면서 이 전술을 비행 중 인터컴을 통해 후방석에 탄 교육생에게 설명해 준다. 다음 번에는 교육생이 직접 조종간을 잡고 나처럼 비행해 봐야 하기 때문이다.

항공기가 미라마에 착륙하고, 팔각정(octagon)이라고 불리우는 재급유 시설로 유도주행을 할 때쯤이면 교육생은 새로운 공중전의 규칙을 알아낸 사실에 들떠 있다. 엔진 작동 중 재급유를 받기 위해 좌현 엔진만 끈다. 그러면 지상 근무자들이 NASCAR 경기장의 정차 장소를 닮은 급유 지점으로 달려와서 급유를 해 준다. 교육생은 어서 자기도 <계란> 기동을 해보고 싶어 어쩔 줄 모르는 눈치다. 재급유가 완료되면 교육생은 전방석으로, 나는 후방석으로 자리를 옮기고 유도 주행과 활주를 거쳐 이륙한다.

사막과 대양의 훈련 공역에서 나는 이렇게 교육생들에게 수직 기동을 가르쳤다. 교육생들은 팬텀으로 이런 기동을 할 수 있으리라는 꿈도 꿔보지 못했다. 그러나 튼튼한 팬텀은 언제나 수직 기동을 완벽하게 해냈다. 일단 교육생이 항공기를 신뢰하게 되면, 설계자들이 상상도 못한 기동을 할 수 있다는 데서 희열을 느낀다.

스스로 <계란> 기동을 하고 나서 착륙한 교육생은 누구나 웃으며 함성을 지른다. 이제 우리 교육생들은 크나큰 자신감을 얻었다. 또한 교관들도 철석같이 믿게 된다. 이제 고작 24~25세 정도 된 교육생들이다. 그들의 짧은 인생에서 이만큼 강렬한 경험은 별로 없었다. 그러니 그 교육을 한 날 장교 회관이 얼마나 들썩거릴지는 안 봐도 뻔하다. 다만 그것은 흔히 생각하는 술주정뱅이들의 난장판 분위기는 아니다. 자신과 항공기, 무기와 지도자를 믿을 수 있게 되고, 전투에서 이길 수 있는 힘까지 부여받은 젊은이들의 패기가 넘치는 분위기다.

오히려 금요일 밤에 장교 회관에 갔는데도, 다들 자기 맥주잔만 들여다보고 있고 아무 말도 안 하고 있다면 그 때야말로 군대의 사기를 걱정해야 한다.

RAG는 레이더 요격의 중요성을 강조했다. 그러나 우리는 그게 베트남에서는 별로 도움이 안 되는 사실을 알고 있었다. 표적을 육안 식별해야 사격이 가능하다는 것이 베트남 전쟁의 교전 규칙이었으니까 말이다. 실전에서 미사일의 명중률은 시원치 않았다. 그러나 여전히 미사일을 백발백중의 마법 병기처럼 여기는 사람들이 있다는 것도 걱정스러웠다. 그런 사람들이 다른 어떤 조건도 따질 필요 없이 적기 기축선 기준으로 후방 30도 범위 안에 들어가서 AIM-9B 사이드와인더 미사일을 쏘기만 하면 무조건 명중한다는 식으로 너겟들을 가르치는 것이다. 그런 모습을 보면 우리는 아직도 갈 길이 멀다는 생각 뿐이었다. 실전에서 살기 위해 급선회하는 적기를 미사일로 명중시키기란 매우 어려웠다. 그 이유는 무엇인가? 짐 룰리프슨이 미사일의 전자 회로까지 조사해 가며 밝혀낸 바에 따르면, 미사일의 적외선 센서가 작동되어 표적을 획득하려면 발사 이후 어느 정도 시간이 필요하다는 것이었다. 때문에 미사일도 선도각을 주어 사격해야 한다는 것이었다. 바로 이런 기술적 한계 때문에 베트남 상공에서 발사된 그 많은 미사일이 불명중했던 것이다. 그리고 안 그래도 격무에 시달리고 있던 함대 비행대대장들은 이런 문제를 해결할 능력이 없었다.

하지만 우리 <탑건>은 매일같이 비행을 하면서 공중전의 문제 해결에 전력했다. 우리는 <계란>을 2대 구성의 루스 듀스 대형에 가장 알맞게 다듬었다. 팬텀 1대가 적기와 낮은 고도에서 근접 공중전을 벌이는 동안 나머지 팬텀 1대는 급상승을 해서 적기를 공격할 기회를 노리는 것이다. 적기가 1대이고 아군기가 2대라면, 2대의 아군기가 이 두 역할을 번갈아가면서 실시할 수도 있다. 그러면 적기를 지속적으로 압박하여 적기의 고도와 대기속도, 에너지, 연료까지도 고갈시켜, 결국 적기를 격추시킬 수 있는 것이다.

<루스 듀스> 전술은 <탑건>의 조직 문화를 반영한다. <탑건>은 초급 장교들에게 발언권과 집행권을 많이 주었다. 우리 전술에 장기/요기 간의 위계는 없다. 적을 먼저 본 항공기가 공격도 먼저 하는 것이다. <루스 듀스>는 여러 상황에 적용이 쉽고 저돌적이었다. 공군의 <플루이드 포(Fluid Four)> 전술과는 대척점에 있었다. <플루이드 포>는 그 이름과 어울리지 않게 매우 경직되어 있었고, 편대장에게 우선권과 가장 큰 교전 기회를 주었다.

교육생들은 자신감을 굳혀 갔다. 그들은 빠르게 배워 나갔다. 그리고 3~4일 정도 수직 기동을 학습하고 나면 반론도 제기할 수 있게 되었다. <계란> 궤도를 따라 비행하면서 신속히 기술을 익히고, 교관들은 물론 타 비행대대 조종사들과도 대련했다. 우리 교육생들과 훈련을 해 준 타 비행대대의 운용 기종도 해군 F-8, 공군 F-4, F-86, F-100 등 다양했다. 이로서 교육생들에게 우리 부족의 혼이 강하게 주입되었고, 그들을 다음 세대의 근접 공중전 신도로 키워 나갔다.

교육생들은 훌륭했고, 자신감도 커졌다. 물론 거기에 따르는 위험도 있었다. 그러나 우리 해군 조종사는 위험한 삶을 즐기는 것 외에 다른 선택의 여지가 없었다. 어느 정도의 자만심은 필요했다. 우리 <탑건>은 VF-124의 조종사들에게 경쟁심을 품고 있었다. 미라마에 주둔한 그 RAG 비행대대의 보유 기종은 F-8 크루세이더였다. 나는 그러한 경쟁심도 어느 정도까지는 건전하다고 생각했다. F-8 크루세이더는 기체가 길고 날씬하고, 기수에 입처럼 생긴 공기 흡입구와 기관총이 달려 있는 구형 항공기였다. 우리 부대는 그들과도 공중전 훈련을 벌였다. 그 부대의 조종사 몇 명은 최상급이었다. 보이드 렙셔, 제리 "데빌" 휴스턴 등의 이름이 떠오른다. 나는 그들과의 대전 기회를 단 한 번도 마다한 적이 없다. 신이여! 그 F-8 조종사들과 맑은 날 싸워야 하는 적 MiG기 조종사들을 불쌍히 여기소서!

그러나 기술은 언제나 신형기 편이다. 기량이 뛰어난 조종사가 탄 F-4는 1대 1 전투에서는 무조건 F-8을 이겼다. 멜도 1968년 이후 F-8과의 1대 1 공중전 훈련에서 단 한 번도 진 적이 없었다. 멜은 계속 F-8 조종사들과 대련했다. 한 번은 나도 A-4E 몽구스(Mongoose: A-4 기종, 특히 가상적기로 쓰이는 기체에 대해 미군 조종사들이 붙인 비공식 별명-역자주)를 타고 F-8 조종사 2명에 맞서 혼자 대련한 적이 있었다. 상대는 비행대대장과 그 요기였고, 둘 다 뛰어난 조종사였다. 그러나 나는 3판을 내리 이겼다. 정말 기분 좋았다. 무전기의 주파수를 상대방 주파수에 맞춰 보니, 대대장이 이렇게 말하는 게 들렸다. "어떻게 하면 이렇게 연달아 질 수 있어? 이런, 돌아가면 특훈이다." 물론 그들은 가서 특훈을 했을 것이다. 그러나 그들은 훈련이 모자라서 진 게 아니었다. 그들의 진정한 문제는 전성기가 진작에 지난 항공기를 타고 있다는 점이었다. F-8은 퇴역 수순을 밟고 있었다. 그러나 그 조종사들은 전혀 기개를 잃지 않았다. 신이여, F-8 조종사들을 축복하소서. 베트남 전쟁이 계속되자 다수의 F-8 조종사들이 F-4로 기종 전환했다. 물론 기존 F-4 조종사들 중 일부는 F-8 출신 조종사들에 대한 경쟁심을 버리지 않았다.

미라마 기지의 F-8 비행대대 격납고에는 유리 케이스에 든 길고 아름다운 칼이 있었다. 좀 의심스럽긴 했지만, 아무튼 그 비행대대의 주장에 따르면 그 칼은 지난 12세기 또는 13세기에 어느 십자군 병사가 사용한 것이라고 한다. 그 비행대대는 그 칼을 신주단지 모시듯이 귀하게 취급했고, 당연히 철저히 경비했다. 어느날 밤, 우리는 그 칼을 훔쳤다. 그 칼을 뺏기 위해 비밀 작전을 준비했다. 작전을 실행에 옮긴 것은 우리 교육생 제리 보리어였다. 그는 상대 비행대대의 격납고에 잠입해, 칼을 케이스에서 빼 왔다. 다음 날 장교 회관에서 우리는 그 칼을 사람들 앞에 선보였다. 그리고 그 자리에는 F-8 조종사들도 있었다. F-8 조종사들은 칼을 탈환하려고 우리에게 덤볐고, 우리는 칼을 챙겨가지고 도망나오는 데 성공했다.

우리는 나중에 자비를 발휘해 칼을 돌려주었다. 물론 그냥 돌려주지는 않았다. 당시 VF-121의 선임 교관이었고, 후일 동 비행대대의 대대장을 지낸 마랜드 "닥" 타운센드는 그 칼을 돌려줄 때, 보증서를 동봉해 주었다. 보증서의 내용은 이 칼이 마하 2의 속도로 비행한 적이 있다는 내용이었다. F-8의 최대속도는 마하 2가 안 되므로, F-8 비행대대에게는 뼈아픈 부분이었다. 그 이후 술집에서 양 기종 조종사 간에 주먹싸움이 벌어졌다는 얘기는 들었다. 그러나 거기에 대한 사후 보고서 작성은 하지 않았다.

<탑건>의 생활은 매일이 파이트 클럽과도 같았다. 매일같이 교관들은 승리욕구가 충만한 교육생들을 상대로 공중전 훈련을 벌였다. 교육생들이 래틀러, 스매시, 사와츠키, 코브라, 나 중 한 사람이라도 이긴다면, 자력을 쌓는데 큰 도움이 되었다. 물론 교육생들이 처음에 교관을 이기는 경우는 매우 드물었다. 그러나 훈련비행 26회로 이루어진 교육 과정이 다 끝나갈 때쯤에는 교육생도 교관을 이길 수 있었다. 교육생들은 그 사실에서 큰 자긍심을 얻는다. 자긍심이 너무나 커, 내가 가라앉혀야 할 정도였다. 나는 그들에게 이렇게 훈시했다. "누구나 전투에서 질 수 있다. 여러분이 지금 실력을 높여서 멜 교관을 이겼다고 해서 자만심을 품는 것은 위험하다. 중요한 건 이거다. 멜이 여러분들한테 질 정도면, 여러분 역시 다른 조종사에게 질 수 있다는 거다. 진정한 프로는 늘 그 점을 염두에 둬야 한다고 생각한다." 그리고 나는 교관들에게도

때때로 비슷한 요지의 훈시를 해야 했다. “절대 잘난 척 말라고. 우린 여기 가르치러 왔지 자랑하러 온 게 아냐.”

그 정도면 충분했다. 나라고 래틀러와 내시 간의 경쟁심을 항상 억누르고만 있을 수는 없었다. 물론 둘은 좋은 친구이자 동료였지만, 서로 고집도 강했다. 내시는 타고난 논쟁가였다. 그는 심지어 교황과도 말싸움을 벌일 수 있었다. 그는 언제나 멜과 투닥거렸다. 아마도 그는 멜이야말로 <탑건> 최고의 팬텀 조종사라는 인식에 동의할 수 없었던 것 같다. 나는 그 점을 알아채고 둘을 특별 감시했다.

어느 날의 2대 1 대전에서 멜과 내시는 치열한 모의 전투를 벌였다. 멜이 교육생과 한 조가 되어 내시에 맞서 싸우는 내용이었다. 하지만 훈련은 곧 멜과 내시 간의 1 대 1 전투로 변질되어 버리고 말았다. 우리 학교 최고수들 간의 각축전이었다. 그 훈련 비행이 끝난 다음에 우리는 진지한 반성 시간을 가졌다. 나는 그 자리에서 우리 학교의 원칙을 다시 강조했다. “교관 간의 근접 공중전은 안 된다.”는 원칙이었다. 우리 교관들은 여기 가르치러 온 거지, 제 잘난척 하러 온 게 아니었다. 위험한 것들이 너무 많았다. 핼리랜드의 경고가 새삼 떠올랐다. 그의 말마따나 한 번의 비행 사고만으로도 <탑건>은 폐교당할 수 있었다. 내시와 홈즈 간의 경쟁심을 이대로 방치한다면, 비행을 내보냈더니만 둘 중 최소 1명이 개산된 낙하산을 옆구리에 끼고, 걸어서 <탑건> 학교에 복귀하는 일이 생기지 말란 법도 없다. 항공기를 한 대라도 잃었다가는 우리 학교의 앞날이 위태로워진다.

나는 우리 조종사들이 상대방을 이기는 데서 나오는 자부심으로 살아가기를 원치 않았다. 우리 조종사들은 모두가 한 형제다. 제리 보리어가 <탑건>을 졸업했을 때, 나는 그가 MiG에 대한 대응법은 확실히 알았기를 바랬다. 그러나 우리가 그를 제대로 교육시켰는지는 확신이 없었다. 교육생에게 진정한 위험을 체험시키는 것이 교관들의 임무다. 그리고 훌륭한 교관은 그 임무를 잘 해냈음을 자랑스럽게 여긴다.

제10장
부족의 비밀

1969년 미라마

미국 정부는 2013년이 되어서야 어느 정보 보고서의 비밀을 해제했다. 그 보고서는 국방 정보국(Defense Intelligence Agency, DIA)이 실제 MiG기를 시험한 프로젝트에 관한 것이었다. 이 프로젝트의 일부는 <해브 도넛(Have Doughnut)>이라는 이름으로 진행되었다. <해브 도넛>이 가능했던 것은 1966년 어느 이라크 조종사가 MiG-21을 몰고 이스라엘로 망명했기 때문이었다. 그리고 나서 얼마 안 있어, 어느 시리아 조종사가 항법 착오로 MiG-17을 몰고 이스라엘 공항에 착륙한 사건이 있었다. 이 사건으로 인해 또다른 작전이 시작되었다. DIA는 그 작전을 <해브 드릴(Have Drill)>로 불렀다.

<탑건> 제1기생 교육 기간 중반 때였다. 해군 제4항공시험평가비행대대(VX-4)의 전우들이, 획득한 MiG 전투기의 비밀을 우리에게도 보여주겠다고 했다. 이 대대의 대대장인 제임스 R. 포스터 중령은, 금요일만 되면 로스 앤젤레스 이북에 있는 포인트 무구에 위치한 자기 부대로 우리를 자주 불렀다. 금

요일마다 그 부대에서는 <금주의 전투> 행사가 열렸다. 그 행사에서는 그 부대의 숙련된 시험비행 조종사들이 신형기로 신전술을 선보였다. 우리는 거기 가지 않을 이유가 없었다.

어느 주말 포스터는 J.C. 스미스와 나를 자기 부대의 조종사 대기실로 불렀다. 거기서 그는 미국 전투기와 MiG-21간의 근접 공중전 장면을 담은 기록 영화를 보여주었다. 우리는 당연히 눈이 휘둥그래질 수밖에 없었다. 그 영화는 미군의 실험 공역에서 촬영된 것이었다. 포스터의 설명에 따르면, 그와 그의 휘하 프로젝트 부장인 해병대 소령 돈 키스트가 네바다 사막의 어느 비밀 동물원에 갈 예정이라고 했다. 그 동물원은 외국에서 잡아온 동물들을 길들이는 곳이었다. 그 엄격하게 통제된 공역에는 이름도 많았다. <파라다이스 랜치>, <그룸 레이크>, <드림랜드>, <에어리어 51> 등이었다.

당연히 우리는 그의 말에 매우 큰 관심을 보일 수밖에 없었다. 1969년 봄, 포스터는 <탑건> 교관진을 <드림랜드>로 1주간 출장을 보내, MiG 전투기를 직접 견학할 수 있도록 승인을 얻어 주었다. 이 프로젝트는 엄중한 비밀이었다. 때문에 샌 디에고를 출발해 라스 베가스 인근의 넬리스 공군 기지로 가던 우리는 가족에게도 이번 출장의 목적과 목적지를 밝힐 수 없었다.

넬리스 공군 기지에 내린 우리는 택시를 타고 라스 베가스로 들어갔다. 그리고 CIA가 운영하던 라스 베가스 힐튼의 작은 호텔에 묵었다. 호텔에 딸린 술집 <오브라이언스>의 종업원 조차도 비밀 취급 인가를 받아야 했다. 그는 프로다운 태도를 보였으며, 밤새 술집에서 피로를 푸는 우리들에게 일절 불필요한 질문을 하지 않았다. 다음날 아침 일출 전에 우리는 택시를 타고 넬리스 공군 기지로 돌아갔다. 거기서 항공기를 타고 MiG기를 보러 갔다.

그 때 내가 <에어리어 51>에서 본 것에 대해 많이 이야기하는 것은 별로 현명하지 않을 것이다. 애당초 그 기지의 내부 구조가, 불필요한 것을 많이 보여주지 않게 설계되어 있다. 거기서 비행을 할 일이 있으면, 우선 격납고 내에 주기된 항공기에 탑승한다. 항공기가 격납고 밖으로 견인되어 나오면 유도로에 들어설텐데, 그 곳의 격납고와 유도로는 주변을 최대한 덜 보여주는 방향으로 설계된 것 같았다. 나는 그건 상관 없었다. 그 곳에서 진행 중인 매우 민감한 프로그램들을 미국 일반인들이 바로 알아야 한다고는 생각하지 않았다. 그 중에는 CIA의 A-12 <옥스카트> 프로그램도 있었다. 오늘날 이 프로그램은 공군식 명칭인 SR-71 <블랙버드> 전략정찰기 프로그램으로 일반에 더 잘 알려져 있다. 기타 비밀 활동은 야간에 진행되었다. 바로 이 때문에, 우리는 그 기지에 야간에 머물러서는 안 되었다. 주간 근무 시간이 끝나고 해가 지면 우리는 그 기지를 나와 <오브라이언스>로 향했다.

그러나 우리가 주간에 그 곳에서 알게 된 사실은 엄청나게 귀중했다. TA-4와 F-86H는 MiG-17의, F-5는 MiG-21의 비행 특성을 닮아 있었지만, 그렇다고 실물을 대체할 수는 없었다. 나는 MiG-17을 처음으로 가까이서 보고 전율을 느꼈다. 빨리 타 보고 싶어 견딜 수 없었다. 그 조종석 안을 들여다 보자, 나는 그야말로 감동했다. 무겁고 구식이었지만 튼튼하고 단순하고 나름의 아름다움까지 갖추고 있었다. 전자 장비의 수준은 낮았다. 미국 항공기에 있는 전동 보조식 제어장치도 없었다. 연료계에는 눈길이 한 번 더 갔다. 이 항공기의 연료탑재량은 1,800파운드(약 810kg)밖에 되지 않았다. 팬텀의 연료탑재량의 1/8 미만이었다.

나는 그 항공기로 6~7회 비행해 보았다. 분명 민첩했다. 그러나 왠지 항공기가 아닌 모루를 조종하는 것 같은 느낌이었다. <드림랜드>에서 내 주된 대련 상대는 VX-4의 최정예 조종사인 론 "머그스" 맥코운이었다. 뛰어난 조종사였다. 쾌활하고 자신감이 넘치며 장난 치기를 좋아했지만 그 이면에는 엄청나게 명석한 두뇌도 숨기고 있었다. 또한 강인한 조종사였다. 그는 해군 사관학교 재학 시, 3년 동안 권투 무패 기록도 세웠다. 머그스와 나는 대부분의 낮 시간 동안 탑승 항공기(팬텀과 MiG-17)를 번갈아 바꿔 가며 공중전 대련을 했다. 머그스는 공군 시험 비행 조종사 학교도 졸업했다. 그는 다양한 기종의 항공기를 조종해 보았다. 그는 MiG-17에 탑승해서도 선전했다. 그러나 MiG-17은 탑재연료가 금세 바닥났다. 후기 연소기를 사용하지 않았는데도 말이다. 때문에 이 기종을 조종할 때는 빨리 움직여서 빨리 승리를 거두어야 한다. 이것 뿐만 아니라 어떤 기종이건 나름의 운용 리듬이 있다. 그 리듬을 알고 익숙해져야 전투에서 적을 압도할 수 있다.

VX-4에는 또다른 조종사인 투터 티그도 있었다. 그의 주장에 따르면, MiG-17을 탄 자신에 맞서 대련한 해군 조종사 중, 첫 대련에서 자신을 이긴 사람은 없다고 했다. 물론 그 말은 사실이 아닐지도 모른다. 그러나 공군의 보이드 소령은 이 항공기의 장점을 잘 알고 있었다. 물론 우리도 마찬가지였고 말이다. 행크 핼리랜드에 앞서 팬텀 RAG의 지휘관을 지냈던 닥 타운센드는 이미 <탑건> 개교 수년 전에 드림랜드에서 MiG-21에 맞서 공중전 훈련을 해보았다. 그러나 이 사실은 나중에야 알았다. 그 때 타운센드가 실시한 연구는 F-4가 제작사가 설정한 ACM 한계 밖으로 비행하기 시작한 데 분명 도움을 주었다. 그는 자신이 연구한 내용 중 상당한 부분을 샘 리즈에게 넘겨 주었다.

드림랜드는 우리 전술의 타당성을 검증하기에 최적의 장소였다. 일단 우리도 이 기지의 단골손님이 되자, 미라마에서 항공기를 타고 이륙해, 이 기지로 직항하는 것이 허용되었다. 통상 일출 이전에 착륙해 유도 주행을 거쳐 항공기를 주기시키고, 격납고로 간다. 이후 전투 수면을 취하기도 한다. 비행은 통상 해가 떠오른 이후에 시작한다. 비행 계획 따위는 제출하지 않았다. 하루는 나는 신품 F-4J를 타고 MiG에 맞서 평가 비행을 실시하기로 했다. 세인트 루이스 공장에서 갓 생산되어, 새차 냄새 비슷한 냄새가 나는 초신품이었다. J형의 특징은 여러 가지가 있지만, 가장 중요한 것은 우리가 간절히 원하던 개량형 레이더와 사격 통제 장치가 탑재되어 있다는 점이다.

한 가지 말해둘 게 있다. 미국은 원래 확보한 MiG 전투기를 근접 공중전 훈련에 사용할 생각은 없었다는 점이다. 즉, 이 항공기들이 네바다에 온 목적은 ACM 평가가 아니었다. 공군이 이 항공기들을 확보한 목적은 기술 연구였다. 공군은 엔진 온도와 최대 및 최저 대기속도 등을 측정했다. 에드워즈 공군 기지에서의 시험 내용은 다 했다. 또한, <그룸 레이크>의 모든 공군 부대를 지휘하는 공군 중장은 이 항공기를 이용한 근접 공중전을 불허했다. 그가 지휘하는 이 기지에서 그건 너무나도 위험한 행위였다. 물론 우리 생각은 달랐다.

1956년 플로리다 주 휘팅 필드에서 나는 해군 조종사가 되기 위해 기본 비행 훈련을 받았다. 이 과정에 사용한 항공기는 전설적인 노스 아메리칸사제 SNJ였다. 워낙 혹사되어 사진과 같이 오일 범벅이 되어 있기 일쑤였다.

1959년 소위 시절의 나. 노스 섬 해군 항공 기지의 VF(AW)-3이 내 첫 실무 부대였다. F4D 스카이레이 항공기를 조종했다. 이 부대에서 나는 제2차 세계대전의 에이스 유진 발렌시아를 포함한 여러 훌륭한 조종사들로부터 많은 것을 배웠다.

<포드> 항공기와 함께 24시간 대기를 하던 우리는 소련 폭격기가 서해안에 도달하기 전에 요격할 준비가 되어 있었다. ©U.S. Navy

서태평양 상공에서 F-4 팬텀이 소련 Tu-95 베어 폭격기를 요격하고 있다. 이런 조우는 보통 매우 우호적으로 끝이 났다. ©U.S. Navy

미국 최초의 원자력 항공모함 USS <엔터프라이즈>. 1967년 양키 스테이션 파견 당시 내가 몸담았던 배이기도 하다. 이 배에 배속된 해군 항공대 조종사는 100명이었다. 불과 4개월 동안 그중 13명이 손실되었다. ©U.S. Navy

남베트남 상공에서 F-4 팬텀이 마크 82 폭탄을 투하하고 있다. 1967년 미 해군은 심각한 폭탄 부족을 겪었다. ©U.S. Navy

하노이 인근 공군 기지 활주로를 배경으로 촬영된 4명의 북베트남 조종사들. 이들이 격추한 미군기는 도합 20대에 달한다. 미군은 기동성이 뛰어난 MiG-17과의 근접 격투전에는 준비가 되어 있지 않았다. 이 소련제 전투기를 무찌르는 것이야말로 <탑건>의 지상 과제 중 하나였다. ©U.S. Navy

굵은 글씨로 이름이 표시된 인물들은 <탑건>의 창립 멤버다. 나는 그들에게, 이번 임무가 우리의 군력에서 가장 중요한 임무가 될 것임을 밝혔다. "우리 손에 전우의 생명이 달려 있다!" ©National Archives, Jack "Ordyl" Cook

창립 멤버 중 한 명인 짐 "호크아이" 라잉. 1967년 4월 하노이 인근 케프 공군 기지에 대한 첫 타격 작전 직전 F-4 팬텀 앞에서 촬영했다. 라잉은 이 임무에서 격추당했으며, 아군 헬리콥터에 구조되었다. ©U.S. Navy

짐 라잉은 <탑건> 창립 멤버 중 북베트남 상공에서 전투에 의한 항공기 피격으로 두 번 비상탈출해 본 유일한 인원이다. 이 사진은 1967년 4월 24일 케프 공군 기지 타격 작전 당시 짐의 요기 조종사가 촬영한 것이다. 사진이 촬영되고 나서 잠시 후, 라잉의 조종사도 탈출했다. ©Jim Laing

멜 “래틀러” 홈즈는 1969년 당시 해군의 최정예 팬텀 조종사였다. 하늘에서건 땅에서건 강하고 저돌적이었다. 그는 <탑건>의 전술 및 공기역학 교관으로 근무하며, <탑건>의 개국 공신 노릇을 톡톡히 했다. ©U.S. Navy

1967년 4월 24일 양키 스테이션의 <키티 호크> 함상에 선 다렐 “콘도르” 개리와 짐 라잉. 이 사진이 촬영된 지 몇 시간 후에 짐과 조종사는 북베트남군에 격추당했다.

제리 “스키 버드” 사와츠키(좌)와 마이크 귄터(우, <탑건>의 가상적기 조종사)가 A-4 스카이호크 2대 앞에 서 있다. 제리는 타고난 교관이었고 뛰어난 조종사였다. ©U.S. Navy

<탑건> 교관진을 구성한 다음에는 학교 교무실과 교실이 필요했다. 스티브 스미스는 이 버려진 이동식 사무실을 발견해 크레인 조작사에게 스카치를 주고 미라마 기지의 우리 학교 구역으로 옮겨 왔다. ©U.S. Navy

<탑건>의 부대표지는 멜 홈즈와 스티브 스미스가 미라마 장교 회관에서 칵테일 냅킨에 그려 디자인했다. 소련을 너무 자극한다는 반대 의견도 있었지만, 곧 그런 소리는 들리지 않게 되었다. ©U.S. Navy

<탑건>에서 운용하는 A-4 가상적기는 세계 여러 나라 공군의 위장 도색이 되어 있었다. A-4는 가뜩이나 작은 항공기이다. 그 중 일부 위장 도색은 가상적기를 문자 그대로 눈에 보이지 않게 해 주었다. ©U.S. Navy

켄 윌리의 VF-126 소속 TA-4 스카이호크를 탄 나와 J.C. 스미스. 이 부대의 A-4는 <탑건>이 최초로 운용한 가상적기였다. ©U.S. Navy

에어리어51 상공의 MiG-21. 미군에 입수된 이 항공기는 대응 전술 개발에 핵심적인 역할을 했다. ©U.S. Navy

라인배커 작전 기간인 1972년 4~10월간, 미 해군의 F-4 팬텀은 적기 21대를 격추했다. 적기에게 격추당한 해군기는 4대뿐이었다. 이 엄청난 성과야말로 <탑건> 프로그램의 진가를 입증해 주었다. ©U.S. Navy

미국은 MiG기를 무찌르는 방법은 알아냈다. 그러나 1975년 결국 패전하고 말았다. 사이공 및 그 인근에서 미국인들이 헬리콥터로 철수하는 동안 콘도르는 고공에서 공중 엄호를 했다. 한편, 남중국해는 북베트남군을 피해 도망나온 남베트남인들이 탄 배 수백 척으로 메워졌다. ©U.S. Navy

베트남 전쟁 이후 <탑건>은 신세대 전투 조종사 육성을 계속했다. 사진은 1970년대 중반 <탑건>교관이 F-14가 MiG-21에 맞서는 기동을 설명하는 장면이다. ©U.S. Navy

소련 공군식으로 도장된 TA-4 가상적기. ©U.S. Navy

캘리포니아 해안 상공에서 수직 상승 중인 <탑건>의 F-5 프리덤 파이터 가상적기. 이 항공기는 MiG기와 비행 특성이 매우 비슷했다. ©U.S. Navy

<탑건>을 떠난 나는 VF-143의 대대장직, 그리고 1976년에는 항공모함 <코럴 시>의 비행단장직을 역임했다. ©U.S. Navy

1970년대 중반 함대에 보급이 시작된 F-14 톰캣은 영화 <탑 건>으로 유명해졌으며 2006년까지 운용되었다. 이 항공기를 조종해 본 사람이라면, 누구나 이 항공기와 사랑에 빠질 수밖에 없었다. 다만 내겐 이 항공기를 조종해 볼 기회가 없었다. 그 점이 못내 아쉽다. ©U.S. Navy

나는 1978년 대령으로 진급하면서 조종사 생활을 마감했다. 이후 나는 군수지원함 USS <위치타>, 항공모함 USS <레인저>의 함장직을 역임했다.
©U.S. Navy

항해 중인 <위치타> 함상에서 함교 근무자들에 둘러싸여 있는 내 모습(짙은 색 자켓을 입고 있다). 이 함은 작전 중 보여준 뛰어난 성과로 전투 유공장을 여러 번 받았다. ©U.S. Navy

해상기동군수 중인 <레인저>와 그 호위함. 1980년 10월 수빅 만에서 <레인저>의 함장을 맡은 것이야말로, 내 군생활 최후이자 최대의 성취였다. ©U.S. Navy

내가 <레인저>에 복무하던 당시 항공 작전 장교이던 먼로 "호크" 스미스. 그는 1976년부터 1978년까지 <탑건> 교장으로 재직했다. ©U.S. Navy

캘리포니아 주 휘티어의 내 부모님 댁에서 사진을 찍은 메리 베스와 나. 1956년 크리스마스, 당시 텍사스에서 조종 훈련을 받던 나는 휴가를 즐기러 고향으로 왔다.

결별한 지 32년만에 다시 만난 메리 베스와 나. 우리는 덴마크에 가서, 내 아버지가 세례를 받은 교회에서 결혼식을 올렸다. 사진 속에서 내가 착용한 반지는 메리 베스가 1956년 크리스마스에 선물해 준 것이다.

미 해군과 공군은 F-35 라이트닝 II에 미래를 걸고 있다. 1992년에 개발이 시작된 이 기체는 합동 타격 전투기(Joint Strike Fighter, JSF)로도 불리지만, 일부 조종사들은 <펭귄>이라는 별칭으로도 부른다. 미 해군에 전투준비태세를 갖춘 F-35 비행대대가 생긴 것은 개발 시작 시점부터 무려 27년이 지난 2019년이었다. 이 항공기는 사상 최대의 개발비가 투입된 병기로 남아 있다. ©John Bruning

2017년 4월 남 캘리포니아의 개리의 집에서 모인 멜 홈즈, 나, 다렐 개리, 짐 라잉. <탑건> 창립 이래 근 50년 만이다. ©Jim Hornfischer

우리는 전술을 검증해야 했다. 그래서 우리는 몇 가지 규칙을 위반했다. 공군이 비행 브리핑이나 귀환정보보고를 생략하기로 하고, 그대로 진행한다면 우리에게 시간을 낭비할 사람은 없지 않겠는가? 우리는 공군이 알고 있는 비행 스케줄 대로 비행하고, 대신 그 시간에 우리가 하고 싶은 것을 했다. 이것은 아마 우리가 했던 일 중에 예전 TV 드라마인 <제8전투비행대>에 나온 내용과 가장 비슷할 것이다. 허락을 받기보다는 용서를 받기가 더 쉬운 법이다.

머그스는 격납고에서 나를 만났다. 그는 평소와 마찬가지로 열의에 가득했다. 그는 자신이 오늘 MiG-17에 대항해 싸우는 공중전 훈련을 하기로 했다며, 내 항공기를 빌려달라고 요청했다. 막 착륙한 내 항공기는 아직 엔진 열기가 식지도 않았다. 그러나 머그스의 요청을 거부할 이유는 없었다. 그는 그날 오후 VX-4의 최정예 조종사인 투터 티그 대위에 맞서 새로운 회피 기동을 시험해 보고 싶다고 했다. 티그는 짐 포스터와 함께 해군 조종사들이 MiG 전투기를 체험할 수 있도록 해 주고 있었다. 그의 말에 따르면 이 회피 기동은 F-4 항공기로 아직 시도된 적이 없으므로, 그 가능성을 검증하고 싶다는 것이었다. 하지만 그의 태도는 뭔가 이상스러우리만치 뻔뻔했다. 머그스를 태운 항공기가 급유 장소에서 급유를 받은 다음, 캐노피를 닫고 활주로를 달려나가자 나는 항공기를 빌려주지 말았어야 했나 하는 생각이 왠지 들었다.

설령 머그스의 말에 거짓이 없다고 해도, 나는 그가 비행하는 모습을 꼭 보고 싶었다. 나는 격납고로 달려가 VX-4 소속의 다른 팬텀 1대를 발견했다. 머그스 맥코운과 투터 티그 간의 1대 1 대련은 언제나 볼만했다. 두 사람은 시험평가비행대대의 최정예였다. 어떤 비행술을 보여줄지 예상조차 할 수 없었다.

나는 아까 발견한 VX-4의 팬텀 후방석에 J.C.를 태우고 이륙했다. 안전 거리를 두고 선회하면서 맥코운과 티그가 머지를 시작으로 근접 공중전을 벌이는 모습을 관람했다. 어느 쪽도 상대방을 압도하지 못했다. 서로 꼬리를 물러 기동하는 두 항공기의 고도는 계속 떨어져 가고 있었다. 그 때 머그스는 팬텀을 너무 급선회시켰다. 그 결과 그의 항공기는 잠시 동안 실속을 일으켜 통제불능 상태가 되었다. 머그스는 팬텀의 통제를 회복하고, 항공기를 뒤집었지만 또 실속을 일으켰다. 솔직히 이 때 일어난 일을 제대로 이해하려면 공기역학 박사급 학력은 있어야 할 것이다. 나도 손을 내젓거나 생소한 기술 용어를 사용하지 않고 이 상황을 제대로 설명할 자신은 없다.

아무튼 두 번째의 실속을 일으킨 머그스는 실속에서 회복하지 못했다. 투터는 가상 적기 역할을 그만두고, 무전기를 통해 머그스를 도우려 했다. 머그스는 "알았다." 같은 말을 했던 것 같다. 그러나 뱅글뱅글 돌며 사막으로 떨어지는 항공기의 자세를 회복하지는 못했다.

머그스가 탑승한 F-4J는 5,000피트(1,500m) 미만 고도에서 실속, 스핀을 일으켰다. 5,000피트는 훈련 시 절대 그 미만으로 내려가서는 안 되는 하드데크다. 투터와 나는 무전기에 대고 소리쳤다. "머그스, 탈출하라!"

그는 시험비행조종사 답게 끝까지 냉정한 말투로 말했다.

"항공기에서 탈출하겠다."

아름다운 F-4J가 지면에 충돌하기 직전의 모습은 마치 슬로우 모션처럼 우리 머릿속에 아로새겨졌다. 그 순간 머그스와 RIO 펫 길리스는 사출 핸들을 잡아당겼다.

펑! 펑! 사출 좌석 두 개가 로켓의 힘으로 항공기 밖으로 튀어나왔다. 그리고 얼마 안 있어 두 개의 낙하산이 개산되는 것이 보였다. 하느님, 감사합니다! 다음 순간, 공장에서 막 출하된 200만 달러짜리 F-4J는 사막에 추락해 거대한 화염을 뿜어내며 산산조각이 났다.

낙하산에 매달려 내려오던 머그스와 펫은 불타는 F-4J 잔해 쪽으로 날아갔다. 다행히도 갑자기 불어온 사막의 바람이 그들을 항공기 화재 현장으로부터 200피트(60m) 정도 떨어진 곳에 착지시켰다. 그들은 뜨거운 열기를 느끼면서도 아무 상처 없이 현장을 이탈할 수 있었다.

하지만 우리 <탑건> 학교도 괜찮을까?

수백만 달러 짜리 장비를 못쓰게 만든 사고가 발생하면, 미국 정부는 반드시 사고 조사를 실시하기 마련이다. 그 생각을 하니 무서워졌다. <탑건> 학교에 배속된 VF-121 항공기 1대가 손실되었다는 보고가 나오면, <탑건> 학교의 운명은 매우 위험해질 수 있다. 내가 그 항공기를 제1격납고에서 꺼내온 순간부터, 그 항공기의 관리 책임은 <탑건> 학교에 있는 것이었다. 행크 헬리랜드의 경고가 다시 들리는 듯 했다.

항공기를 착륙시켜 격납고로 돌아간 나는 행크에게 전화를 걸어 이 사고 소식을 알렸다. 짐 포스터가 나보다 먼저 행크에게 사고를 알렸다는 것을 알고 놀랐다. 짐은 자기 휘하의 조종사가 VX-4 임무의 일환으로 그 항공기를 타고 기동을 하다가 사고를 냈다는 식으로 설명했다. 행크는 미소를 지으며 짐에게 이렇게 답했다고 한다. "알겠네. 방금 한 말이 사실이라면, 자네가 벌로 우리 부대에 비행기 한 대만 구해 주면 되겠구먼." 이 전화 통화 덕택에, 사고 책임은 VX-4가 지고 <탑건>은 위기를 벗어났다.

짐은 정말 자비롭게도, 수고를 무릅쓰고 이 사고를 태평양 해군 항공 사령부가 아닌, 워싱턴에 직보해 주었다. 이 사고를 워싱턴의 해군 전투기 연구부장 해군 소장 에드워드 L. "휘트니" 페이트너에게 보고한 덕택에, 태평양 해군 항공 사령부의 해군 대장 브링글은 사고 처리 책임을 모면할 수 있었다(하지만 나는 브링글 대장도 사고 발생 15분 후 이 사고에 대해 알았을 거라고 확신한다). 이러한 책략 덕택에 그날의 항공기 손실은 VX-4의 몫이 되었고, 서해안 사령부는 우리 <탑건> 학교의 누구에게도 책임을 묻지 않았다. 물론 <탑건> 학교가 폐교되기를 원하는 사람도 없었다. 무엇보다도 우리가 짧은 시간 내에 이룬 큰 성취가 아깝지 않은가.

그날 저녁, 우리는 VX-4 소속이던 팬텀을 타고 <드림랜드>를 이륙해 미라마로 향했다. 착륙한 J.C.와 나는 장교 회관에서 술을 잔뜩 마셨다. <탑건>은 이렇게 목숨을 건졌다. 짐 포스터와 행크 헬리랜드가 용기를 발휘하지 않았다면 어떻게 되었겠는가? 그들은 우리 나라가 전쟁을 하고 있다는 사실을 결코 잊지 않은 것 같았다.

공군은 우리가 <에어리어 51>에서 귀중한 소련제 비행기로 벌이고 있는 장난을 알기에는 너무 둔했다. 우리는 근접 공중전에 대해 어떤 서면 자료도 남기지 않았다. 우리가 남긴 유일한 문서는 통상 정비 관련 서류 뿐이었다. 우리가 한 훈련에 대한 보고와 귀환정보보고는 미라마의 <탑건> 이동식 사무실이나 장교 회관에서, <탑건> 교직원과 교육생들이 모여 맥주를 한두 순배씩 걸친 자리에서 구두로만 이루어졌다.

멜 홈즈와 나는 넬리스의 공군 전투기 무기 학교에도 초청받았다. 우리가 미라마에서 하는 일을 알려달라는 것이었다. 나 역시 공군 전투기에 장비되는 기관포에 대해 많이 알고 싶었다. 공군 기지에 간 나는 공군 전투기에 탑재되는 제네럴 일렉트릭 사제 M-61 개틀링 건포드에 대해 많은 것을 배워왔다(해군에서는 쓰지 않는 장비였다). <탑건>의 교육 내용에 공군의 영향은 전혀 없었다. 해군의 조직문화는 공군과는 매우 다르다. 그 점은 우리의 전술에도 반영되었다. 넬리스의 공군 조종사인 로이드 "부츠" 부스비 대령은 우리 해군 조종사만큼이나 저돌적인 인물이지만, 그 사실을 숨기고 살아야 한다는 것을 알게 되었다. 그와 선임 시험비행 조종사인 윈디 샬을 포함한 여러 유능한 조종사들은 공군의 경직된 문화에 크게 실망하고 있었다.

<탑건>은 미 공군과의 경쟁을 피할 수 없었다. 정치적 문제 때문이 아니라, 비행과 발상 때문이었다. 우리는 미 공군에서 전투기 무기 학교를 해군보다 먼저 개교했다는 소리를 들을 때마다 짜증이 났다(물론 그런 이름의 학교를 공군이 먼저 만든 건 사실이다. 그러나 공군의 학교는 그 실체와 성과 면에서 해군의 <탑건>과 상대가 되지 못했다). 무엇보다도 전쟁에서 지고 사람이 죽는 건 더 싫었다.

당시 공군에서 우리와 비슷한 생각을 가장 목소리 높여 주장한 사람은 존 보이드 소령이었다. 1969년 그는 자신의 공대공 전투 <에너지-기동성> 이론에 대해 여러 차례 강연했다. 그 이론의 요체는 전투기의 성능을 속도, 추력, 공기저항값, 중량에 기반해 하나의 값으로 나타내 주는 수식이다. 1964년 처음 발표된 이 이론은, 공군에서 F-15 이글, F-16 파이팅 팰콘 등의 신예 전투기 개발에 사용했다고 한다. <탑건>이 개교할 때 홈즈, 제리 사와츠키, 나는 추세를 읽기 위해 여러 비공개 회의에 참석했다. 그리고 그런 곳에서 보이드를 여러 차례 만났다. <탑건>의 개교 이후 우리는 여러 곳에 불려다니며 우리

의 노하우를 소개했다.

1969년 멜과 사와츠키는 플로리다 주 틴달 공군 기지에서 강연했다. 존 보이드가 그 다음 차례로 강연하면서 자신의 이론을 소개했다. 유익한 논쟁이 뒤따랐다. 멜의 기억에 따르면 그 때 공군 장교들은 공군 방식에 의문을 제시했다고 한다. 어떤 용감한 공군 대위는 <플루이드 포>에 대해서 이야기하면서, 요기 조종사의 전술 경험이 장기보다 더 많을 수도 있는데, 왜 요기는 늘 적기를 격추할 기회를 배제당해야 하느냐고 의문을 제기했다. 그 질문으로 인해 장내에서는 논쟁이 일었다. 그러나 질의응답 시간에 보이드 소령이 했던 발언은 우리 모두의 머릿속에서 잊혀지지 않았다. 그는 어떤 미국 조종사도 MiG에 맞서 근접 공중전을 시도해서는 안 된다고 말했다. 왜냐하면 자신의 이론에 따르면 MIG는 비행 영역선도 전반에 걸쳐 F-4보다 훨씬 우세한 성능을 발휘하기 때문이라고 했다. 때문에 F-4가 MiG에 맞서 근접 공중전을 벌였다가는 격추당하고 만다는 것이었다.

어떤 이론이건 가설이 잘못 설정되면 문제가 생긴다. 우리는 보이드 소령이 뭔가 더 훌륭한 이론을 만들고 있고, 방금의 발언을 최종적인 결론으로 보기는 무리가 있다고 생각했다. 아무튼 그 때 그 기지 강당에서 사와츠키는 멜의 옆구리를 찌르며 이렇게 말했다.

"래틀러. 자네도 한 마디 하지 그래."

멜은 일어나서 보이드 소령에게, 그가 간과하고 있는 게 몇 가지 있다고 말했다. 그것들은 모두 사람에 관한 것이었다. 멜은 무기에는 한계가 있고 항공기에도 이론적인 값이 있지만, 전투에서 가장 중요한 요소인 조종사의 기술과 용기, 동기를 계산에 넣지 않을 경우, 전투의 향방을 예측할 길은 없다고 지적했다. 그런 부분을 알 수 있는 순간은 머지다. 그 때 비로소 적 조종사의 능력을 평가할 수 있다.

멜의 말은 계속되었다.

"소령님은 적기와 처음으로 접적했을 때 적 조종사의 실력을 완전히 파악하실 수 없는 것 같습니다. 그게 안 되는데 어떻게 MiG-17과 F-4가 싸우면

MiG-17이 매번 이긴다고 말씀하시는 겁니까?"

보이드 소령은 뭐라도 답변을 해야 했다.

내가 기억하기로는, 보이드 소령은 멜에 맞서 논전을 벌이지는 않았던 것 같다. 그는 앞서 했던 주장을 반복할 뿐이었다. "대위, 좋은 의견 고맙네. 하지만 F-4로 근접 공중전에서 MiG-17을 이길 방법은 없어. 바로 그 때문에 우리는 이 전쟁에서 지고 말 거야."

그 말이 맞는지 틀리는지는 두고 봐야 알 것이었다.

물론 존 보이드는 현명하고 애국심이 넘치는 훌륭한 인물이었다. 그러나 이 대화에서 우리는 그가 보편성을 지향하지만 인간의 마음은 고려하지 않는 큰 아이디어를 도출했다는 결론을 내렸다. 물론 공중전에서 기술적 요소도 중요하다. 일부 기술적 요소들은 모형화도 가능하다. 그러나 어떤 모형도 전체를 다 알려줄 수는 없다. 보이드 소령의 이론이 틀렸다는 것이 아니다. 불완전할 뿐이다. 그는 F-4의 능력을 완전히 오판하고 있었다. 우리 <탑건> 교관들도 과학을 모르는 사람들은 아니다. 코브라 룰리프슨은 과학 기술에 재능이 있었고, 열심히 연구했다. 그 결과 우리는 데이터와 비행 경험을 융합시킬 수 있었다. 그럼으로서 F-4가 MiG를 상대로 거의 매번 승리를 거둘 수 있는 전술도 만들어낼 수 있었다.

에너지 기동성 이론은 전술과 조종사에 대해서는 거의 언급하지 않았다. 그러나 조종사는 전투의 핵심요소다. 비록 정량화가 불가능한 변수지만 말이다. 미라마 <탑건>에서 교관과 교육생들은 제작사가 정한 성능 한도를 초과하여 기체에 무리가 가는 비행을 하면서까지 조종사를 인간 병기로 개조하고자 했다. 멜, 스키, 코브라, 내시와 나는 가상적기 조종사 역할을 즐겼다. 적의 관점에서 비행하고, 귀환정보보고를 하고, 교육생들의 잘못을 바로잡아 주었다. 매일같이 우리는 교육생들을 시련에 맞서게 했다. 우리는 그들을 공중전의 가장 중요한 요소 답게 가르쳤다.

나는 늘 전투원은 인간 병기이자, 탁월한 발상의 산실이 되어야 한다고 가르쳤다. 감히 말하건대, 보이드 소령 본인과 그가 선발한 3명의 조종사를, <탑

건>의 멜, 짐, 내시, 사와츠키와 대련시키면 아주 볼만한 결과가 나올 것이다(그리고 <탑건> 팀에서 아무나 한 명을 빼고, 그 자리에 나를 집어넣어도 전투 결과는 똑같을 것이다). 규칙과 제한에 엄격하게 집착하다가, 그런 제한 따위 없이 싸우는 잘 훈련된 조종사들을 만나면 거의 100% 패배할 수밖에 없다. 바로 이 때문에 우리는 <탑건>과 같은 학교가 1969년 3월 3일 이전에는 어디에도 없었다고 말하는 것이다. 우리 <탑건>은 결코 하나의 발상에 집착하지도 않고, 항공기를 숫자로만 여기지도 않았으며, 교관들을 수도사처럼 여기지도 않았다. 우리의 방식의 타당성은 베트남 전쟁 후반부의 전투 결과가 말해줄 것이었다.

<탑건>의 <에어리어 51> 침공에 대해서는 미라마에서 논의된 적이 없다. 그 비밀 이야기를 다룰 수 있는 사람은 <탑건>에 관련된 소수 인물들 뿐이었다. 그러나 우리가 <에어리어 51>에서 쌓은 경험은 너무나도 귀중했다. 그 내용은 <탑건> 학교의 0430시 브리핑에 그대로 나왔다. 그리고 <탑건>의 강의 요목을 다듬는 데 사용되었다. 우리는 그 곳에서 MiG 전투기의 주요 사항을 알 수 있었다. 그것은 VX-4의 전우들의 도움 덕택이었다.

우리 조국은 베트남에서 위기에 몰려 있었다. 그 곳의 싸움을 유리하게 이끌 전사이자 교관을 절실히 원했다. 우리 교관들은 교육생들이 그런 인재가 되어가고 있다는 자신감을 느리지만 확실하게 얻어가고 있었다.

제11장
개념실증

1969년 미라마

<탑건> 교육생들은 갈수록 민첩해지고, 똑똑해지고, 강력해지고, 자신감을 키워 갔다. 그들은 이제 자신들이 사용하는 항공기와 미사일의 성능 영역선도를 알게 되었다. 그리고 그 영역선도를 이용하기 위해 신속하게 기동할 수도 있게 되었다. 조종석에 있는 모든 스위치 인터페이스도 신속 정확하게 조작할 수 있게 되었다. 그들은 <계란> 전술을 완벽하게 구사하고, 2대 <루스듀스> 대형에서 <하이 요요>를 구사하여, 가상 적기를 거의 매번 격추할 수 있었다. <탑건>의 졸업 시험에는 특별 조건이 적용되었다. 실 기동 공중 표적에 대한 스패로우 및 사이드와인더 미사일의 무제한 사격이었다.

표적으로 쓰일 BQM-34 파이어비 무인 표적기는 포인트 무구의 짐 포스터 비행대대에서 제공해 주었다. 운용 담당은 스티브 스미스였다. 이 무인 표적기는 제트 엔진을 탑재한 원격조종식으로, 라이언 에어로노티컬 컴퍼니에서 제작했다. 1950년대부터 사용되었다. 전투 기동이 불가능한 예인 표적이

나 다른 무인기와는 달리, BQM-34는 지상의 조종사의 조종을 받아 전투 기동이 가능하다. 최대 속도는 600노트(시속 1,111km), 최대 고도는 6만 피트(18,000m) 이상이었다. 스티브 같은 뛰어난 팬텀 조종사가 조종하면, 이 22피트(6.6m) 길이의 표적기는 기가 막히게 기동했다. 이 표적기는 수직 상승할 추력은 없다. 그러나 기동력이 매우 뛰어나 급선회가 가능했다. 물론 그 표적기로 실탄 사격 훈련에서 급기동을 하다가 사고가 날 가능성도 좀 우려는 되었다. 그러나 그만한 위험을 감수할 가치는 있다고 생각했다. <탑건>의 교육생들은 전쟁터에 나가기 전에, 진짜 사람이 모는 항공기를 상대로 실탄 사격을 해 봐야 했다.

태평양 항공 미사일 시험 사격장에서 우리 교육생들은 급기동하는 표적기를 격추하며 그간 갈고닦은 실력을 뽐냈다. 심지어 격추당해 떨어지는 표적기의 잔해에도 미사일을 발사해 명중시키는 묘기까지 보였다. 이런 성공을 거두고 난 교육생들의 자신감은 급상승했고, 4월 초의 졸업식만 기다리고 있었다. 그러나 우리 교관들은 졸업식 전에 교육생들을 위한 또 하나의 깜짝 파티를 준비해 놓고 있었다. 바로 <에어리어 51> 상공에서 실시되는 MiG 전투기와의 공중전 대련이었다. 교육생들의 짧은 군 경력에서 이만큼 강렬한 체험은 없었다.

<탑건> 제1기 교육이 종료될 무렵의 어느날 저녁, 미라마 장교 회관에서 스티브 스미스와 멜 홈즈가 냅킨에 그린 초안을 기반으로 <탑건>의 공식 비행복용 패치가 제정되었다. 이 패치는 현재까지 사용되고 있다. 그 디자인은 F-4의 조준환과 조준선에 잡힌 MiG-21의 모습이다. 미국 정부의 일각에서는 이 패치의 디자인이 소련을 불필요하게 자극할 수 있다는 쓸데 없는 걱정을 했다. 그러나 내가 브링글 제독에게 전화 한 통을 하자 그런 여론은 쏙 들어가 버렸다. 이 패치 디자인은 <탑건>의 창설 배경을 매우 잘 나타내 주고 있다. 그리고 이 패치는 큰 디자인의 변화 없이 50년간 사용되었다. 모든 <탑건> 졸업생은 이 패치를 자랑스럽게 패용해 왔다.

이 작은 패치가 함대 내에 돌아다니기 시작하면서, 사람들도 우리 학교의

존재를 알게 되었다. <탑건>의 명성이 높아지자 함대 비행대대들이 먼저 우리를 찾게 되었다. 얼마 못 가 스티브는 "이번 기수에는 교육 정원이 다 차서 안 됩니다. 하지만 대기해 주시면 다음 기수 때는 반드시 교육시켜 드리겠습니다." 같은 말을 해야 했다.

<탑건>에 얽힌 다른 이야기들과 마찬가지로, 패치 이야기도 초급 장교들에게 권한을 준 것이 매우 현명했음을 방증하고 있다. 미 해군은 조직 보신을 위해, 갓 소령으로 진급한 장교에게 <탑건>의 교장 자리를 주었다. 만약 더 높은 계급의 장교에게 <탑건>의 교장 자리를 주었다면, <탑건>의 전복적 기질은 형성되고 계승되지 못했을 것이다. 젊은이들 특유의 창의성과 집중력, 빠른 일처리가 이루어지지 않았더라면, <탑건>은 제 역할을 다 하지 못했을 것이다. 군의 기존 훈련 체계를 뒤흔들고 논란을 일으키는 소임을 제대로 해내지 못했을 것이다. 그런 일이야말로 자신의 임무를 잘 아는 유능한 자들의 특권이다. 그리고 우리 <탑건> 교관들은 그런 사람들이었다.

<탑건> 제1기 졸업생은 변화된 사고방식과 <탑건>의 패치 및 훈련 교범을 가지고 실무 부대로 복귀했다. 그 교범은 우리가 그들에게 가르친 모든 내용을, 다른 사람에게 잘 가르칠 수 있도록 잘 써놓은 걸작품이었다. 그들은 <계란>의 전도사이자 <루스 듀스>의 달인으로서 교관 임무에 임할 것이었다. 그리고 우리 <탑건> 학교가 바라는 대로 함대 비행대대들을 개혁할 것이었다. 한편, 제2기생이 입교했다. 그러자 교육 과정은 처음부터 다시 시작되었다. 한편으로 제1기 교육에서 얻은 교훈을 바탕으로 교육 내용과 프로그램 관련 문서를 최신화하느라 바빴다. 발 뻗고 편히 쉴 시간 따위는 없었다.

우리는 주워 온 이동식 사무실에서 이 모든 것을 불과 90일만에 해내고 정착시켰다. 스티브가 크레인 기사에게 스카치 한 박스를 주고, 이동식 사무실을 옮겨 놓으라고 했던 그 날만 해도, 우리 중 누구도 그 사무실이 향후 50년간 해군 전투기 전술 및 교리 발전의 중추가 될 것이라고 예상치 못했다. 그러나 우리는 해냈다. 하나님을 부조종사로 둔 사람보다 더 큰 행운을 누리는 사람은 없다.

<탑건> 제2기생이 졸업한 직후, 태평양 해군 항공 사령관 브링글 제독은 자신의 상관인 태평양 함대 사령관 존 J. 하일랜드 제독에게, 1969년 7월 1일부로 미라마에 해군 전투기 무기 학교를 정식 설립해 달라고 요청했다. 이로서 우리 학교는 드디어 해군 명령 계통의 최상급자로부터 정식 인가를 받은 것이다. 초급 장교들이 주도한 프로젝트로서는 유례가 없던 일이었다. 그 즈음 세계 최고의 팬텀 RIO인 J.C. 스미스가, 나를 이어 <탑건>의 제2대 교장(담당관)으로 취임했다. 인수인계는 쉽게 끝났다. 그는 나와 함께 개교 과정을 처음부터 끝까지 도왔기 때문이다. 업무 연속성이 확보되었기 때문에 <탑건>은 더 견고히 뿌리를 내릴 수 있었다. 바로 이 때문에 샘 리즈가 <탑건>의 초대 교장 자리를 내게 주려고 했던 것이다.

1969년 10월, 나는 <탑건> 학교에서의 교육 체험을 브리핑하러 워싱턴 국방부에 갔다. 이제 우리 강의 요목은 해군 참모총장의 승인을 받게 되었다. 그 해 하반기, 리처드 슐트 중령이 행크 핼리랜드를 이어 VF-121의 새로운 대대장으로 취임했다. VF-121은 <탑건>의 상급 부대였다. ` 슐트 대대장 체제 하에서 <탑건>은 전우들과 좋은 관계를 계속 유지해 갔다. 슐트는 <탑건>에 가상 적기로 쓸 기체 4대를 보급해 주기까지 했다. A-4E 몽구스는 우리가 이제까지 이기종간 공중전 기동 훈련에서 가상적기로 사용해 왔던 2인승기인 TA-4보다 더 성능이 좋았다.

당시 어느 금요일 장교 회관에서 투터 티그는 공군의 F-86H 세이버를 인수해서 우리 학교의 주력 가상 적기로 쓰자는 제안을 내게 했다. 해당 주제로 우리는 밤새 논쟁을 벌였고, 결론은 다음날 아침에 하늘에서 났다. F-86과 A-4E를 조종하여 비행 시험을 해본 것이다. 우리는 두 항공기를 심하게 혹사시켜 보았다. 그러나 투터가 F-86으로 수직 상승을 하면서 나를 공격하려 하자, 누구 말이 옳은지 답이 나오고 말았다. 투터는 후기 연소기까지 사용했는데도, A-4E에 탄 나를 압도하기는커녕, 오히려 실속해서 뒤집어진채로 스핀을 일으키고 말았다. 그의 항공기는 마치 낙엽처럼 통제 불능 상태로 떨어져갔다. 그는 그런 경험을 하고 나서야 A-4E가 <탑건>의 가상적기로 더욱 적합하다는 내 의견에 동의했다. 이제 RAG에서 항공기를 빌려 오던 시대는 끝이 났다. <탑건> 소속의 항공기가 있으니, 이제 우리의 필요에 맞게 항공기를 개조할 수도 있었다. 그래서 일단 훈련에 불필요한 장비는 모두 탈거했다. 뛰어난 성능을 지닌 A-4E를 아무 때나 훈련에 사용할 수 있으므로, 이기종간 ACM 교육 내용도 확대 개편할 수 있었다. 몇 달 후, <탑건> 교육 내용은 처음으로 실전을 통해 혹독한 검증을 받게 되었다.

우리 교육생이던 제리 보리어는 1970년 3월, USS <콘스텔레이션>에 탑재된 해군 제142전투비행대대(VF-142) <고스트라이더스>의 일원으로 베트남에 파병되었다. 당시 양키 스테이션에는 이상한 분위기가 계속되고 있었다. 존슨 행정부가 북베트남 정부와 평화 회담에 임하면서 베트남 항공전에는 제한이 걸렸다. 미 항공모함들은 라오스와 캄보디아를 거쳐 남베트남으로 들어가는 북베트남의 보급로는 폭격할 수 있었으나, 북베트남 영토 내의 표적은 폭격할 수 없었다. 즉, 미 해군기들의 폭격 표적은 적기가 없는 곳에 있었다는 말이다. 또한 이전과 마찬가지로 미 항공모함에 대한 적기의 폭격 위협은 없는 거나 다름 없었다. 때문에 1968년 9월 이후 미군기가 격추한 MiG기는 1대도 없었다.

<탑건>을 졸업하고 실무 부대인 VF-142에 복귀한 이후, 제리는 12개월 동안 해부대의 무기전술장교로 복무하면서 동료 조종사들을 교육했다. 그러나 교육 내용이 실전에서 쓰일 기회는 좀처럼 오지 않았다. 그러다가 1970년 3월이 되자 얘기가 달라졌다. MiG기들이 예전보다 훨씬 더 남쪽으로 날아오기 시작한 것이다.

3월 28일 토요일, 제리와 그의 RIO 스티브 바클리는 캐터펄트 위에 얹힌 채 5분 대기 상태를 유지하는 F-4J 항공기에 탑승 상태로 대기하고 있었다. 5분 대기란 유사 시 5분 이내에 발함이 가능한 상태다. 그날 오후, 레이더 관제함이 항공모함을 향해 날아오는 적기 4대를 발견했다. 제리 보리어와 <콘스텔레이션> 비행단장 폴 스피어가 조종하는 팬텀 2대가 이를 요격하기 위해 바로 발함했다. 적기와 항공모함 간의 거리는 87마일(161km)이었다. 적기 요

격을 위해 서쪽 벡터가 주어졌다. 아군 팬텀에는 무기 자유 사격 권한이 주어졌다. 적기를 육안 식별해야 사격이 가능했던 것이 통상 교전 규칙이었음을 감안하면, 이례적인 일이었다.

레이더 관제사들은 적기와의 거리가 좁혀지고 있다고 계속 무전을 보냈다. 그러나 아직 팬텀기들은 MiG기의 징후를 자체 발견하지 못했다. 아무튼 팬텀기들은 계속 전진했다. 그러다가 그들의 전방 고고도(25,000피트)에 있는 MiG기를 보리어가 먼저 발견했다. <루스 듀스> 교리에 따라 제리는 스피어에게 적 발견을 보고하고, 본인이 공격에 나섰다. 후기 연소기를 작동, 가속한 후 적기를 요격하기 위해 상승 및 선회했다. 두 대의 MiG기도 팬텀을 발견하고 산개했다. MiG 장기는 상승했고 MiG 요기는 우로 급선회했다. 스피어가 MiG 장기를 추적하는 동안 보리어는 MiG 요기를 맡았다.

보리어와 MiG 요기 사이의 거리가 좁아지고 있었다. 접적 후 20초간 느낀 엄청난 흥분 때문에, 보리어는 적절한 전술이 생각나지 않았던 것 같다. 보리어는 적기를 상대로 수평 선회전을 구사하는 실수를 저질렀다. 적과 정면 대결을 하고자 상승하는 와중에 대기속도가 너무 느려져, 그는 적기를 제대로 공격할 수 없었다. 보리어는 속도를 만회하고자 7G에 달하는 중력가속도를 무릅쓰고 항공기를 하강시켰다. 그는 MiG기가 자신과 함께 하강하는 것을 보았다. 그는 선회전을 피하고, <탑건> 교리를 실행했다. 수직 상승하여 <계란> 기동을 시작한 것이다. MiG기는 그런 기동을 하는 팬텀을 따라올 수 없었다.

한편 낮은 고도에서는 스피어 중령이 MiG 장기의 정신을 쏙 빼놓고 있는 것 같았다. 그 MiG기의 조종사는 커다란 갈짓자를 그리며 비행했다. 스피어는 보리어의 후방을 지키기 위해 보리어 쪽으로 선회했다. 그 때 보리어와 전투를 벌이고 있던 MiG 요기가 스피어를 발견했다. 그 MiG 요기는 스피어 기체의 정면에 아톨 열추적 공대공 미사일을 발사했으나 불명중했다.

보리어의 팬텀은 계속 상승했다. RIO 바클리는 보리어의 조종을 도우면서, MiG 요기가 스피어에게 사격을 가했으니 이제 보리어에게는 위협이 안 된다고 말했다. 보리어는 사격 준비에 온 신경을 집중했다. <계란> 궤적의 최정상에 오르자 보리어도 적기가 무방비 상태임을 알게 되었다. MiG 요기는 보리어를 놓쳤다. 적 조종사는 보리어를 찾는 듯이 기체를 좌우로 급하게 횡전시켰다.

그 기동이야말로 치명적인 실수였다. 그 때문에 제리는 적기의 배기관을 정조준할 기회를 얻었다. 사이드와인더 미사일의 표적 포착음이 헬멧 이어폰으로 들려오자 그는 방아쇠를 당겼다. 파일런을 떠난 사이드와인더 미사일은 적기를 제대로 추적, 적기 아래쪽에서 폭발했다. 무수히 많은 강철 파편을 얻어맞은 적기는 화재를 일으켰다.

적기는 마치 횃불처럼 화염을 뿜어내며, 날개를 흔들며 계속 비행했다. 보리어는 적기를 추월하지 않기 위해 급상승했다가, 다시 적기의 후방으로 들어가 미사일을 또 한 발 발사했다. 이번의 미사일은 적기를 확실히 공중분해시켰다. 마치 <탑건> 학교의 훈련 시간에 무인기를 사격하던 것과도 같은 멋진 전투였다.

<콘스텔레이션>의 비행 갑판에 돌아오자마자 승리 축하 파티가 열렸다. 보리어에 비해 훨씬 덩치가 컸던 폴 스피어는 보리어를 번쩍 안아올렸다. 엄격한 함내 반입 금지 품목이었던 샴페인도 어디선가 나와서 터졌다. 그날 하노이 라디오 방송에서도 이들의 MiG기 격추를 인정했다. 북베트남과의 화평을 추진 중이던 미국 정부 요인들은 국방부에 사건의 진상을 숨길 것을 요구했다. 해군은 사진 정찰기를 호위하던 팬텀기들이 MiG기를 격추했다는 간단한 발표 외에는 일절 함구했다.

한편 미라마에서는 다들 MiG기를 격추한 조종사가 누구인지 궁금해했다. 사설 정보망을 전력으로 가동시켜 알아보았다. 항공모함 <콘스텔레이션> 소속의 이름 모를 조종사가 격추했다는 첩보가 나오자 모두들 열광했다. <탑건> 제1기생은 모두 그 항공모함에 탑재된 두 전투비행대대 출신이기 때문이다. 그 전투 말고 또다른 공중전이 없었는지도 궁금했다. 우리 전술의 타당성을 입증할 사례 연구를 할 수 있다는 생각만 해도 짜릿했다. 결국 보리어와

바클리가 MiG 킬러임이 드러나자 우리는 환호성을 질렀다. 그날의 승리는 우리의 전술 뿐 아니라, 우리 학교의 존재 가치를 입증해 주었다.

그 전투 내용을 담은 극비 작전 후 보고서가 국방부에 전달되었다. 국방부의 항공 및 정보 부서는 그 보고서를 철저히 연구했다. 우리는 당시 제리, 바클리, 스피어, 스피어의 RIO의 무전 통화 내용을 담은 테이프도 입수했다. 역시나 예상대로, 그 테이프에 뭔가 대단한 흥분의 흔적은 없었다. 그들의 목소리와 대화 내용은 가게에 좀 특별한 물건을 사러 온 손님들 같았다. 제리는 F-4 팬텀으로 무려 220회나 비행했다. <탑건>의 교육 수준은 그 실전 경험 이상이 될 수 없었다. 일각에서는 제리의 승리로 인해, <탑건>은 해군의 정규 부대로 승격될 기회와 여력을 얻었다고 보기도 했다.

VF-121의 소규모 분견대 자격으로 출범한 <탑건>이었지만, 그 영향력은 점점 커지고 있었다. 덕분에 부대에 특이한 방문객들이 많이 오고 싶어했다. RAG에는 외국 군대의 우수 조종사들이 교환 근무 중이었다. 그 중 영국군 조종사들이 기량과 경험 면에서 가장 탁월했다. 마침 당시 영국 해군 항공대도 F-4를 도입, 기종 전환 중이었다. 그래서 영국군은 우수 조종사와 RIO를 미군에 파견, F-4 교육을 받도록 했다. <탑건>의 개교 당시 그들은 다른 외국 조종사들돠 마찬가지로 VF-121에 배치되어 RAG 전술 과정을 수강했다. 그들 중 최선임자는 딕 로드 중령이었다. 정말 뛰어난 비행 기술을 가진 사람이었다. 물론 딕 무디, 피터 제이고, 콜린 그리핀 등을 포함, 그들 모두 진정 프로다운 조종사였다. 물론 내가 <탑건>에 있으면서 그들과 공식적으로 한 일은 없다. 특히 딕은 <탑건>이 개교되자마자 영국으로 돌아갔다. 그러나 그들 영국군 조종사들은 RAG에 있으면서 우리 미군에게도 큰 도움을 주었다. 특히 가상적기 조종사로서 실력이 뛰어났다.

그들은 지상에 있을 때도 재미있는 사람들이었다. 콘도르는 그들에 대해 이렇게 요약했다. “그 친구들은 샌 디에고 키드 제독 장교 회관의 우리 해군들 사이에서도 럭비를 할 수 있음을 보여주었어요. 식당에서 식사를 하다가

기절해 접시 위에 쓰러지기도 하고, 주기장에 아침 식사를 놔둔 채로 허겁지겁 시간 맞춰 이륙하기도 했지요." 몇 년 전 영국 언론에 실린 기사와는 달리, 영국 조종사들은 <탑건>의 창설에 아무 관여도 하지 않았다. 그런 날조된 역사는 실망스럽다. 그러나 그런 거짓말에도 불구하고, 우리는 술집과 하늘에서 함께 했던 영국 조종사들에 대해 변함 없는 애정을 간직하고 있다.

1970년, 우리 <탑건> 학교에 거물이 찾아왔다. 공군 준장 로빈 올즈였다. 현재 그는 고인이 되었지만, 그의 생전 전투 기록은 정말 영광스러웠다. 제2차 세계대전에서 그는 P-38 라이트닝과 P-51 머스탱 항공기를 조종하여 에이스가 되었다. 종전 당시 그는 불과 22세의 나이로 대대장을 하고 있었는데, 유례가 없는 일이었다. 1966년과 1967년 그의 비행단은 엄청난 공대공 전과를 거두었다. 코미디언 봅 호프가 그 부대를 가리켜 "세계 최고의 MiG기 부품 공급업체"라고 부를 정도였다. 올즈 준장도 몸소 4대의 격추를 기록했다. 그리고 1972년까지 베트남에서 그보다 더 많은 적기를 격추한 미군 조종사는 없었다. 내가 보기에 그는 마음만 먹으면 물 위도 걸어다닐 것 같았다.

미라마 기지에서는 매월 <수퍼 해피 아워>라는 행사가 열린다. 딕 슐트와 내가 로빈을 그 행사의 특별 손님으로 초청할 당시, 올즈는 콜로라도 스프링스의 미 공군 사관학교 생도대장을 하고 있었다. 올즈는 우리의 초청을 바로 수락했다. 그러나 한 가지 조건을 달았다. 가서 비행을 하게 해달라는 것이었다. 그는 아버지의 뒤를 이어 2대째 웨스트 포인트 미 육군 사관학교를 졸업한 인물이었다. 그러나 사관학교 출신 특유의 거만함은 전혀 없었다. 로빈은 오직 전투 결과만을 따질 뿐, 부하들의 출신 학교에는 전혀 관심이 없었다. 우리는 기꺼이 로빈에게 비행 기회를 주기로 했다. 그가 F-4에 타고 ACM을 할 수 있게 계획을 잡았다.

로빈이 현재 어떤 기종을 조종할 수 있는지 나는 몰랐다. 확실한 건, 그는 해군기는 조종한 적이 없다는 사실이었다. 그는 비행이 가능하도록 자신의 비행장구를 다 가지고 왔다. 그에게 해군 팬텀에 대한 간단한 조종석 교육을 시킨 후, RIO로는 J.C. 스미스를 앉혀서 이륙시켰다. 멜 홈즈가 올즈의 요기를 조종했다.

첫 대련은 2대 1로 진행되었다. 올즈 준장과 래틀러가 한 편이 되어, 가상적기 1대에 맞서 싸우는 것이었다. 래틀러가 낮은 고도에서 가상적기와 근접 공중전을 벌이는 틈에, 로빈이 가상적기에 접근해 공격하는 시나리오였다. 여기까지는 잘 진행되었다. 다음 대련은 2대 2로 진행되었다. 올즈 준장과 멜이 한 편이 되어, 가상적기인 A-4E 2대에 맞서 싸우는 것이었다. 가상적기 조종사는 딕 슐트와 T. R. 스와츠였다. 스와츠는 F-8을 조종하다 A-4로 기종 전환했다. 그는 베트남 전쟁 중 공대공 격추 기록을 세운 유일한 A-4 조종사였다.

멜이 스와츠의 가상적기를 먼저 발견했다. 멜과 올즈는 비행 전 브리핑에서 <루스 듀스> 대형을 사용하라고 교육받았다. 적기를 먼저 발견한 멜이 장기가 되어, 적기를 향해 선회, 머지했다. 그리고 가까이 있는 적기에 맞서 수평 선회전을 시작했다. 그런데 아직 나머지 1대의 적기는 보이지 않았다. 멜은 A-4를 올즈가 격추하기 쉽게 도와주는 게 훈련 시나리오였다. 그런데 여기서부터 일이 틀어지기 시작했다.

올즈의 모습이 보이지 않았다! 그는 멜이 맡은 스와츠의 A-4가 아닌 슐트의 A-4를 발견하고, 슐트를 잡으러 멜에게서 이탈했던 것이다. 멜이 "적기와 교전합니다."라는 무전을 보내자, 올즈는 슐트를 향해 날아가 버렸다.

한편, 스와츠는 멜을 압도하기 시작했다. F-4보다 훨씬 가볍고, 횡전 속도와 가속력이 빠른 A-4의 장점을 십분 활용해 저공 근접 공중전을 제대로 벌였다. 훈련은 멜이 격추당하는 걸로 끝이 났다. 물론 이는 그리 자주 있는 일은 아니었다. 멜의 요기를 맡은 올즈가 전술 계획을 지키지 않았기 때문에 생긴 일이다.

항공기를 착륙시킨 로빈은 잔뜩 흥분한 채로 조종석에서 내렸다. 그는 이번 훈련에서도 전투기의 성능을 극도로 끌어내어 적기를 격추할 기회를 놓치지 않았다. 하지만 그는 한 가지 불평을 말하는 걸 잊지 않았다. "이 RIO는 비행 내내 떠들어댔어! 왜 입을 쉬지 못하는 건가!" 그의 말은 옳았다. J.C.는 말을 결코 멈추지 않았기 때문이다. 특히 조종사의 행동에 중대한 실수가 있을 때는 더욱 그랬다. 지금 생각해 봐도 웃기다. 장군 계급장을 단 트리플 에이스(적기 15대 이상을 격추한 에이스-역자주)가 실수를 했다면, J.C.는 결코 참지 않는다. 덕택에 그는 그 날의 최우수 RIO가 되었다.

귀환정보보고에서도 J.C. 스미스는 올즈에게 계속해서 말을 걸었다. <탑건>에서는 모든 초급 장교가 그렇게 한다. 그는 우리의 훈련 규정에 의거해, 멜과 함께 협공을 벌이지 않은 올즈를 계속 비판해댔다. 로빈은 기가 꺾였을지도 모르지만, 그런 기색은 보이지 않았다. 그도 전투기 전술에 대해 자기만의 철학이 있었다. 그리고 그는 공군의 <플루이드 포> 전술 개발에 크게 기여했다. 그러나 그도 결국 우리 전술의 우수성을 인정했다. 그는 내게 이렇게 말했다. “제대로 만들었군.” 이후 공군이 <루스 듀스> 전술을 채택한 것 같지는 않다. 그러나 로빈 올즈의 인정을 받아 매우 기뻤다. 올즈는 공군이 베트남에서 저지른 실책에 대해 대놓고 이야기하기로 유명했다. 그런 실책을 저지른 이들에 대한 분노도 숨기지 않았다. 만약 훌륭한 전술가이자 용사, 개혁가인 올즈를 미라마로 전속시킬 수 있다면 나는 무엇이든 했을 것이다. 올즈의 그릇에는 더 큰 부대가 어울렸다.

매력적이고 언변이 뛰어난 미남자인 그는 마치 락 스타처럼 그날 모두를 만족시켰다. 그의 강연에는 엄청나게 많은 사람들이 몰려들었다. 그들은 올즈의 명강연을 귀를 쫑긋 세우고 들었다.

* * *

1971년 5월, 로저 박스 중령이 J.C. 스미스를 이어 <탑건>의 교장에 취임했다. 박스는 전투 파견도 2회 다녀온 시험비행조종사 출신이었다. 그는 <탑건>에 새로운 정책을 제시했다. 그는 지금이야말로 <탑건>을 정규 부대로 승격시킬 때라고 보았다. 그 전까지 <탑건>은 팬텀 RAG의 일개 부서에 불과했다. 때문에 RAG는 <탑건>의 항공기와 인원을 마음대로 옮길 권한이 있었다. 즉, <탑건>은 자체 자산을 처분할 능력이 아직 없었다. 때문에 RAG에서 <탑

건>보다 더 중요하다고 판단되는 목적을 위해 <탑건>의 항공기와 인원을 모조리 빼낼 경우, <탑건>은 순식간에 폐교될 수도 있었다.

박스는 자신의 목적을 이루기 위한 필살기도 있었다. 다름 아닌 미라마 함대 항공대 지휘관인 아미스티드 “치크” 스미스 대령과의 교감이었다. 로저는 그의 휘하에서 전투 비행단 참모로 근무한 적도 있었고, 스미스 대령과는 좋은 사이를 유지하고 있었다. 로저는 스미스 대령에게 <탑건>을 RAG에서 독립시키는 것을 도와 달라고 했다. 그러나 문제도 있었다. 당시 RAG의 지휘관은 돈 “더트” 프링글 중령이었다. 유능하고 존경받던 장교인 프링글은 존재 자체만으로도 주변 사람들을 압도했다. RAG의 성과를 높게 유지하고 싶던 프링글은 <탑건> 학교와 거기에 배속된 RAG 항공기들을 독립시키고 싶어하지 않았다. 그도 RAG 전술과에 A-4E 항공기를 사용하고 싶어했다. 더 정확히 말하면, <탑건>이 이룬 성과를 RAG에서도 이루고 싶어했다.

<탑건> 독립 전쟁의 최고 유공자 중에는 데이브 프로스트 소령도 있었다. 그는 로저 박스 교장 재직 당시 <탑건> 교관이었다. 뛰어난 전술가였던 그는 코브라 룰리프슨의 뒤를 이어 <탑건>의 스패로우 미사일 전담 교관이 되었다. 그는 아나폴리스 해군 사관학교의 1963년도 졸업생이자 <탑건> 제2기 졸업생이기도 했다.

프로스트 소령은 동료 교관들과 함께, <탑건>의 전통을 보전하고자 했다. <탑건>의 교범부터 최신화시킬 필요가 있었다. 무엇보다도 MiG기 격추가 누적되면서 실무 부대에서 보내 오는 데이터도 바뀌었기 때문이다. <탑건> 졸업생들이 북베트남 상공에서 실적을 거두기 시작하면서, <탑건> 교육의 수요도 크게 늘어났다. 원하는 사람들에게 모두 교육을 시켜 주려면 더 많은 가상적기와 숙련된 교관이 필요했다. 그러나 당시로서는 이 자산들은 RAG 교육생 교육, 기존 <탑건> 교육 지원, 전투 파견을 가는 비행대대들을 위한 함대의 가상적기 이용 훈련 프로그램 등 다른 목적에도 쓰이고 있었다. 누군가는 양보해야 했다.

프로스트는 동료 교관 데이브 비어크, 구스 로처, 펫 페티그루와 함께 VX-4에서 열린 전술 학회에 참가하고 돌아오는 길에 말리부에서 저녁을 먹었다. 그들은 식사 중 나눈 이야기를 도형까지 그려 가며 식당의 냅킨에 요약 정리했다. 그날 그들이 나눈 이야기 내용은 후일 <말리부 학회>라고 불리우며, F-4 전술 교범 및 정비 교범 최신화에 사용되었다.

그들은 <탑건>이 정규 부대로 승격된다면 그 영향력이 더욱 커질 것이라고 생각했다. 그러나 프링글의 반대를 제압해야 했다. 프링글이 반대하는 데는 자원 부족 말고도 다른 이유들도 있었다. 그 중 하나는 명예였다. 당시 미국 대중들은 아직 <탑건>을 몰랐다. 그러나 해군 내에서 이미 <탑건>은 널리 알려져 있었다. 심지어 <탑건>의 명성은 공군에까지 퍼져가기 시작했다. <탑건>을 산하에 둔 상급 부대는 해군 항공 전술과 훈련에 큰 영향을 줄 수 있다. 물론 해부대 장교들의 자력에도 좋고 말이다.

그 해 봄, 로저 박스 교장이 치크 스미스에게 가한 영향력은 긍정적인 결과를 내기 시작했다. 훌륭한 지도자들이 다 그렇듯이, 치크 역시 부하들의 단결력을 중시했다. 그는 90일간의 시범 기간을 두어, 그 기간 동안 <탑건>을 준독립적으로 운영시켰다. 시범 기간이 끝나자 그는 회의를 소집해 이 시범의 성패 여부를 평가했다. 시범 기간 동안 <탑건>은 일부 항공기와 인원을 빼내어 타 부대의 간섭 없이 독자적으로 운용했다. 평가가 시작되기 전 로저 교장은 함대의 비행대대장으로 보임되었다. 때문에 평가 회의에는 로저가 아닌 데이브 프로스트가 탑건 대표자 자격으로 출석했다. 학교의 독립 여부를 놓고 치열한 논쟁이 벌어지던 시기, 로저가 없으면 <탑건>에 도움이 되지 않았다.

그 운명적인 회의의 전날 저녁, 프링글 중령은 데이브를 VF-121 대대본부로 불렀다. 그리고 프링글은 VF-121 부대대장과 함께, 90일간의 시범은 실패였다고 말하라고 데이브를 압박했다. 그래야 모두가 예전과 다름 없이 일할 수 있다는 것이었다. 그러나 프로스트는 그런 압박에 넘어갈 수 없었다. 그에게는 시범 기간 중 <탑건>의 성과가 훌륭했음을 알리는 엄청난 데이터가 있었기 때문이다. 자신의 자력에 악영향을 주더라도, 의뢰인을 변호하는 변호

사처럼 <탑건>을 지키는 것이 자신의 사명이라고 프로스트는 믿었다. 그들의 회의는 오후 9시경 결렬되었다. 세 사람 모두 다음날 아침, 스미스 대령 앞에서 이 이야기가 결판이 날 것임을 알고 있었다.

다음 날 아침, 여전히 양측의 의견은 평행선을 달리고 있었고 긴장감이 높아졌다. 스미스 대령은 충분히 양측의 의견을 들었다며 책상을 두들겼다. 그 자리에 출석한 사람들은 모두 놀랐다. 미라마 함대 항공대 지휘관이 이렇게 흥분한 모습은 누구도 본 적이 없었다. 스미스는 부관을 데리고 방을 나갔다. 그들이 방을 비운 시간은 몇 시간은 됨직했다. 돌아온 스미스의 입에서 나온 판결은 방 안의 기온을 족히 10도는 떨어뜨린 것 같았다. "<탑건>을 정규 부대로 격상시킨다."

그 결정에 미라마 기지는 소리 없는 축제 분위기가 되었다. 마침 나는 그때 전투 항해 중이었다. 그리고 <탑건> 창설 멤버 중 대부분도 새로운 임지에 가 있었다. 물론 그 결정이 실행될 때까지는 <탑건> 교관진은 여전히 RAG에 보고 책임을 진다. 그러나 이제 <탑건>은 독자 자산과 인원, 항공기와 예산을 확보할 수 있게 되었다. 그 모든 것을 운용할 훌륭한 운영진도 확보할 것이었다.

1972년 1월 이 결정은 실행되었다. <탑건>은 영구 분견대로 승격되어, RAG의 조직도에서 스미스 대령과 점선이 아닌 실선으로 연결되었다. 조직도의 이 작은 변화는 실제로는 큰 변화였다. 이로서 우리는 순식간에 충분한 인원과 장비, 연료, 예산을 지급받게 되었다. 또한 상급 부대로부터의 교육 내용 간섭도 사라졌다.

또한 로저 박스는 <탑건>의 첫 '지휘관'이 되었다. 정규 부대로 승격되면서 <탑건>의 교장도 '담당관'에서 '지휘관'으로 승격된 것이었다. 로저 박스의 임기는 짧았다. 로저가 얼마 안 있어 함대로 전속되자, 머그스 맥코운이 차기 교장이 되었다. 맥코운에게는 교장직에 걸맞는 연륜과 카리스마, 재능이 있었다. 맥코운 역시 이후 통킹 만으로 파견되었고, 다음 교장직은 데이브 프로스트에게 넘어갔다. 프로스트는 로저의 총애를 받던 뛰어난 조종사였다. 프로스트는 머그스가 함대에서 돌아와 교장직에 복직할 때까지 <탑건>을 지휘했다.

닉슨 대통령이 북베트남 폭격을 재개한 1972년 봄, <탑건> 졸업생들은 빛나는 전과를 거두기 시작했다. <라인배커(Linebacker)> 작전이 시작될 때까지 <탑건>은 여러 기수의 졸업생을 배출했다. 그들은 앞으로 격화될 항공전에 대비해 충분한 준비를 갖추고 있었다.

어느 날 오후 프로스트는 워싱턴에서 걸려온 전화를 받았다. 상대는 옛 라이벌이자 RAG 대대장 출신 더트 프링글이었다. RAG에서 이임한 프링글은 더욱 영향력이 큰 자리로 영전했다. 당시 해군 참모총장이던 엘모 줌월트 제독의 보좌관직이었다. 해군 참모총장은 다음 합동 참모본부 회의에서 공대공 전투 실적 검토 결과 발표를 하고 싶어했다. 프로스트도 이를 위해 넬리스 공군 기지에 있던 어느 공군 비행전대에 가서, 전술과 조직, 가상적기 프로그램 활용방안에 대해 논의하게 되었다. 프로스트는 이렇게 말했다. “해군은 공군에게 누가 더 잘났는지 보여줄 겁니다.” 데이브는 이를 위해 해군 항공전 신전술 발표를 준비했다. 마침 <탑건> 교범의 최신화를 마친 터라, 그리 어려운 일은 아니었다.

강의실에는 많은 사람들이 모였다. 이 일에 대해 소문이 퍼졌던 게 틀림 없었다. 데이브는 <탑건>의 운영 방식을 소개하고, 미 공군의 공중전 훈련방식이 너무 조심스럽다고 지적했다. 미 공군의 근접 공중전 훈련은 동기종끼리만 이루어졌다. 또한 공군에는 적기의 특성과 적전술을 구사할 줄 아는 가상적기 조종사도 없었다.

질의응답 시간에 데이브는 여러 공군 조종사들의 반론에 부딪쳤다. 그런데 강의실 뒤편에서 특이한 억양의 목소리가 들려왔다. 당시 넬리스 공군 전투기 무기 학교는 외국군 교환 조종사 프로그램의 일환으로 이스라엘 공군 조종사들을 데려와 교육시키고 있었다. 그 중에 한 명은 내 친구인 에이탄 벤 엘리야후였다. 그리고 그 자리에는 엘리야후의 친구인 아쉐르 스니르도 있었다. 스니르는 재능과 지력이 뛰어난 조종사로 12.5대의 격추 기록을 보유한 명성 높은 인물이었다. 내 생각이었지만, 이스라엘 조종사들은 이미 답이 나온 문제에 대해 또 불필요한 논쟁이 벌어지는 것을 참을 수 없었던 것 같다. 결국 어느 이스라엘 조종사가 일어나서 이렇게 말했다. "저희는 미 해군의 의견을 지지합니다!" 그것으로 그 자리에서의 논쟁은 좋건 싫건 끝이 났다.

물론 그 자리에 있던 공군 조종사들 중에도 지각 있는 자는 있었다. 공군 초급 장교들은 해군의 <루스 듀스> 대형의 역동성, <계란>의 공세적 활용 가능성을 인정했다. 미 공군도 이기종간 공중전 훈련의 가치는 물론, <루스 듀스> 대형에 담긴 해군의 전술과 조직 문화의 가치를 깨닫기 시작했다. 공군은 빠르게 해군을 배워 나갔다. 그리고 건전한 의견 교환과 상호 존중이 이루어지는 훈련 문화도 만들어 나갔다.

공군은 넬리스 기지 교관 2명을 <탑건>에 1주일간 파견했다. 우리와 함께 <에어리어 51>에서 비행한 리처드 "무디" 수터 소령과 로저 웰스 대위였다. 그들은 경험 많은 전술가들이었다. 그들은 그 1주일 동안 TA-4의 전방석에 앉아 1대1에서부터 4대4까지 다양한 형태의 훈련을 경험했다. <탑건>식 교육의 철학을 신속히 배운 그들은 넬리스에 돌아가서, 공군 상층부에 훈련 방식의 개선을 촉구했다. 무디는 스티브 스미스처럼, 아랍인들에게도 모래를 판매할 정도로 상술이 뛰어났다. 그들이 미라마에 왔다간 지 몇 달 지나지 않은 1972년 하반기, 공군의 청년 장교들은 가상적기 전문 비행대대를 창설했다. T-38 탤론과 F-5 타이거를 합쳐 총 24대의 항공기를 보유한 그 대대는 적기와 적전술의 특징을 모방해 구사했다. 공군도 이렇게 <탑건>의 전술을 도입하게 되었지만, 그 효과는 베트남 전쟁 중에는 나타나지 않았다. 그러나 이로서 공군과 해군 간에 오래 가는 호혜적 관계가 성립되었다.

<탑건>은 차세대 전투기 F-14 톰캣의 개발에도 영향을 주었다. <탑건>은 항공기 소요와 무기 획득에 관한 조언도 주었다. 그러나 그런 사건들은, 베트남 지상전이 악화되기 시작한 1972년에는 너무나 먼 미래의 일이었다.

제12장

<탑건>, 전장으로!

1972년 봄, 양키 스테이션

1968년 초 테트 공세와 케산 포위 공방전 이후, 베트남 주둔 미 지상군과 항공 부대의 규모는 줄어만 갔다. 1972년 봄, 닉슨 대통령은 베트남화 정책을 추진했다. 남베트남의 방위는 남베트남에 맡기고, 베트남 주둔 미군의 수는 1만 명으로까지 줄인다는 것이었다. 주월미군의 항공기 수도 100대 정도로까지 줄이고, 주태미군의 항공기 숫자도 그 정도로 줄였다. 양키 스테이션에는 항공모함 2척과 항공기 140대만 배치했다. 미군의 철수를 본 북베트남은 남베트남에 대한 대규모 지상 공세를 벌였다.

3월 30일, 중국제 전차 100대를 보유한 북베트남 군 3만 명이 남베트남을 침공했다. 며칠 후에는 라오스에 있던 북베트남 군 2만 명이 역시 전차를 가지고 남베트남을 침공했다. 이들은 병력 30만 명, 기갑 차량 600대로 구성된 남베트남 침공군의 첨병이었다.

기습을 당한 남베트남군은 사투를 벌였다. 남베트남군은 항공 지원을 요청했다. 그러나 주월 미 공군과 미 해병대의 전투 비행대대는 몬순으로 인해 비행이 불가능했다. 비행이 가능해져도 북베트남 군 견착식 SA-7 미사일의 대공 포화를 뒤집어써 미군은 큰 피해를 입었다. 불과 1주만에 전황은 매우 긴박해졌다.

상황을 타개하기 위해 당시 미 대통령 리처드 닉슨은 미 항공력을 총출동시켰다. 전 세계에 흩어져 있던 공군 F-4 비행대대들을 긁어모았다. 그리고 양키 스테이션에 항공모함 2척씩만 순환배치하던 것도 중단하고, 가용한 항공모함 모두를 해당 해역에 보냈다. 순식간에 통킹 만에는 <코럴 시>, <행콕>, <키티 호크>, <콘스텔레이션>이 배치되었다. <아메리카>, <미드웨이>, <사라토가>도 통킹 만에 전개할 준비를 갖추었다. 제2차 세계대전 이래 최대 규모의 해군 항공력이 집결했다. 아울러 그 때까지 우리 군의 손발을 묶던 교전 규칙도 개정 내지는 폐지되었다. 이제부터는 사실상 다른 전쟁이었다.

5월 10일, 닉슨 대통령은 하이퐁을 비롯한 북베트남 항구에 기뢰를 부설하라고 명령했다. 이로서 소련에서 MiG 전투기와 지대공 미사일을 수입해올 길이 사라졌다. 한편 공군과 해병대, 해군 항공기들이 북베트남 보급선을 타격했다. 해군의 A-6 인트루더와 A-7 코르세어 II 항공기들은 레이저 유도폭탄 등 제1세대 정밀 유도 무기를 대량으로 퍼부어 북베트남의 교량을 폭파했다. 공군의 B-52 스트라토 포트리스도 하노이 인근의 공군 기지를 폭격했다.

당연히 북베트남도 이들 중요도 높은 표적을 보호하려고 했다. 그들은 MiG-21, MiG-19 등의 요격기를 날려보내 미 공군의 F-4 팬텀과 격전을 벌였다. 5월 10일 하루 동안에만 미군의 공대공 미사일 사격으로 북베트남 MiG-19 3대가 격추되었다. 그러나 북베트남 군도 공대공 전투에서 미군기 2대를 격추했다. 미 공군은 이미 한계가 드러난 제2차 세계대전식 전술에 아직도 의존하고 있었다. 그날 아침 공중전이 절정에 이르렀을 때, 3대의 격추 기록을 갖고 있던 미 공군 로버트 로지 소령과 RIO 로저 로처 대위는 적기를 향해 미사일을 발사했다. 그 순간 또다른 적기가 그들의 후방 사각으로 들어왔다. 로지의 요기가 경고를 했으나 이미 늦었다. 로지 소령의 후방으로 들어온 MiG

기는 기관포를 발사했고, 팬텀은 공중분해되었다. 로처 대위는 비상탈출했으나 로지 소령은 탈출하지 못하고 전사했다. 로처 대위는 지독한 도피 및 탈출 과정을 겪은 끝에 미군에 의해 구조되었다. 미 공군 조종사들은 훌륭하고 용맹했다. 그러나 미 공군은 <롤링 선더> 작전의 항공전에서 전훈을 습득하지 못했다. 그 때문에 죽지 않아도 될 장병들이 계속 죽었던 것이다. <라인배커> 작전 첫 날, 미 공군의 공대공 전투 격추 교환비는 1대1을 간신히 넘겼다.

해군은 얘기가 달랐다. 미 해군 항공대는 그동안 면모를 일신했다. <알파 스트라이크>에는 반드시 전자전기가 편성되어, 북베트남 조종사들의 무전 통신을 교란했다. 게다가 이제는 미라마에서 <탑건> 교육을 받은 조종사들도 있었다. 이제 해군 항공대의 싸움 판도는 달라졌다.

항공모함 <콘스텔레이션>의 비행단은 5월 10일 하이퐁 지역을 타격했다. 30대의 항공기가 북베트남 영공으로 진입했다. 해군 조종사들은 그동안 폭격이 사실상 금지되었던 주요 표적 지대에 최대한의 타격을 가하려는 일념에 불타고 있었다. 호위대를 구성하는 F-4J 팬텀 조종사 중에는 커트 도제이 대위도 있었다. 그는 1971년 <탑건>을 동기생 중 차석으로 졸업했다. 또한 나도 몸담았던 VF-92 소속이었다. <탑건> 교육을 마치고 비행대대로 돌아온 그는 대대의 무기 교육 장교가 되었다. 그의 지식과 경험은 대대에 전파되고, 전술을 변화시켰다.

도제이가 소속된 분대의 장기는 오스틴 "호크" 호킨스였다. 그들이 적 공군 기지와 표적 지역 상공을 선회 비행하자 북베트남은 MiG-21을 출격시키기 시작했다. 미군의 레이더 초계함인 USS <시카고>가 케프 공군 기지에서 적 항공기 활동을 탐지했다. 과거에는 MiG기가 와서 위협을 가할 때까지 기다려야 했다. 그러나 이제 그런 제한은 사라졌으므로, 미 항공기들은 바로 케프로 날아갔다. 항공기 속도로는 불과 수 분 거리였다.

고도 5,000피트(1,500m)를 비행하던 도제이 대위는 활주로 북단에서 이륙 준비 중인 MiG 2대를 발견했다. 또한 기지 구내 소산 지대의 방호벽 내에도 여러 대의 MiG기가 주기되어 있음을 확인했다. 도제이 대위는 호킨스에게 무전을 보냈다. "실버 카이트. 좌현에 적기 발견, 급선회하라!" 두 대의 팬텀은 후기 연소기를 켜고 급강하, 음속을 돌파했다. 비상이 걸린 적 공군 기지에서는 MiG-21들이 이륙 활주, 바퀴가 땅에서 떨어지기가 무섭게 외부 연료탱크를 내버리고 있었다.

도제이가 앞장 섰다. 2대의 팬텀은 여기 저기 때운 자국이 역력한 케프 공군 기지의 아스팔트와 콘크리트로 된 활주로 위를 마하 1의 속도로 가로질렀다. 고공의 차갑고 건조한 공기 속에 있다가 갑자기 저공의 뜨겁고 습한 공기 속으로 들어가자 도제이 대위 항공기의 캐노피에 습기가 맺혔다. 그 때문에 이륙하는 MiG-21들이 제대로 보이지 않았다. 도제이가 에어 컨디셔너를 끄자 캐노피에 맺힌 습기가 즉시 사라지고, MiG-21이 다시 눈에 들어왔다.

도제이는 그들을 추격하기 위해 나무 높이까지 고도를 낮추었다. 그는 항공기가 나무를 치지 않기 위해 여러 번 날개를 들어야 했다. 팬텀과 MiG는 줄줄이 늘어서 있는 언덕들 주위를 돌며 격투전을 벌였다. 그 사이, 케프 공군기지에서 출격한 다른 MiG기들이 동료를 구원하기 위해 날아왔다.

도제이와 호킨스는 압도적인 에너지와 속도로 MiG기의 후방을 잡아 전투를 주도해 나갔다. MiG기와의 거리를 좁히자 MiG는 기수를 30도 좌로 꺾어 도망쳤다. 도제이는 급상승 및 급강하하여 다시 적기 1대의 후방을 완벽히 잡았다. 도제이의 귀에 사이드와인더 미사일의 표적 포착음이 들려왔고 사거리 1,500피트(450m)에서 미사일을 발사했다. 그러나 미사일은 적기 한참 후방에서 자폭했다. 도제이는 제2탄을 발사했다. 이번 미사일은 적기의 배기관에 정확히 쑤셔박혔다. 적기는 순식간에 산산조각이 났고, 조종사는 탈출하지 못했다.

두 MiG기 중 선도기는 아직도 살아 있었다. 호킨스는 그 적기를 향해 여러 발의 사이드와인더를 발사했으나, 모두 불명중하거나 고장을 일으켰다. 계속 좌회전을 하던 도중 전투는 케프 공군 기지에서 가까운 쪽으로 옮겨가고 있었다. 스패로우 미사일만 남은 도제이는 RIO 맥데비트에게 레이더 조준 가능 여부를 질문했다. 하지만 적기의 고도가 너무 낮았다. 지상 클러터 때문에 미사일이 잘 추적할 수 없는 고도였다.

몇 초 동안 미군기와 북베트남 군기들은 막다른 골목에 있었다. F-4에는 기관포가 없고, MiG기들은 F-4의 미사일 영역선도 밖에 있어 격추가 불가능했다. 전투를 중단하던가, 다른 수를 강구해야 했다. 그 시간 동안 이들은 시속 550노트(1,018km)로 나무 꼭대기를 스치며 비행하고 있었다.

본능을 잘 따르는 저돌적인 조종사였던 도제이는 전투를 계속하기로 결정했다. 그는 기수를 수직으로 들고 바렐 롤 기동으로 MiG 전투기의 정면으로 날아가 스패로우를 발사하기로 했다. 명중할 거라고는 기대하지 않았다. 그러나 적 조종사를 놀래켜 선회를 중단시키고, 호킨스에게 사격 기회를 줄 수는 있을 거라고 생각했다.

바렐 롤 기동의 최정점에서 기체를 뒤집은 도제이는 자동적으로 6시 방향을 확인했다. 5시 방향 케프 공군 기지 활주로 상공에 또다른 MiG-21 2대가 나타나 거리를 좁혀오고 있었다.

도제이는 그들의 존재를 보고했다. 2대의 팬텀은 새로운 적에게 응전하기 위해 다시 후기 연소기를 작동시키고 우로 급선회했다. 팬텀은 소리의 장벽을 넘어 시속 약 1,000마일(1,852km)까지 가속했다. MiG-17로는 감히 따라할 수 없는 기동이었다. 하지만 MiG-21이라면? MiG-21은 17보다 훨씬 추력과 속도가 뛰어난데다가, 기관포도 장착하고 있다. MiG-21 1대가 상승해 호킨스의 후방에 들러붙었다. 팬텀 조종사들의 간담이 서늘해지는 순간이었다.

그래도 <탑건>은 이런 때에 대비한 대책을 가르쳐 주고 있었다. <에어리어 51>에서 진행된 <해브 도넛> 비밀 프로그램에서는, 이 정도 속도 영역에서는 MiG-21의 기동성이 F-4보다 뒤진다는 것이 드러났다. 두 대의 팬텀은 서로를 향해 급선회, X자를 그리며 교차했다. <루스 듀스> 전술이 제대로 통했고, 두 팬텀기는 서로의 후방 안전을 확보했다.

바로 그 때, 적기는 사이드와인더 미사일을 카피한 AA-2 아톨 미사일을 발사했다. 호킨스는 급선회해서 미사일을 피했고, 미사일은 호킨스 한참 뒤에서 자폭했다. 팬텀의 교차 기동과 미사일의 불명중을 본 MiG 조종사는 이 전투를 계속해봤자 승산이 없음을 깨달았다. 도제이가 적기를 추적하기 시작하자 적기는 케프 공군 기지로 도망쳤다. 도제이 역시 전투를 중단하고 호킨스와 만나 <콘스텔레이션>으로 귀환했다.

다음 날, 라 호야에 살던 도제이의 부모님 댁 전화가 울렸다. 도제이의 아버지인 로버트 도제이 대령은 제2차 세계대전에 참전하여 서태평양에서 적기와 근접 공중전을 벌인 해군 조종사였다. 전화를 건 사람은 어제 전투의 중요성을 알고 있는 해군 관계자였다. 그는 이렇게 말했다. “봅, 자네 아들이 어제 MiG기를 격추했어!”

현재까지 부자(父子) 모두가 미 해군 전투 조종사로서 적기를 격추한 집안은 봅 도제이와 커트 도제이 말고는 없다.

1972년 5월 10일 하루 동안 북베트남 상공에서 해군 항공대가 벌인 활약 전체에 비하면, 케프 공군 기지 상공 전투는 준비운동에 불과했다. <콘스텔레이션>의 비행단은 귀환한 항공기들을 재급유, 재무장시켰다. 그 날 오후 하이즈엉 항구의 조차장에 대해 그 날의 두 번째 <알파 스트라이크>를 출격시키기 위해서였다. 이번에는 적도 MiG기를 대량으로 출격시켜 미군을 요격했다. 베트남 전쟁 사상 최대의 공중전이 펼쳐질 것이었다.

MiG 전투기들은 타격 편대군 속으로 파고 들어, 먼저 호위하는 F-4를 떼어냈다. 그리고 나서 MiG-17 2대가 A-7 코르세어의 꼬리를 잡고 계속 추적했다. 다급한 미군 조종사의 목소리가 들렸다. “MiG가 후미에 붙었다! MiG가 후미에 붙었다!”

더 높은 고도에서는 <탑건> 졸업생인 매트 코넬리와 RIO 톰 블론스키 대위가 조종하는 팬텀이 표적 지대 바로 이북에서 타격 편대군을 엄호하고 있었다. 그들도 지원 요청을 듣기는 했지만, 무작정 움직일 수는 없었다.

매트는 먼저 질문부터 했다. “어디인가?” 그리고 나서 기체를 횡전시켜 아래쪽의 하늘을 살폈다. 매트와 블론스키가 2대의 MiG-17에 바짝 쫓기는 A-7 1대를 발견하는 데는 그것만으로도 충분했다. 코르세어 조종사는 좌현 급선회로 적기를 떼어놓으려고 했으나, MiG-17들은 계속 추격해 왔다.

이제 누가 먼저 좋은 사격 위치를 잡느냐의 경쟁이 되었다. MiG-17들은 도망치는 A-7을 바짝 쫓아갔다. 매트는 항공기를 우로 횡전, 거의 다 뒤집어진 상태에서 계속 기수를 적기 쪽으로 겨누며 적기 후방으로 급강하했다. 적기와의 고도 차이가 줄어들자 그는 좌로 횡전한 다음 조종간을 잡아당겨 MiG의 꽁무니에 붙었다. 매우 능숙한 기동이었다. 그러나 기동을 종료했을 때 그는 선도 MiG기의 기축선에서 60도나 벗어나 있었다. 따라서 사이드와인더 미사일의 표적 포착음은 들리지 않았다.

그럼에도 그는 사격했다. MiG 조종사는 미사일 발사를 보자마자 바로 대응했다. 급상승한 후 기체를 뒤집어 임멜만 기동을 한 것이다. MiG-17은 매트와 블론스키 항공기의 우현을 스쳐 지나갔다.

매트는 항공기의 수평을 맞추고 후기 연소기를 켰다. F-4는 일단 적기로부터 멀어졌다. 그 다음 그는 수직 기동을 했다. MiG기보다 더 높은 고도를 차지한 다음, 급강하하며 제2차 공격을 가할 생각이었다.

그런데, F-4가 수직 상승에 돌입하자 매트와 블론스키는 자신들이 적기와 아군기 도합 약 50대가 뒤엉켜 벌이는 공중전장 한복판에 뛰어들었음을 알게 되었다.

MiG기 1대가 속도를 높이며 매트의 항공기 앞을 가로지르며 우선회했다. 매트는 그 적기를 추적하며 적에게 정확한 예측 사격을 가할 수 있도록 급선회했다. MiG는 그러자 천천히 좌횡전했다. <탑건>에서는 MiG-17 프레스코가 고속 영역에서는 횡전 속도가 느려진다는 것을 알아내어, 이를 교육생들에게 가르쳤다. 또한 사출 좌석이 너무 크기 때문에 조종사의 후방에 사각이 있다는 점도 가르쳤다. 매트는 상황을 이용했다. MiG가 선회를 종결했을 때, 그의 F-4는 1마일(1.852km) 거리에서 적기의 꼬리를 잡았다. 그러나 적 조종사는 매트의 F-4를 보지 못한채 좌로 횡전을 시작했다. 매트는 그 적기를 조준해 사이드와인더를 발사, 격추했다. 매트의 F-4는 폭발하는 적기가 만든 화구를 뚫고 날아갔다. 조종석에서도 적기의 폭발 충격이 느껴졌다.

또다른 MiG-17이 날개를 오른쪽으로 조금 늘어뜨린 채 매트 항공기의 기수 앞을 스쳐 지나갔다. 매트는 그 적기를 추적했다. 그런데 갑자기 그 적기 조종사는 매트가 그 날 처음으로 격추한 적기처럼 왼쪽으로 횡전하기 시작했다.

매트는 적의 사각에 머무르면서 사이드와인더를 한 발 발사했다. 이번 미사일은 잠시 표적을 상실했지만, 다시 표적을 획득해 날아가 적기의 후방 동체를 날려 버렸다. 그리고 나서 또다른 MiG가 매트의 코앞에 나타났다. 잠시 근접 공중전을 벌이던 매트는 무장이 완전 소진되자 본루인 항공모함으로 향했다. 그러나 이미 2대의 격추 기록을 세운 후였다.

그날의 전투에서 활약한 <탑건> 출신 조종사 중에는 랜디 “듀크” 커닝햄도 있었다. 그는 <탑건>의 정식 졸업생은 아니었다. 그러나 <탑건>의 수업을 많이 청강했고, TA-4 항공기의 후방석에 타고 가상적기 조종사 임무도 다수 수행했다. 따라서 우리는 그를 <탑건>의 사실상의 졸업생으로 여기고 있었다. 그는 <탑건>에서 배운 것을 제9비행단의 VF-96 <파이팅 팰콘스>에서 모두 활용했다. 그는 심지어 호출 부호도 나와 같은 것을 사용했다. 나는 <듀크>라는 호출 부호를 사용했는데, 내 목소리가 존 웨인 목소리 같다는 얘기를 많이 들어서였다. 심지어 내가 존 웨인을 닮았다고 말하는 사람도 있었다. 그러나 랜디가 내게 와서 자기도 <듀크>라는 이름을 쓰고 싶다고 하자 나는 그의 말을 들어 주었다. 그리고 내 호출 부호는 <양키>, 또는 줄여서 <양크>로 바꾸었다. 그 호출 부호는 현재까지 사용하고 있다.

하이 즈엉 상공의 공중전에서 랜디와 그의 RIO 윌리엄 “아이리시” 드리스콜은 우리의 수직 전술을 사용해 무려 3대의 적기를 격추했다. 그들은 전투 공역을 이탈하던 중 적의 지대공 미사일에 격추당했다. 두 사람 모두 베트남 해안에서 멀지 않은 앞바다에서 구조되었다. 랜디와 드리스콜은 이미 이전에 2대를 격추한지라, 이 날의 전투로 베트남 전쟁 최초의 해군 에이스가 되었다.

<라인배커> 작전의 첫날은 미 해군이 1968년 이후 이룩한 성취를 화려하게 조명해 주었다. 이 날 해군 팬텀들은 공대공 전투에서 단 한 대의 손실도 없이 적기 8대를 격추했다. 그러나 공군은 팬텀 2대를 손실하고 적기 3대를

격추했다. 로지 소령의 전사는 특히 주태 미 공군에게 큰 타격이었다. 그는 적기 3대를 격추한 베트남 전구 최고의 조종사로서, 소속 비행단의 항공무기 전문가이기도 했다.

이 날의 전투에서 <탑건> 졸업생들이 보여준 활약은 <탑건> 교육의 진가를 입증해 주었다. 아직도 우리 해군의 전투 조종사들은 4년 전 <롤링 선더> 작전 중 겪었던 미사일 불량, 내장 기관총 불비 등의 문제에 시달리고 있었다. 그럼에도 적절한 전술을 구사할 수 있게 훈련되어 다수의 MiG를 격추한 것이다.

그로부터 8일 후, 항공모함 <미드웨이> 비행단 소속 헨리 "블랙 바르트" 바르솔로메이 대위와 RIO 오란 브라운이 MiG-19 1대를 격추했다. 이들 역시 <탑건> 졸업생이었다. 우리는 <드림랜드>에서 MiG-19는 교보재로 써보지 못했다. 그러나 다른 MiG와 싸울 때 쓰이는 규칙 중 상당수를 적용할 수 있었다.

다음 달, VX-4 출신 투터 티그 역시 적과 격전을 벌였다. 그는 <탑건>의 교관도 교육생 출신도 아니었다. 그러나 그는 <탑건> 개교에 큰 도움을 주었다. 또한 그는 <에어리어 51>에서 MiG기로 많이 비행을 해 본 터라, 적 항공기에 대해 잘 알고 있었다.

6월 11일, 항공모함 <코럴 시>의 VF-51 소속이던 투터는 남 딘 인근 표적을 폭격하는 비행단 전우들을 호위하는 임무를 맡았다. 그 지역을 방어하던 MiG기들은 능선을 이용해 레이더 피탐지를 피했다. <코럴 시>의 정보 장교들은 이 점을 알아냈다. 그래서 레이더 통제사들은 그렇게 움직이는 MiG를 잡아낼 수 있게 투터를 배치했다.

이 방법은 효과가 있었다. 능선 반대편에서 비행하는 4대의 MiG를 발견했다. 티그와 그의 요기는 MiG기 편대에 기습 공격을 가해 2대를 격추했다. 그의 휘하 팬텀 승무원들은 합을 매우 잘 맞춰 움직였다. 한 대가 적기를 공격하면 다른 한 대가 엄호하고, 표적이 바뀌면 두 대가 임무를 또 바꾸었다.

1972년 6월 중순, 해군의 격추 교환비는 약 12:1까지 올라갔다. <롤링 선

더> 작전에 비해 600%나 개선되었다. 미 해군 본부는 득의양양해졌다. 반면 북베트남 공군의 사기는 크게 저하되었다. 심지어, 미 해군 F-4를 발견한 MiG-17 조종사가, 본격적으로 전투가 시작되지도 않았는데 항공기를 버리고 비상 탈출한 사건도 있었다. 북베트남은 우리 군의 신전술과 단결력에 맞설 방법이 없었던 것이다. 1972년 여름이 되자, 북베트남 공군기는 미 공군기를 주로 공격하고, 미 해군기와의 전투는 회피하게 되었다. 물론 MiG를 한 대라도 더 격추하고 싶던 우리 <탑건> 졸업생들은 이런 사태를 좋아하지 않았다. 그러나 이는 전술의 변화가 북베트남 공군이 미 해군과의 교전까지 기피할 만큼 큰 영향을 주었다는 사례가 되었다. 유감스럽게도, 공군의 1972년 항공 전역의 성적은 <롤링 선더> 때와 크게 다를 바가 없었다. <플루이드 포> 대형에 집착한 공군은 인명 손실을 막지 못했다. <라인배커> 작전 기간 동안 공군은 항공기 51대를 손실했다. 이 중 22대가 북베트남 MiG기의 기관포 및 미사일 사격으로 격추된 것이었다. 그러나 같은 기간 북베트남 MiG기에 의한 미 해군의 항공기 손실은 4대에 불과했다. 해병대는 공대공 전투에서 F-4 1대를 손실하고, 대신 MiG 1대를 격추했다. <탑건> 개교에서부터 베트남 전쟁 종전 시까지 해군의 격추 교환비는 24대 1이었다. 그리고 베트남 전쟁 개전부터 종전 시까지 해군의 격추 교환비는 12대 1이었다.

물론 공군 조종사들도 대형과 전술에 변화가 필요하다는 의견을 발표했다. 그러나 공군의 명령 계통은 그 요구를 들어주지 않았다. 그 대가는 조종사들의 생명으로 치러야 했다. 1972년 6월, MiG기들은 미 공군과의 전투에서 단 한 대의 손실도 없이 팬텀 3대를 격추했다. 미군이 치른 공대공 전투 중 최악의 성적표였다. MiG는 7월이 되기 전 2대를 더 격추했다. 미 공군은 설욕에도 실패했다. 1972년 연초부터 7월초까지 미 공군이 공대공 전투에서 격추한 MiG는 17대였고, 손실한 미 공군기는 10대였다. 물론 미 공군의 조종사들은 용감했고, 불리한 상황에서도 선전했다. 그러나 제대로 훈련을 받지 못했고 경직된 전술만을 고집했던 탓에 격추 교환비가 무려 1.7대 1이 나와 버린 것이다.

* * *

공군이 악전고투를 벌이고 있을 때, 나는 워싱턴에 가서 <탑건>이 거둔 성과에 대한 찬사를 지겹도록 듣고 있었다. 주워 온 이동식 사무실과 가구로 차린 우리의 작은 학교는 이제 혁신의 산실이 되었다. 1969년 <탑건> 제1기생 졸업으로 시작된 그 혁신은 이제 미군 전체로 퍼져가고 있었다. 1972년 10월 <라인배커> 작전이 종료되던 시점, <탑건> 졸업생들 및 그들에게 교육받은 조종사들은 양키 스테이션 비행대가 격추한 MiG기 중 60%를 격추했다. 이러한 성과는 <탑건>에 대한 해군 관료 사회의 저항을 일소해 버렸다. 물론 해군의 다른 조직이 보내는 적의와 질투는 어느 정도는 늘 있었다. 그 중에는 공격기 조종사들도 있었다. 10여년 후 <탑 건> 영화가 개봉되어 큰 인기를 끌자, 전투 조종사들에 대한 공격기 조종사들의 악감정은 더욱 심해졌다. 오랫동안 해군 항공대 내의 반목은 내 예상 이상으로 심했다. 전투에서 이길 수 있는 부대를 만드는 것보다 조종사 개인의 자력을 쌓는 것이 더욱 우선시되는 것 같았다.

그 해 여름, 나는 당시 미라마 기지 지휘관이던 제리 케인과 전화 통화했다. 나는 그에게 워싱턴의 모든 사람들이 <탑건>을 주목하고 있다고 밝혔다. 그들도 <탑건>의 진가를 결국 인정한 것이다. 게다가 <탑건>을 독립 부대로 승격시키려는 논의도 진행 중이었다.

1972년 7월 7일, 결국 <탑건>은 독립 부대로 승격되었다. 나는 미라마 기지에서 열린 기념식에는 출석하지 못했다. 그러나 대부분의 창설 멤버들이 기념식에 나왔다. 그 순간 모두의 마음은 함께였다. 우리 창설 멤버들은 1968년 미라마에서 한 형제가 되었다. 그리고 나서 불과 2년만에 우리 나라를 위해 우리가 할 수 있는 가장 큰 일을 해냈다. 1972년 공군의 졸전을 보면 <탑건>이 얼마나 많은 생명을 구해냈는지 알 수 있다. 나는 장병들의 가족을 떠올렸다. 장병들이 항해를 나가면, 자동으로 아버지와 남편을 빼기는 노스 섬의 가족들 말이다. 나 역시 더 많은 장병들이 무사히 가족의 품으로 돌아오는 데 기여했음을 깨닫게 되었다.

북베트남 상공에서 <탑건>은 분명 성공을 거두었다. 그러나 이 전쟁에서 돌아오지 못한 자들을 생각하면 그 성공도 빛이 바랠 수밖에 없었다. 항공모함 <키티 호크>의 A-7 코르세어 비행대대장인 돈 할도 그 중 하나였다. 그는 나와 함께 VF(AW)-3에서 근무한 전우이기도 했다. 그는 서태평양에서 야간 착함 중 엔진 고장을 당해 추락, 순직하고 말았다. 그의 아내 수지는 재혼하지 않은 채로, 두 아들을 키웠다. 아들들이 대학을 졸업한 지 얼마 되지 않아, 아름다웠던 수지도 죽고 말았다. 우리 해군 항공대가 잘못된 전투 방식을 고집했다면, 그런 고통 받는 유가족들은 훨씬 더 많이 발생했을 것이다.

한편, <라인배커> 작전의 성공으로 남베트남의 전황도 안정되었다. 북폭으로 인해 북베트남의 보급선 60~70%가 차단되었고, 북베트남은 연합군에 맞서 공세를 지속할 능력이 사라졌다. 1972년 10월, 북베트남 정부는 파리 평화회담을 시작하기로 했다. 이에 닉슨 대통령은 평화 회담이 진행되는 동안 북폭을 제한해 주었다. 과거 <롤링 선더> 작전도 <라인배커> 작전처럼 실시되었다면 얼마나 더 많은 미국인들이 살아 돌아올 수 있었을까? 1972년의 방식으로 1964년에 싸웠다면 전황은 크게 달라졌을 것이다.

<라인배커> 작전 시작 시, 나는 미 본토에 있었다. 나도 무척이나 MiG를 격추하고 싶었다. 수년 동안 공중전 교육을 시켜 왔는데, 이제 동료들이 목숨을 걸고 싸워 승리하는 것을 옆에서 구경만 해야 하다니! 그들의 전투 소식을 들으면 나는 자면서도 양키 스테이션 꿈을 꿀 지경이었다. 우리 군의 신호정보요원들이 북베트남의 무전 내용을 감청한 결과, 북베트남 공군에는 미군기 10대 이상을 격추한 에이스 조종사가 있다고 했다. <툼(Tomb) 대령>이라는 별칭으로 불리는 그는 마치 제1차 세계대전의 에이스 <붉은 남작>처럼 훌륭한 전투 비행을 하면서, 전투가 끝나고 바다로 돌아가던 미 해군기들을 사냥한다고 했다. 베트남 전쟁이 끝난 지 수년이 지나서야, 툼 대령은 실존 인물이 아니라는 것이 밝혀졌다. 베트남 전쟁에서 북베트남 공군 최고 에이스는 9대를 격추한 응우옌 반 콕이다.

평화 회담이 진행되어도 여전히 전쟁은 계속되었다. 나는 툼 대령을 전투에서 만나 보고 싶었다. 그 자가 내가 쏜 미사일에 얻어맞고 비상 탈출하는 꼴을 보고 싶었다. 그게 내 개인적인 목표가 되었다. 그 자에게 격추당해 전사했거나, 북베트남의 포로가 된 모든 전우들의 복수를 하고 싶었다. 그러나 무엇보다도 나는 내가 그 자보다 더 강하다는 것을 입증하고 싶었다.

1972년 12월, 파리 평화 회담은 결렬되었다. 북베트남 정부는 파리에서 대표단을 철수시켰다. 언제 다시 파견할지는 알려주지 않았다. 분노한 닉슨은 북폭 재개를 명령했다. 미 공군 전략 공군 사령부 산하 B-52 폭격기 부대를 북베트남에 투입하기로 한 것이다. <라인배커 2호> 작전, 또는 크리스마스 폭격으로 불리운 이 작전으로 인해 다시 격전이 벌어졌다. 나도 며칠만 있으면 새 인사 명령을 받아, 우리 해군 최고의 전투 비행대대의 일원이 되어 양키 스테이션에 파견될 것이었다. 어쩌면 나도 <탑건>의 전승 행진을 이어가는 데 직접 기여할 수 있을지도 몰랐다.

第13장
마지막 실종자

1973년 1월, 양키 스테이션

식구들과 함께 보내던 금요일 밤이었다. 당시로서는 흔치 않던 기회였다. 나는 스테이크를 구우면서, 저녁식사가 다 끝나면 아이들과 수영을 할 생각을 하고 있었다. 그 때 전화가 울렸다. 나는 뭔가 불길한 예감이 들었다. 전화를 받았다. 역시 슬픈 예감은 틀린 적이 없었다. VF-143 <퓨킹 독스(Pukin' Dogs)>의 부대대장 할리 할이 베트남에서 실종되었다는 것이었다. 그는 내 친구이기도 했다.

그 비행대대는 충격에 빠졌다. 또한 새로운 부대대장도 필요했다. 그 때문에 내게 20시간 내로 여장을 챙겨서 항공모함 <엔터프라이즈>로 가라는 긴급 명령이 내려온 것이다.

할리의 마지막 임무는 베트남 전쟁 미 해군 항공대의 마지막 임무였을 지도 모른다는 생각이 든다. 파리 평화 회담이 진전되자, 베트남 전쟁은 곧 끝날 것 같았다. 할리는 이번이 미 해군 항공대의 마지막 북베트남 전투 파견임을 알고 있었다. 할리는 거기에서 돌아오지 못했다.

나는 1966년에 할리를 처음으로 만났다. 우리는 미라마 팬텀 RAG의 동기생이었다. 그는 동세대의 조종사 중에서 가장 재능이 많았다. 해군 시범비행대 <블루 엔젤스>도 지휘했다. 당시 그는 애인이던 메리 루 마리노와 결혼한 지 얼마 안 된 새신랑이었다. 둘은 산타 바바라에 있는 작은 교회에서 결혼했다. 예도대가 교차한 칼날 아래를 하정복과 흰 장갑을 착용하고 걸어가는 할리와 그 아내의 모습은 정말 멋졌다. 둘 다 서로를 엄청나게 아꼈다. 할리의 실종 당시 그의 슬하에는 5살 먹은 딸이 있었고, 둘째 아이를 기다리고 있었다. 나는 메리 루에 대해서는 별로 아는 게 없다. 그러나 할리와 함께라면 지옥에라도 갈 수 있었다. 할리와 함께 비행을 해 본 사람 거의 전부가 그야말로 미래의 해군 참모총장 감이라고 얘기했다.

할리는 부하 초급 장교들로부터도 절대적인 존경을 받는 카리스마적 지도자였다. 그는 가장 힘든 임무에 늘 자원했다. 그는 부하들의 상담에 잘 응대해 주었고, 그들의 복지와 생존에 신경 썼다. 할리는 귀국하면 VF-143의 대대장을 맡을 예정이었다. 그리고 내가 그 대대의 부대대장이 될 예정이었다. 할리의 실종으로 인해 그 일정은 더욱 빨리 당겨졌다.

결국 나는 그의 실종의 전말을 알게 되었다. 1월 27일 오후 그는 폭격 임무를 위해 <빅E>에서 발함했다. 어니 크리스텐슨은 할리와 마지막으로 대화한 사람 중 하나였다. 어니는 비행 갑판에서 그에게 간단한 인사를 하고, 항공기에 탑승했다. <퓨킹 독스>는 꽝찌에서 15마일(28km) 떨어진 하항을 타격할 것이었다.

전방 항공 통제 항공기의 유도를 받은 어니는 여러 척의 바지선을 폭격하고, 또한 모여 있던 트럭들을 상대로 2회의 폭격을 했다. 할리가 두 번의 폭격 항정을 끝내고 상승했을 때, 반복되는 파편 피격으로 그의 F-4J 기체가 진동을 일으켰다. 할리는 요기 조종사에게 조용하게 말했다. "메이데이, 메이데이, 피격당했다. 발이 젖었다." '발이 젖었다'는 표현은 바다로 기수를 돌리겠다는 암호였다. 그는 항공기를 최대한 멀리 끌고 가서 해상에서 비상탈출할 생각이었다. 해상 또는 바다와 조금이라도 더 가까운 육상에서 비상탈출할수록 적에게 잡히지 않고 아군에게 구조될 확률이 높아진다.

항공기는 갈수록 말을 안 듣기 시작했고, 할리는 항공기를 제어하느라 혼신의 힘을 다했다. 그의 요기 조종사인 테리 히스는 표적 지대에서 수 마일 떨어진 지점, 고도 4,000피트(1,200m)에서 힘겹게 비행하는 할리의 항공기를 발견했다.

히스는 답신을 보냈다. "수신. 장기 화재 발생." 좌현 주익에서 발생한 화재가 동체로 번지고 있었다. 그래도 할리는 아직 항공기를 버리지 않고, 사투를 계속했다. 화재가 항공기의 유압 체계를 집어삼키자 더 이상의 조종은 불가해졌다. 할리와 RIO 필립 A. "알" 킨츨러는 항공기를 버리고 비상 탈출했다. 히스는 두 사람을 매단 낙하산이 떨어져 가는 것을 보았다. 반 마일(900m) 정도의 간격을 둔 두 낙하산은 두 강이 합류하는 지점에 있는 섬으로 떨어져 갔다.

그리고 그 섬에는 적 지상군 병력이 우글우글했다. 그들은 낙하산을 타고 내려오는 우리 조종사들을 향해 사격을 가했다. 알은 다리에 총상을 입었다. 할리는 착지한 다음, 은엄폐를 위해 뛰어가는 모습이 목격되었다.

히스는 항공기를 그 섬 상공으로 몰고 가서, 탈출한 두 조종사와 접촉하려했다. 적 지상군은 SA-7 미사일을 발사했다. 첫 발은 빗나갔다. 그러나 잠시 후 두 번째 SA-7이 날아왔다. 히스는 급기동으로 두 번째 미사일도 회피했지만, 섬 상공을 떠나지는 않았다.

탐색 구조 임무 조정을 위해 OV-10 브롱코 항공기를 탄 전방 항공 통제관들이 급파되었다. 그들은 히스만큼 운이 좋지 못했다. 수목선에서 튀어나온 SA-7 미사일이 브롱코에 명중하고 말았다. 브롱코에 타고 있던 두 승무원은 비상 탈출했다. 낙하산이 개산되었다. 이번에도 적들은 낙하하는 승무원들을 향해 사격을 가했지만, 브롱코 승무원들 역시 무사히 착지했다. 무전기에 브롱코 승무원들의 목소리가 들렸다. "이런, 이대로 가다가는 포로가 될 것 같다." 그러다가 북베트남 군의 총성이 들리고 이런 말이 들려왔다. "아악! 살려

줘! 총을 맞았다!" 그리고 나서 아무 소리도 들려오지 않았다. 적군은 브롱코 승무원들의 시신을 나무에 묶어놓은 다음, 목을 베어갔다. 그들의 시신은 며칠 후 남베트남 특수부대에 의해 발견되었다.

할리 할은 알 킨슬러와 함께 전쟁 포로로 잡혔다. 그러나 킨슬러와는 달리 할리는 석방되지 않았다. 베트남 전쟁의 마지막 순간, 제143전투비행대대원들의 마음은 다시 한 번 큰 상처를 입었다.

1964년 이래 계속 울리던 포성이 멎은 첫날 밤, 누구도 평화를 기뻐하지 않았다. 나는 또 오랫동안 집을 비워야 할 때 아이들을 설득할 때처럼, 또 한 명의 친구를 잃어버린 사실을 납득하려 애썼다. 나는 비행장구를 꺼내면서 비행 가방 주머니에 꽂혀 있는 쥐 인형을 바라보았다. 그 인형은 15년이 넘도록 나와 함께 있어 주었다. "이봐, 작은 친구. 우리는 이번에 또 <빅E>에 승함할 거야. 이번 항해 때도 자네의 도움이 필요해." 나는 오래된 레이밴 선글라스도 찾아냈다. 케이스에 잘 보관되어 있었다. 그것들을 포함한 모든 비행장구를 가방에 넣고 나니, 그 물건들이 내 조종사 생활 내내 함께 했다는 사실을 새삼 깨달았다. 선글라스 하나를 15년씩이나 쓰는 사람이 어디 있나? 이제는 새 것을 구할 때가 아닐까? 기분 전환을 하면 큰 걱정에서 벗어날 수 있어서 좋았다. 나는 좋은 남편이자 아빠가 되려고 노력해 왔다. 그러나 늘 가정을 비워야 한다는 것은 식구들에게 큰 부담을 주었다.

다음날 아침, 나는 식구들에게 작별 인사를 했다. 아내와 나는, 이번 항해에서는 전투를 벌일 확률이 매우 적다는 것을 알고 있었다. 평화 조약에는 서명이 되었고, 미군 포로들도 곧 석방될 예정이었기 때문이었다. 모든 것이 계획대로 되어 간다면, 이번 항해는 수 개월이 아니라 수 주만에 끝날 것이다. 이미 우리는 모두 전쟁의 달인이 되었다.

우리 큰 아이인 다나는 고등학교 1학년이었다. 그 이전에도 오랫동안 집을 비우는 아버지와 여러 차례 작별 인사를 하면서, 그녀는 자신에게 강하고 엄격해져야 한다는 것을 알았다. 이번에는 갑자기 집을 떠나야 하게 되어 놀랐지만, 그 충격에서 회복된 다나는 마치 인기 연예인처럼 의연하게 대처했다.

우리 아들인 크리스는 그렇지 않았다. 이제 5살밖에 안 된 그는 눈물을 펑펑 쏟으면서 나를 올려다 보았다. 나는 그를 특별히 오랫동안 안아 주었다. 그리고 나서 기다리고 있던 내 친구인 잭 뷸리의 낡은 벤틀리 세단을 타고 린드버그 공항으로 갔다.

그 곳에서 나는 항공기를 타고 샌 프란시스코 국제 공항으로 갔다. 거기서 항공기를 갈아타고 시애틀 공항으로 갔다. 시애틀 공항에서는 거의 텅텅 비다시피 한 <팬 암> 항공의 보잉 747로 또 갈아타고 필리핀 마닐라로 갔다. 나는 비행 내내 객석을 무려 3개나 차지하고 누워 잤다.

24시간 후, 해군 C-2 수송기가 나를 태우고 큐비 포인트를 이륙, 항공모함으로 날아갔다. VF-143의 대대장인 고든 코넬이 비행갑판에 나를 마중 나왔다. 고든은 전사 중의 전사였다. F9F 팬서는 물론 F-8 크루세이더, F-4 팬텀까지 해군 전투기란 전투기는 다 조종해 보았다. 1966년 북베트남 상공에서 작전 중 부상도 당했다. 그는 우수 비행 십자 훈장을 2회, 항공 훈장을 17회나 수훈했다.

"양크, 어서 오게. 그런데 하필이면 이렇게 힘들 때 온 건 아쉽군."

나는 그와 악수를 하면서 대대원들의 안부를 물었다.

"우리는 <퓨킹 독스>야. 댄. 괜찮아질 거야. 하나로 뭉친 강한 사나이들이지. 할리도 그걸 바랄 거야."

그는 내 손을 잡은 채로, 뭔가 생각하는 듯 머뭇거리다가 이 말도 꺼냈다.
"지금은 아파하고 있어. 아주 심하게 말야. 일부 조종사들은 빨리 귀국해서 메리 루 부인과 아이들을 돌보고 싶어한다네."

그의 두 눈에는 슬픔이 고여 있었다. 포성은 멎었다. 그러나 우리 모두가 입은 전쟁의 상처는 아직 낫지 않았다.

제14장

전에 없던 평화

1973년 2월, 양키 스테이션

내가 대기실에 들어갔을 때 그 자리에 있던 퓨킹 독스는 한 마디도 말이 없었다. 그들은 매우 크게 괴로워하고 있었다. 하노이로 할리를 호송하는 호송대를 공격해서 할리를 구출하자는 말까지 나왔을 정도니 말이다. 할리의 정확한 위치를 알 수 있다면 타격 편대군과 전투 수색 구조 부대를 출격시켜서 할리와 알을 구출할 수 있을지도 모른다. 그러나 이제 전쟁은 사실상 끝났다. 그런 임무를 승인해 줄 정부 관료나 제독은 한 사람도 없다.

그런데, 정말로 베트남 전쟁은 끝난 것일까? 도무지 그렇다는 느낌이 들지 않았다. 남북베트남이 맺은 어설픈 정전 협정은 얼마 못 가 깨지고 말았다. 양측이 모두 협정을 위반했다. 그것도 협정이 깨질 정도로 심각하게 여러 번 말이다. 물론 북베트남의 보급품도 라오스를 경우해 남베트남 내 베트콩에게 계속 보급되었다. 베트남과 라오스의 전투는 계속 격심해졌다. 남베트남 친미 정부를 전복할 기회만 엿보고 있던 베트콩은 이제 그 기회가 왔다고 판단했다. 주 라오스 미국 대사가 말했듯이, 미국은 인도차이나 반도를 떠나고 있었기 때문이다.

북베트남은 남베트남 내 공산군을 지원하는 데 라오스 경유 도로, 통칭 <호치민 루트>를 사용했다. 미군은 그 도로를 다년간 폭격했다. 1964년부터 시작되어, 평화 협정이 조인된 1973년 이후까지도 진행된 <바렐 롤> 작전이었다. B-52를 포함한 미군 항공기들이 붕괴 직전의 라오스 군을 지원하기 위해 수백 소티나 출격했다.

미 본국에서는 파리 평화 협정을 승리로 간주했다. 북베트남에 억류되어 있던 미군 포로들이 귀국했다. 주월미군도 철수했다. 남베트남은 이제 자력으로 생존하고 갈 길을 정해야 했다. 하지만 현장에서 체감할 수 있는 변화는 주월미군 철수 말고는 없었다.

라오스에서는 여전히 전투가 계속되었다. <빅E>의 비행단도 베트콩과 그 보급로를 폭격하기 위해 전투를 재개했다. 현장의 우리는 종전을 축하할 수 없었다. 미 본국의 누구도 알지 못한 채로 9년이나 끌어 온 전쟁을 계속할 뿐이었다.

우리는 베트남-라오스 국경을 넘어 호치민 루트의 트럭 호송대를 폭격했다. 저공 저속으로 비행하는 공군 전방 항공 통제기가 연막 로켓탄으로 표적을 알려 주었다. 그러면 우리 항공기들은 그 표적에 폭격을 가했다. 또 폭격 항정을 진행하던 중, 전방 항공 통제기가 적 대공포화에 피격당해, 좁은 흙길에 불시착했다. 우리 항공기들은 전방 항공 통제기 승무원 구조 작전을 엄호했다.

그 곳은 해안에서 멀었기 때문에, 그 승무원들을 구조하기는 어려웠다. 그러나 우리 해군 항공기들은 계속 불시착 현장 상공을 엄호했다. F-4에 내장 기관총이 없다는 사실을 또 한 번 원망하면서 말이다. F-4에 20mm 발칸포 1문씩만 달려 있었다면 그 날 엄청나게 많은 적군을 사살할 수 있었을 것이다. 결국, 그 승무원들의 소속 부대에서 보낸 다른 항공기가 불시착 현장에 착륙, 승무원들을 태우고 이륙하는 데 성공했다. 덕분에 할리와 알처럼 포로가 되는 것은 면했다.

여러 주가 지나자, 충격과 실의에 빠져 있던 대대원들도 다시 굳은 의지를 되찾았다. 임무를 수행하는 대대원들은 꽝찌를 지나가는 항로를 매일 이용했다. 내게 그런 회복된 모습보다 더 자랑스러운 것은 없었다. 고든과 할리는 대대원들의 선발과 교육을 제대로 시킨 것 같았다. 그 중에서도 최정예 조종사는 테리 히스 대위였다. 그는 F-4에 대해서 정통했고, 근접 공중전에서 못 이기는 적이 거의 없었다. 하지만 할리가 실종될 당시 그의 요기를 맡았다는 사실 때문에 그는 정말 괴로워했다. 그는 할리와 알의 행방을 알기 위해 목숨을 걸고 매달렸다. 그런 태도와 성품 덕택에 그는 정상으로 돌아갈 수 있었다.

베트남 전쟁도 그렇게 되어 주었다면 좋았을텐데 말이다. 미국의 베트남 개입은 끝나가고 있었다. 1973년 3월 미군 포로 최종 석방이 실시되었다. 같은 달 29일에는 마지막까지 남아 있던 미군 전투 부대가 사이공에서 미국행 항공기에 탑승했다.

진주만으로 가기 전에 우리는 수빅 만에 들렀다. 그 날 큐비 포인트 장교 회관의 파티에서는 내가 본 것 중 가장 거칠었고, 가장 심한 폭음이 이루어졌다. 마치 지나치게 오래 잡아당겨져 있던 용수철 수십 개가, 갑자기 손을 떼자 마구 튀어나가는 것 같았다. 지금 와서 생각해 보면, 그 때야말로 대대가 처음 가졌던 치유의 시간인 것 같았다.

1973년 6월 7일, <엔터프라이즈>는 진주만에 입항했다. 1968년 그 곳에서 USS <아리조나>에 대함 경례를 할 당시, 우리는 전투에 대한 기대로 들떠 있었다. 그리고 이제 우리는 베트남 땅에 많은 전우들을 두고 왔다. <아리조나>에 대함 경례를 하면서 나는 적의 포로가 된 짐 스톡데일, 할리 할, 론 폴퍼, J. B. 소우더, 아빈 차운시, 로비 레이즈너, 디터 뎅글러 등의 전우들을 떠올렸다. 그들은 구타와 고문으로 심리적 탈진 상태에 있었다. 또한 식량과 의약품도 충분히 제공받지 못했고, 거짓 진술서에 서명을 강요당했다. 심지어 제인 폰다가 북베트남에 아첨하러 하노이를 방문했을 때, TV 카메라 앞에 선전 도구로 동원되는 치욕까지 당했다. 그들 포로들 중 일부는 미국에 영원히 돌아오지 못했다.

1973년 3월, 대부분의 포로들이 미국으로 귀국했다. 할리는 돌아오지 못했다. 그의 최후는 밝혀지지 않았다. 알 킨슬러가 북베트남 경비원으로부터 들은 바에 따르면, 할리는 낙하산을 벗지도 못하고 죽었다고 한다. 그러나 히스 대위는 할리가 착지한 후 근처의 나무 속으로 달려갔다고 주장했다. 또한 우리 군은 할리가 북베트남의 여러 부대를 거쳐 하노이까지 갔음을 증명하는 정보도 획득했다.

우리 모두가 가장 무서워한 것은 죽음이 아니었다. 6·25 전쟁 중 적지 상공에서 격추되어 포로가 된 미군 승무원 중 일부의 운명은 현재까지 전혀 밝혀지지 않고 있다. 소문에 따르면 그들은 가족 외의 모든 사람들에게 잊혀진 채, 소련 시베리아의 굴라그에서 최후를 맞았다고 한다. 할리가 석방자 명단에 없다는 것을 안 우리는, 할리도 그런 운명에 처해진 게 아닐까 하는 생각을 지울 수 없었다.

그해 봄, 진주만에 도착한 우리는 과거와는 완전히 다른 사람들이 되어 있었다. 그 변화가 의미하는 바를 온전히 이해하기까지는 시간이 필요했다. 나는 그 출발점이 하와이라고 생각한다. 우리 대대원 중 하와이에 상륙하려는 사람은 소수에 불과했다. 그 때가 내 군생활 중 대대원 대부분이 하와이 상륙을 포기하고 함에 남은 유일한 사례였다. 우리는 배에서 잠을 자면서 미래를 생각했다. 전쟁이 끝나도 우리는 해군에 몸담고 싶을까? 민항사에서는 해군보다 더 높은 급여를 제시하면서 우수한 조종사를 채용하고 있다. 해군을 제대하면 가족과 함께 더욱 평화롭고 윤택한 삶을 살 수 있다. 고든은 곧 다른 부대로 이임할 것이다. 그러고 나면 내가 VF-143의 대대장직을 승계하게 된다.

진주만에 입항하기 직전, 우리는 속달 메시지를 받았다. <엔터프라이즈>의 VF-143 및 그 자매 비행대인 VF-142에게, 51일 내로 재전개를 하라는 명령이었다. 내 부하들에게 또다른 시련을 주는 명령이었다. 그런 명령을 내리면 우수한 장병들이 제대를 선택할 수도 있었다. 솔직히 말해, 제대를 선택한 그 어떤 사람도 나는 비난할 수 없었다. 안 그래도 당시 해군에서 제대하려는 사람은 엄청나게 많았다. 그러나 당시 우리에게는 베트남 전쟁 말고도 다른 위협이 많았다. 소련과 중국을 상대해야 했다. 갈수록 악화되는 동남아시아와 중동의 정세도 골칫거리였다. 이런 문제에 대응하려면 유능한 인재를 계속 유지해야 했다. 앞으로 수주간, 해군 지휘관들에게는 중대한 과제가 주어진 셈이었다.

며칠 후 우리는 진주만을 출항해 캘리포니아를 향했다. 내가 <빅E>에 승함했을 때, 승조원들은 배에서 마지막으로 본 고국의 풍경을 이야기했다. <빅E>가 베이 에이리어의 알라메다를 떠날 때 반전 시위대가 기지 구내로 난입을 시도했다고 한다. 바다에서도 작은 보트들에 탄 반전 시위대가 보트 유역에 몰려들어 출항을 방해했다. 해군과 해안 경비대는 그들의 방해를 물리치고, <엔터프라이즈>를 정시에 출항시켰다. 그러나 항공모함이 금문교 밑을 지나가자 왠지 쌔한 느낌이 들었다. 당시 우리나라의 지도층은 무능했다. 국민들은 분열되어 있었다. 국민 중 상당한 수가 군대를 아무 이유 없이 싫어하고 있었다. 그들 중 일부는 군대에 아무 관심도 지식도 없다고 나는 생각했다. 군대를 조금이라도 아는 자라면, 아까의 반전 시위대 같은 짓을 할 거고 말이다. 평화를 그렇게 극단적으로 추구하면 진정으로 더 풍부한 시각과 깊은 사고력을 얻을 수 있는가? 그래서 공항에 돌아온 우리 군인들에게 아동 살해범이라고 욕을 하고, 침을 뱉은 건가? 미국의 대학들도 군에 대한 혐오적 시각을 미국 청년들에게 전파하고 있다는 생각이 들었다.

캘리포니아로 가는 항해 도중, 고든과 나는 부하 대대원들에게, 아까 받은 재전개 명령을 공개했다. 이번에 해군은 우리 대대를 USS <아메리카> 함상에 실어 지중해에 파견할 계획이었다. 지중해 파견은 중동 인근 작전을 수반하는 경우가 많다. 그리고 중동은 냉전의 위험 지대 중 하나였다. 우리는 이번 파견을 아무 위험 없는 유람선 놀이로 만들고자 최선을 다하기로 했다.

캘리포니아 해안에서 400마일(740km) 떨어진 지점에서, <빅E>는 탑재하고 있던 항공기들을 발함시켰다. 공격 비행대대들은 휘드비 섬, 워싱턴, 중부 캘리포니아 리무어 해군 항공 기지 등으로 갔다. <퓨킹 독스>의 일부는 항공모함에서 전투기를 타고 발함해 미라마 기지에 갔고, 잔여 인원들은 항공모함이 알라메다에 기항하자 거기서 해군의 DC-9 수송기로 갈아타고 고향으로 갔다.

미라마로 전투기를 타고 날아간 대대원들은 융숭한 환영을 받았다. 그들이 착륙해 항공기를 오와 열을 맞춰 주기한 주기장에는 가족들이 나와서 성조기를 들고 기다리고 있었다. 아이들을 목마를 태우고 환호하는 사람도 있었다. 그 모습을 본 우리는 순식간에 너무나도 기뻐졌다. 우리는 항공기에서 내리자마자 가족들을 만났다. 많은 가족들이 우리 비행 헬멧을 써보기도 하고, 조종석에 들어가 빼곡하게 박힌 계기와 스위치에 대해 대대원들로부터 설명을 듣기도 했다. 다나와 크리스, 그리고 애들 엄마도 나를 찾았다. 우리 가족들은 오랜만에 재회했다. 그날 저녁 식구들은 스테이크와 구운 감자를 먹었다. 그리고 나서, 전쟁의 마지막 밤 갑작스레 취소된 수영을 6개월만에 했다. 모두들 오랫동안 즐겁게 물을 첨벙거리며 놀았다.

모든 전투 조종사는 대대장이 되고 싶어 한다. 나는 VF-143 <퓨킹 독스>의 대대장으로 내정받자, 대대의 역사부터 확실히 공부했다. 이 부대는 6·25 전쟁 후기인 1953년에 창설되었다. 부대의 상징물은 그리핀이다. 그리핀은 사자의 몸과 독수리의 머리와 날개를 지닌 상상 속 동물이다. 이 상징물은 대대 창설기 어느 조종사가 혼응지에 그려 디자인했다. 그런데 그려놓고 보니 고통에 몸을 웅크리고 구토를 하는 날개달린 개처럼도 보였다. 그걸 본 어느 조종사 부인이 이렇게 말했다. “세상에. 영락 없이 구토하는 개(puking dog)잖아요!” 그 이후 VF-143의 별명은 <퓨킹 독스>가 되었다. 앞으로도 많은 문제가 있겠지만, 나는 대대장 자리를 맡게 된 것이 무척이나 기뻤다.

해군 부대의 지휘관 이취임식은 성대한 공식 행사다. 대대의 장병들이 하정복을 입고 출석하고, VIP로 제독이 나와서 사전에 잘 준비한 축하 연설도 해 준다. 거기 가려고 차를 타고 가서 주차를 하고 내리는데 뭐가 찢어지는 소리가 들렸다. 알고 보니 내 바지의 엉덩이가 터져서 찬바람이 들어오고 있었다. 어이가 없었다. 그렇다고 기지의 군장점에 다녀올 시간은 없었다. 전임 대대장인 고든이 나와 함께 입장하려고 기다리고 있었다. 또한 장병들과 초대 손님들도 기다리고 있었다. 나는 무대로 걸어가면서, 누구도 내 뒤를 보지 않기를 바랐다.

내가 연단에 오를 시간이 되자, 나는 적어도 연단 앞에 모인 장병들과 손님들에게는 내 엉덩이를 보이지 않게 신경을 썼다. 그러나 내가 연설을 시작하자, 무대 위, 내 뒤에 앉아 있던 소수의 VIP들 사이에서 웅성거림이 일었다. 그들에게는 내 엉덩이를 보이지 않을 수 없기 때문이었다. 나는 그들이 웃음을 참지 못하고 소리를 죽여 킥킥 거리는 소리도 들었다. 그래도 이건 치욕이 아닌 영광의 순간이다. 내 연설이 끝나자 우리 비행단장이 마이크를 넘겨받고 나서 이런 말을 했다. “신사 숙녀 여러분. 오늘 따라 바람이 참 선선하게 부는군요!” 나 역시 그 말을 듣고 웃을 수밖에 없었다. 장교 회관에서 간단한 축하 파티를 치른 나는 끝나자마자 군장점으로 달려갔다.

전개까지 2달도 채 남지 않은 시점이었다. 따라서 대대는 바로 업무에 복귀했다. 함대에서 배워 <탑건>에 적용한 지도력의 원칙이야말로 우리 대대가 하는 모든 일의 기반이 되었다. 그 원칙 중에도 첫 계명은, 부대원들이 세상에서 가장 중요하다는 것이다. 즉, 부대원들이 스스로를 매우 가치있는 사람으로 여길 필요가 있다. 양키 스테이션에서의 고난과, 할리의 실종으로 인한 슬픔, 귀국하고 나서 당한 부조리한 일들. 그 모든 어려움들은 우리를 더욱 강하게 단결시켜 주었다. 우리 대대는 내가 그때까지 겪어 본 비행대 중 가장 단결력이 높았다.

두 번째 계명은 항공기를 소중히 보살펴야 한다는 것이다. 내가 대대장이 되자마자 시행한 첫 조치들 중에는 <엔터프라이즈>에서 마지막 전개를 마치고 돌아온 항공기를 반납하지 않은 것이었다. 통상 전개를 마치고 돌아온 비행대는 가지고 있던 항공기를 정비창에 반납하고, 대신 창고에 준비되어 있던 새 항공기를 지급받는다. 하지만 정비대장과 정비 기장, 정비 기부들은 이런 관례를 싫어했다. <빅E>에서 막 내린 그들은 항공모함에서 운용하던 항공기를 가족처럼 잘 알고 아꼈다. 모든 팬텀 전투기는 미세한 개체 차이가 있다. 때문에 기체마다 제각각의 사소한 문제가 있을 수 있고, 어떤 기체는 전반적인 신뢰성이 떨어질 수도 있다. 정비사들이 평소에 이런 문제를 잘 파악하고 있어야 그 문제들을 제대로 해결하여 대대의 전투력을 최상으로 높일 수 있다. 우리 대대의 F-4들은 전투 파견을 마치고 돌아왔음에도 도장 상태는 매우 양호했고 부식도 없었다. 나는 윗사람들을 잘 설득해, 우리 대대가 베트남에서 사용하던 항공기들을 지중해에도 가져갈 수 있도록 했다.

8월말, 우리는 라스 베가스로 여행을 떠났다. 베트남 전쟁에 참전한 미 전군 조종사 전우회 모임에 참석하기 위해서였다. 북베트남의 포로가 되었다가 귀국한 166명의 조종사에게도 비공식적인 귀국 축하 인사를 보냈다. 부부동반으로 총 3,000여 명이 힐튼 호텔에 모였다. 그 날 그 자리에는 그것 말고도 여러 개의 소규모 전우회 모임이 열려 몇 년만에 처음으로 전우들이 상봉했다. 모두가 행복해했다. 전쟁은 끝났고, 고난의 세월도 결국 지나가고 말았다. 석방된 미군 포로들도 이제 제2의 인생을 살아갈 준비를 하고 있었다. 그러나 그들에게는 또다른 큰 시련이 기다리고 있었다. 포로 생활을 마치고 귀국한 사람들 중에는 사랑의 여름(1967년 여름 샌프란시스코 헤이트 애쉬베리에서 있었던 대규모 히피 활동-역자주), 와츠 폭동(1965년 8월 로스 앤젤레스 와츠에서 있었던 인종 분규-역자주), 켄터키 주립대학 총기 난사 사건(1970년 5월 4일 발생-역자주), 마틴 루터 킹과 로버트 F. 케네디 살해 사건에 대해서는 일절 모르는 이들도 있었다. 그들이 마지막으로 경험한 미국 문화는 애시드 락과 우드스탁 페스티벌 이전의 것이었다. 바뀐 미국에 적응하고, 오랫동안 헤어진 가족들과 다시 관계를 회복하는 것이야말로 석방된 전쟁 포로들이 해결해야 할 새로운 과제였다.

그날 밤 내가 옛 전우들과 그들의 부인들과 이야기를 나누고 있는데, 갑자기 누군가가 내 어깨에 팔을 걸치고 말을 거는 것이었다. "오랫만이네, 양크."

고개를 돌리니 그 자리에는 론 폴퍼의 얼굴이 있었다. VF-121 대대원들에게 "폼파두르"라고 불리던 그는 비질런트 정찰기를 조종하다가 격추당했다. 700노트(시속 1,300km) 속도에서 비상 탈출한 그는 양쪽 고막이 파열되고, 여러 군데에 골절을 입고, 전신 타박상을 입었다. 그는 북베트남 군의 포로가 되었으나 살아남아 귀국해서 자이스 인터내셔널의 회장 겸 사장이 되었다. 공격기 조종사이자 개방적인 친구이던 아빈 차운시 역시 나를 따뜻하게 맞아주었다. 그 역시 적에게 격추당한 다음에는 나와 만나지 못했다. 그날 저녁 나는 봅 호프와 그 외의 많은 군대 친구들과 함께 잊지 못할 시간을 보냈다. 모두가 함께 <Born Free>를 불렀다. 노래하다가 눈물을 참지 못하는 사람들도 있었다.

라스 베가스에서 벌인 전우회 행사가 끝나고 얼마 안 되어, <퓨킹 독스>도 미라마 기지를 떠났다. 우리 가족들과 또 한 번의 이별을 해야 했다. 크리스는 이번에도 내게 세게 매달렸다. 가족들과의 이별은 매번 힘들어져만 갔다. 아무리 강한 사람도, 아무리 많은 전투 경험을 쌓고 비행에 대한 열정이 충만한 사람도, 작별의 자리에서 슬퍼하는 어린 아들의 모습을 결코 잊을 수 없을 것이다.

그래도 최소한 양키 스테이션으로 돌아가는 건 아니었다.

팬텀기에 탑승한 우리는 동쪽의 노퍽으로 날아갔다. 그리고 우리의 새 항공모함인 <아메리카>에 착함했다.

미 해군 제6함대의 주요 작전 해역인 지중해는 1973년 10월 6일 일촉즉발의 위기를 맞았다. 그 날 아랍 연합군은 이스라엘을 전면 침공, 이스라엘을 사상 최대의 위기에 몰아 넣었다. 후일 욤 키푸르 전쟁, 또는 제4차 중동 전쟁으로 불리운 전쟁의 시작이었다.

이 전쟁이 시작되었을 때 나는 <퓨킹 독스>와 함께 노퍽에 있었다. 내가 할 수 있는 것은 에이탄 벤 엘리야후, 댄 할루츠 등의 이스라엘 공군 조종사 친구들이 적의 MiG기와 지상군 부대를 잘 제압하기만을 바랄 뿐이었다. 나는 지금의 그들 역시 1969년 미라마를 떠나 베트남으로 가던 우리 미군들과 같은 기분일 거라고 확신했다. 그 때의 미군과 지금의 이스라엘군은 소련이라는 공통의 적의 위성국들을 상대로 싸웠다. 우리도 그 사실을 잘 알고 있었다.

우리의 지중해 전개는 이러한 배경 상황 속에서 이루어졌다. 1974년 1월, 항공모함 <아메리카>와 소속 항모전단은 제6함대와 상봉하기 위해 대서양을 건넜다. 그 항해 와중에 바르셀로나에서부터 아테네까지 여러 항구에 기항해 보급을 받았다. 항해는 느렸지만 어렵지 않았다. 물론 비행도 있었지만 빈도가 낮고, 힘들지도 않았다. 기항할 때는 정말로 유람선 여행을 하는 기분이었다. 이탈리아에 상륙해서 현지의 유적을 관광하고, 시칠리아에도 상륙하고, 그리스의 코르푸 섬, 로도스 섬에도 가 보았다. 베트남에서의 격전에 비하면, 이번의 지중해 전개는 우리 <퓨킹 독스>들이 원하던 휴가 여행에 더 가까웠다.

우리 함대는 정기적으로 동부 지중해에 나가 얼굴 도장을 찍은 다음, 아테네로 복귀해 기항하곤 했다. 비행대대원들은 돈을 모아 글리파다 휴양지 해안의 집도 임대했다. 그 곳은 기항 시 우리의 작전 기지가 되었다. 기항 시에는 밤만 되면 그 집은 조종사들로 우글거렸다. 한밤 중에 그 집에서 돌아다니려면 바닥에 쓰러진 전우를 밟지 않으면 안 되었다. 그 지중해 전개는 전쟁에 익숙해져 있던 우리의 마음을 앞으로 펼쳐질 평화에 그 어떤 것보다도 잘 대비시켜 주었다.

나는 스캥크 렘센, 진 발렌시아 같은 훌륭한 지휘관들을 최대한 본받아 내 대대를 운영했다. 내가 한 일 중에는 대대에 극장용 팝콘 제조기를 도입한 것도 있었다. 그 제조기는 정비대 구역에 설치되었다. 팝콘은 한 봉지에 10센트씩 받고 팔았다. 그로 인해 생긴 수익금은 일명 <팝콘 기금>으로도 불리는 대대비로 저축하여, 대대원들의 사기와 복지 증진을 위해 사용했다. 지중해 전개 중에 상을 당한 대대원이 2명이나 발생했다. 그 때마다 우리는 대대원들에게 특별 휴가를 부여하고, 항공권 비용은 팝콘 기금으로 지불해 주었다. 또한 팝콘 기금으로, 사복 착용 상륙 시 대대원들이 입을 복장도 샀다. 흰색 또는 청색 거북목 티, 청색 정장 상의, 회색 플랫 프론트 바지, 코도반 가죽제 로퍼

등이었다. 나는 대대원들에게, 유럽에 상륙할 때는 큐비 포인트 장교 회관과는 달리 멋지게 차려 입어야 한다고 고집했다. 그런 옷은 분명 멋있었고, 많은 사람들 사이에서도 쉽게 알아볼 수 있었다. 그런 복장은 우리의 자부심을 크게 높여 놓았다.

내가 아는 모든 훌륭한 지휘관들은 부대의 상급 하사관들을 아꼈다. 상급 하사관들이 부대가 돌아가는 데 필요한 모든 궂은 일을 감독하기 때문이다. 부대의 사병들의 활동을 감독하고, 사병들로부터 보고를 받는 사람은 상급 하사관들이지 장교가 아니다. 훌륭한 장교라면 명심해야 하는 부분이다. 나는 그들과 커피를 자주 마시면서, 그들의 시각을 배우려고 했다. 그들의 조언은 대대의 사기와 근무 효율을 높이는 데 필수불가결했다. 상급 하사관들 역시 나를 하사관 식당에 불러 함께 식사를 하자고 했다. 나는 그들이 그런 초대를 할 때마다 매우 기뻤다. 그리고 지중해 파견 기간 동안 기회가 있을 때마다 그들을 장교 식당에 초대해 보답을 하려고 했다.

나는 태평양 해군 항공 사령부의 봅 볼드윈 중장에게, 우리 대대를 위해 보잉 747을 임대해 달라고 요청했다. 우리 장병들이 그리스에 있는 동안, 장병들의 아내와 애인들을 그 항공기에 싣고 그리스로 데려오려는 것이었다. 그렇게 하면 장병들의 사기가 크게 진작될 것이라고 나는 설명했다. 그러자 볼드윈 중장은 내 요구를 들어 주었다. 1973년 내가 지휘하던 대대원들은 대체하기가 매우 어려운 훌륭한 인력들이기 때문이었다. 결국 유나이티드 항공사의 보잉 747이 장병들의 아내와 애인들을 싣고 아테네에 착륙했다. 우리 장병들은 글리파다에서 사랑하는 사람과 10일을 보냈다. 아테네에 온 아내와 애인들 모두가 기뻐했다. 이 그리스 상륙이야말로 내 군생활 중 가장 즐거운 추억이었다. 볼드윈 중장 덕택에, 어떤 민항사 조종사들도 누릴 수 없던 휴가를 우리 대대원들이 즐길 수 있었다.

아테네 상륙 기간 중 하루는, 우리 대대의 무장사 봅 킹 준위장이 물에 뛰어들어, 글리파다 비치 하우스까지 헤엄쳐 가 그 곳의 사람들을 놀라게 했다. 그는 베트남 전쟁 당시 SEAL 대원이었다. 하지만 당시의 이력에 대해서 그는 언제나 철저히 함구했다. 다만 나에게, 과거 북베트남 군의 수색을 피해 야간에 강에서 헤엄쳐 하류로 표류해 살아난 적이 있다고 말할 뿐이었다. 그 와중에 그는 뱀의 공격을 받았다. 그는 표류하는 중인데도 K바 대검을 꺼내 뱀의 목을 잘라 버렸다. 그는 나를 포함한 모든 <퓨킹 독스> 대원들의 존경을 받는 훌륭한 사람이었다. 그만한 능력과 경험을 보유한 사람을 매일 부릴 수 있다는 것도 특권이었다.

우리 상급 하사관들은 누구 하나 할 것 없이 모두가 뛰어났다. 내 전용기의 정비 기장인 토니 베이커는 직업 윤리와 꼼꼼함 면에서 타의 모범이었다. 그 덕택에 내 전용기는 언제나 전투 준비를 잘 갖출 수 있었다. 우리 상급 하사관들은 그 힘든 일을 늘 하는데도, 자신들이 정비하는 F-4에 타고 비행을 해 본 적이 없었다. 7개월간의 지중해 전개가 종료되고 노퍽으로 귀항할 준비를 할 때, 나는 우리 부대의 RIO 중 5~6명이 동해안 출신이라 귀항할 때 서해안 미라마로 가는 팬텀 전투기를 타지 않는다는 것을 알았다. 당연히 귀항할 때 그만한 수의 RIO석이 비게 되었다. 그렇다면 그 빈 자리에 상급 하사관들을 태워주는 건 어떨까? 내가 상급 하사관들 앞에서 그 제안을 꺼내자마자, 그들은 기꺼이 수락했다. 그들은 캐터펄트 사출과 엄청난 고속 비행을 경험할 수 있는 기회를 놓치려 들지 않았다.

지브롤터 해협을 나와서 대서양을 건너는 긴 여정에 들어갔을 때, 우리 대대는 단 한 건의 사고도 없이 7개월간의 파견을 종료했다. 대단한 기록이었다. 작년 바닥이었던 사기는 이제 하늘을 찔렀다. 대대는 이제 어디서건 의기양양하게 돌아다닐 수 있었고, 어떤 임무가 부여되어도 해낼 준비가 되어 있었다. 노퍽에서 수백 마일 떨어진 해상에서, 우리 대대의 F-4들은 항공모함에서 발함하여 미라마로 크로스컨트리 비행을 시작했다. 내 항공기의 후방석에는 우리 대대의 J79 엔진 전문가인 상급 하사관 짐 "프렌치" 아일랜드가 타고 있었다. 그는 정말로 경이로운 사람이었다. 그는 내가 군대에서 만난 사람들 중 J79 엔진을 가장 잘 알고 있었다. 비행 중 인터컴으로 그와 대화하면서, 그의 말 한 마디 한 마디에 묻어나는 흥분과 행복감을 확실히 느낄 수 있었다.

우리는 테네시 상공에서 공중급유를 받고, 밤새 뉴 멕시코 주 로즈웰로 날아갔다.

다음 날, 우리 대대의 팬텀 16대가 미라마에 착륙하려 하자 기지는 난리가 났다. 사람들이 모여 우리를 위해 깃발을 흔들고, 팻말을 높이 들었다. 항공기가 착지하여 주기장으로 굴러가서 엔진을 끄고 캐노피를 열자, 우리 가족들이 벌떼같이 항공기로 몰려왔다. 이전에는 한 번도 전투기를 타고 비행을 해본 적이 없던 상급 하사관들에게, 이 날은 영원히 잊지 못할 날이었다. 그들이 비행 장구를 완벽히 착용한 채로 항공기에서 내리자, 가족들은 놀랐다. 프렌치의 아내는 프렌치의 발이 주기장에 닿자마자 그에게 달려들었다. 그녀는 프렌치를 꼭 끌어안고 진한 키스를 했다. 그리고 내게도 고맙다면서 키스를 해 주었다. 나도 짐도 행복하게 웃고 있었다.

프렌치 부인 옆에는 내 아들 크리스가 서 있었다. 아이는 나를 꼭 안아 주었다. 내 딸 다나도 나를 오랫동안 끌어안아 주었다. 언제나 말이 없던 다나는 벌써 고등학생이 되어 있었다. 나는 그 아이의 어린 시절이 지금도 많이 그립다. 다나를 위해서 곁에 오래 있어 주었어야 했는데 말이다. 마지막으로 매디가 내 옆에 왔다. 우리의 결혼 생활은 부침이 심했다. 특히 내가 바다에 나가 있을 때는 위기였다. 그러나 나는 그녀와 오랜 시간 함께 해 왔고, 앞으로도 계속 함께 있고 싶었다. 그녀가 주기장에서 나를 안아 주자 나는 아직 우리 부부에게는 기회가 있다는 생각이 들었다.

대대원들은 가족에게 둘러싸여 집으로 갔다. 베트남에서 힘든 경험에 억눌렸던 그들은 이제 원기를 회복하고, 더욱 큰 일을 해낼 수 있을 것 같았다.

그것이 내가 겪은 것 중 최고의 귀향 환영회였다.

제15장

제3성전의 종말

1973년 10월 6일, 이스라엘 텔 노프 공군 기지

욤 키푸르 전쟁이 중동 최후의 전쟁이 될 뻔 했다는 것을 안 것은 지중해 파견에서 돌아온 후였다. 그리고 <탑건>이 제1세계 전체의 비극이 될 뻔 했던 그 전쟁의 향방을 바꾸는 데 약소하게나마 기여했다는 것도 알게 되었다.

앞서도 말했듯이 1973년 10월 6일, 아랍 연합국은 약 100만 명의 병력을 동원해 이스라엘을 전격 침공했다. 그 날 아침 침대에 누워 있던 댄 할루츠는 그 많은 병력들이 전차와 장갑차 수천 대를 동원해 이스라엘 국방군을 공격할 거라는 사실을 전혀 몰랐다. A-4 스카이호크가 그의 집 위를 나무 높이의 초저공으로 날아가는 것을 보고서야 그는 뭔가가 잘못되어 감을 알았다.

당시 댄의 소속 부대는 이스라엘 공군의 전설적 존재이던 제201비행대대 소속이었다. 이 대대의 별명은 <더 원(The One)>이었고, 벤 엘리야후 대령이 부대대장을 맡고 있었다. 이스라엘 공군의 최정예 비행대대이던 <더 원>은 그 명성에 걸맞게 당시 이스라엘 공군의 최신 최첨단 전투기인 F-4 팬텀으로 무장하고 있었다. 미라마 RAG는 이 대대가 욤 키푸르 전쟁에서 살아남는 데 큰 도움을 주었다.

1967년 6월에 있던 <6일 전쟁>에서 이스라엘은 아랍의 침공이 예상되자 선제 공격으로 대응했다. 1973년에는 골다 메이어 수상이 이스라엘 정보 기관이 분명히 예측한 지정학적 문제로 씨름하는 동안, 이스라엘 공군 수뇌부는 모든 비행대대에 항공기를 무장시키고 적을 타격할 준비를 하라고 명령했다. 그러나 미 국무장관 헨리 키신저는, 이스라엘이 선제 공격을 할 경우 미국의 지원을 전혀 받을 수 없다는 점을 이스라엘에 분명히 알렸다. 메이어는 아랍 측의 선제 공격을 감당하기로 결정했다. 10월 6일 정오, 이스라엘 공군은 원래 명령을 취소하고, 전 비행대대는 방공 전투를 준비하라고 명령했다. 지상 근무자들이 이스라엘 전투 폭격기에 탑재되어 있던 폭탄과 공대지 미사일을 탈거하는 동안, 아랍 연합군의 침공이 시작되었다. 이집트와 시리아 전투기 및 폭격기들은 이스라엘 영공에 날아와 공군 기지, 방공 포대, 지휘 통제 시설 등을 타격했다. 미라마 RAG에 유학을 왔던 이스라엘 친구들은 졸지에 백척간두의 위기에 처했다.

그들은 초인적인 의지로 날아올라 싸웠다. 제201비행대대에서는 2대의 F-4 팬텀이 출격, 무려 28대의 이집트 MiG기에 맞서 싸웠다. 무려 14:1의 불리한 전투였다. 그러나 이스라엘 공군 조종사들은 화려하게 기동하며 근접 공중전을 벌이고, 요기의 꼬리에 붙은 적기를 서로 쏴 주었다. 전투가 끝났을 때 MiG기 7대가 격추당해 있었고, 이스라엘 F-4는 두 대 모두 기지에 안전하게 돌아갔다.

1948년 이스라엘 독립 전쟁 이래 아랍 연합국을 상대로 연전연승하던 이스라엘 공군은 승리에 도취되어 있었다. 그러나 이번 전쟁에서 그런 오만한 태도는 독으로 작용했다. 진격해 오는 아랍 연합군을 저지하러 출격한 이스라엘 공군은 새로운 위협인 기동식 SA-6 지대공 미사일 발사기가 쏘아대는 탄막 사격 속에 뛰어들었기 때문이다.

골란 고원에는 이스라엘 육군 3,000명이 배치되어 있었고, 시리아 군은 거기에 맞서 30,000명의 병력을 투입했다. 이스라엘 육군을 지원하기 위해 출격한 이스라엘 공군은 SA-6에 대해서는 전혀 대비가 안 되어 있었다. F-4와 A-4 항공기들이 SA-6을 얻어맞고 뻥뻥 터져나갔다. 전쟁 첫날 이스라엘 공군의 손실은 무려 40대에 달했다. 이스라엘 공군 전체 전력 중 약 10%에 해당했다.

다음 날, 이스라엘 공군은 SA-6 사냥에 나섰다. 시리아는 자국 육군 일선 부대를 항공 공격으로부터 보호하기 위해 이들 대공 미사일들을 전진 배치한 상태였다. SA-6이 사용하는 레이더 전파는 이스라엘 항공기에 배치된 장비로는 탐지가 불가능했다. 따라서 이스라엘 공군은 육안에만 의존해 이들 미사일을 찾아낼 수밖에 없었다. 그런데 자기 비행기를 향해 날아오는 미사일이 보일 정도면 때는 이미 늦은 경우가 많았다. 댄이 속한 제201비행대대는 골란 고원 상공에서 대타격을 입었다. 불과 5분간의 전투에서 제201비행대대는 4대의 F-4를 격추당했다. 그 대가로 파괴한 SA-6 발사기는 1개 뿐이었다.

동시에 이집트 군은 전차와 장갑차를 보유한 20만 명의 병력을 동원해 수에즈 운하를 넘어 시나이 반도를 침공했다. 이들 역시 지대공 미사일을 대량으로 보유하고 있어, 남부 전선의 이스라엘 공군에 막대한 손해를 입혔다.

그날 벤 엘리야후 대령과 휘하 조종사들은 수에즈 운하의 다리를 타격했다. 미사일 위협을 피하기 위해 그들은 사막 모래 언덕 높이 정도의 초저공으로 비행하다가, 무장 투하 직전에 급상승, 놀라운 정밀도로 표적을 타격했다.

이집트 MiG-17 10여 대가 남부 전선 이스라엘군 사령부를 타격하자, 벤 대령과 휘하 조종사들은 그 MiG기들을 추적했다. 이어진 근접 공중전에서 벤 엘리야후는 MiG-17 1대를 격추, 2대째의 확인 격추 기록을 세웠다. 엘리야후의 요기 조종사는 이 전투에서 무려 4대를 격추했다. 그가 마지막으로 격추한 적기는 벤 대령에 맞서 기동하던 중 당했다.

이런 공대공 전투의 승리에도 불구하고 이스라엘 육군은 아랍 연합군의 공세를 저지하지 못하고 있었다. 이스라엘 공군의 손실도 감당이 안 되는 수준이었다. 크나큰 위기였다. 이스라엘 육군의 일선 부대는 적에게 철저히 유린

당했다. 골란 고원을 지키던 어느 전차 부대는 전차가 불과 6대만 남은 상태에서 수백 대의 시리아 전차에 맞서 싸워야 했다.

이스라엘의 국방부 장관 모셰 다얀은 골다 메이어를 만났다. 다얀은 낮은 목소리로 이렇게 말했다. "수상 각하, 제3성전의 종말이 임박했습니다."

이는 이스라엘 국가 자체의 종말이 임박했다는 뜻이었다.

메이어 수상은 13발의 핵탄두를 조립할 것을 명령했다. 이것들의 발당 위력은 히로시마 원폭과 비슷한 수준이었다. 그리고 이 핵탄두들을 지대지 미사일, 그리고 텔 노프 공군 기지의 F-4 항공기에 탑재할 것도 명령했다. 이 핵탄두들의 이동은 미국 첩보 위성들이 볼 수 있도록 공개된 장소에서 진행되었다. 이 조치가 미 대통령 닉슨과 국무부 장관 키신저에게 준 충격의 크기에 대해서는, 이후 논란이 있었다. 일각에서는 이 중동 핵전쟁 위협으로 인해, 미국은 이후 이스라엘을 강하게 지원해 주었다고도 한다.

닉슨은 이스라엘 군을 위한 전면 긴급 재보급 작전을 명령했다. 주독 미 육군 기지에서 최신예 대전차 미사일들이 불출되어, 미 공군 수송기에 탑재되어 이스라엘로 날아갔다. 이스라엘 영공은 이미 치열한 전쟁터가 되었는데도 말이다. 동남아시아에서 수많은 잘못을 저지른 미국이 이제야 전쟁을 제대로 수행하는 것 같았다.

미국 본토에서는 미군이 보유하고 있던 팬텀과 스카이호크가 이스라엘로 급파되었다. 아랍 연합군의 SA-6에 의해 입은 이스라엘 공군의 손실을 보충해주기 위해서였다. 그러나 NATO 동맹국들 중 대부분은 이스라엘을 전혀 돕지 않았다. OPEC(석유 수출국 기구)의 석유 금수 조치를 두려워한 NATO는 위기에 처한 이스라엘을 도우려 하지 않았다. 그러나 네덜란드와 포르투갈은 자국 영토 내에 우리 항공기가 착륙해서 재급유를 받을 수 있게 해 주었다.

10월 14일, 벤 대령은 부하들을 이끌고 만수라에 위치한 이집트 공군 MiG-21 기지를 타격했다. 이집트 MiG기와 팬텀 간에는 격전이 벌어졌고, 폭격을 얻어맞은 이집트 공군 기지는 아수라장이 되었다. 벤 대령은 MiG-21 1대를 레이더 조준했으나, 그 적기는 요기가 구하러 올 시간을 벌기 위해 급기동을 했다. 벤 엘리야후의 RIO는 뒤를 돌아보고, 또 한 대의 MiG-21이 팬텀의 후방으로 들어오는 것을 발견했다.

벤은 추적을 중단하지 않았다. 그는 근거리까지 들어온 MiG를 향해 20mm 기관포(이스라엘에 수출된 F-4E형은 내장 기관포가 있었다)를 발사, 적기를 불덩어리로 만들었다. 그 직후 RIO가 소리쳤다. "급선회! 급선회!" 벤은 팬텀을 몰고 수평 급선회를 시도했다. 추격해 오던 MiG-21 조종사는 분명 미숙련자였다. 그는 팬텀을 추적하려다 항공기를 너무 거칠게 몰았다. MiG-21은 스핀을 일으켰고 빠져 나오지 못한 채 추락했다. 이것 역시 대대의 격추 기록으로 인정되었다. 벤 대령은 그 날의 에이스가 되었다.

대대 지휘권을 인수받은 벤은 댄 할루츠와 함께 쉬지 않고 출격했다. 17일 동안 댄은 43회의 전투 임무를 수행했다. 너무나 힘든 싸움이었기에, 어느 공군 소장이 벤 대령에게 대대장직을 반납하고 휴양을 취할 것을 권할 정도였다.

그러나 벤의 대답은 단호했다. "절대 그럴 수 없습니다." 뼛속까지 전사였던 그는 나라를 구할 수 있다면 죽을 각오도 되어 있었다. 이스라엘이 전쟁에서 이기던가, 벤 본인이 전사할 때까지 휴식은 없었다. 생존을 위한 이 격렬한 싸움에서, 중요한 것은 승리 말고는 아무 것도 없었다.

대대는 주야를 가리지 않고 출격했다. 그들은 이집트 영토 깊숙한 내륙에 있는 표적도 타격했다. 이집트 통신 중추 공격에서 그들은 MiG기의 요격을 당했다. 벤 대령이 어느 MiG-21의 후미를 잡자, 공황에 빠진 적기 조종사는 바로 비상탈출했다. 대대는 이렇게 또 1대를 격추했다.

계속되는 전투로 인해 <더 원>의 전력도 줄어들었다. 매 작전마다 전우를 잃었다. 잔존 항공기와 승무원 수는 꾸준히 줄어만 갔다. 물론 그들의 폭격과 적기 격추로 인해 아랍 연합군의 진격이 둔화된 것도 사실이었다. 결국 이스라엘 육군은 골란 고원을 탈환하고, 시리아 본토로 진격하며 시리아 군을 도륙했다. 이라크와 요르단이 시리아 방위를 위해 병력을 보내줘야 할 정도였다.

전세가 역전될 무렵, 엄청난 손실을 입은 이스라엘 공군 전력을 보강하기 위한 F-4 및 A-4 항공기들이 이스라엘에 도착했다. <탑건>도 이 중요한 순간에 기여했으나, 그 사실은 별로 알려져 있지 않다.

당시 <탑건>의 교장은 머그스 맥코운이었다. 로저 박스 교장이 <탑건>을 독립 비행대대로 격상시키고, 1972년 여름 후임 교장 데이브 프로스트가 취임한 이후, 머그스는 데이브 프로스트를 이어 차기 교장이 되기 위해 양키 스테이션에서 왔다. 교육생들을 교육시키고 있던 어느 금요일, <탑건>의 A-4E 몽구스를 이스라엘에 지원한다는 명령을 받았다. 정비사들은 주말 내내 항공기에 이스라엘 위장색과 국적 마크를 그려넣었다. 이스라엘에는 F-4도 보급될 예정이었다. 그래서 미라마를 출발해 전투 공역까지 이 항공기를 몰고 갈 지원자를 받았다. 그 자리에 출석한 해군 조종사들 전원이 지원했다.

미 공군은 F-4 약 100대를 이스라엘로 보냈다. 미 해군도 F-4를 지원할 예정이었다. 머그스가 <탑건>의 A-4를 이스라엘에 인도한다는 명령을 받은 지 3일이 지나, 이스라엘 조종사 6명이 미라마에 왔다. 진지하고 말이 없는 친구들이었다. 그러나 간절히 도움을 원하는 눈빛은 숨길 수 없었다.

이스라엘 조종사들은 <탑건>의 A-4를 몰고 미 본토를 횡단한 것은 물론 대서양을 건너 포르투갈 또는 스페인에 중간 기항했다. 항공기를 몰고 텔 노프 기지로 직행한 미군 조종사들은 이스라엘 군 뿐 아니라, 전국민이 전쟁에 뛰어들고 있음을 알아차렸다. 조종사 가족들은 활주로 옆에 텐트를 지어놓고 생활하고 있었다. 지대공 미사일 포대 옆에서는 군인 부인들이 빨래를 널어 말리고 있었다. 이스라엘 국가는 물론 국민들의 존립이 위태로웠다. 우리는 어디서건 이만큼 큰 애국심을 발휘하는 사람들을 본 적이 없었다. 이 곳의 상황은 베트남 전쟁과는 전혀 달랐다. 일부 미군 조종사들은 임무 종료 후에도 기꺼이 현지에 남아, 이스라엘을 위해 전투 출격했다.

개전 이후 3주일이 지난 어느 날, 핵무기를 실은 소련 화물선이 흑해를 벗어나 동부 지중해로 들어서 알렉산드리아로 향했다. 이집트에는 소련군이 조작하는 스커드 미사일 포대도 있었는데, 각 포대당 전술 핵탄두 최소 1발을 보유하고 있었다. 미국 정보 기관은 이집트 상공에 정찰기와 정찰 위성을 평소보다 더 많이 비행시켜, 소련이 이 무기를 운반할 때 사용하는 특이한 형태의 트럭을 발견해 냄으로서 이 사실을 알아냈다. 이러한 정보를 접한 미국 고위 정부 관료들은 미 전국에 상급 핵 경보인 데프콘 3를 발령했다. 분명 닉슨 대통령의 승인이나 그에 대한 사전 보고는 없이 진행된 일이었다.

소련은 이러한 미국의 반응을 과잉 대응으로 여겼다. 소련 정부 내부의 긴 논의 끝에, 소련인들은 시리아와 이집트에서 핵 전쟁이 벌어져서는 안 된다고 결의했다. 핵무기를 실은 소련 선박들은 알렉산드리아에 기항은 했으나, 핵무기를 하역하지는 않았다. 소련 외교관들은 아랍 연합국에 전쟁을 끝내자고 읍소했다.

1973년 10월 23일 이 전쟁은 종결되었다. 이스라엘은 반격을 통해 골란 고원을 탈환한 것은 물론 시리아 본토 상당 부분도 점령했다. 시나이 반도 대부분의 지역에서 이집트 군을 몰아냈으며, 수에즈 운하 서측에 교두보도 마련했다. 그 점만 보면 아랍 연합국의 참패 같았다. 그러나 실상은 이스라엘도 괴멸 직전까지 갔다. 특히 이스라엘 공군의 인적 전력은 극도로 소진되었다. 전쟁이 끝났을 때 이스라엘 팬텀 조종사는 70여 명 밖에 남지 않았다. 이스라엘은 이 전쟁에서 100여 대의 항공기를 손실했다고 주장했다. 이는 이스라엘 공군의 전투용 항공기 중 1/4에 해당하는 수였다. 일부 예외를 제외하면 그 대부분이 소련제 최첨단 지대공 미사일로 발생한 것이었다.

정말로 힘든 3주간이었다. 이 전쟁에서 아랍 연합 공군은, 더욱 훈련도가 높은 이스라엘 공군 조종사들에게 자국 조종사들이 상대가 안 된다는 점만 체감했다. 보이드는 이 전쟁에 자신의 수식을 갖다댈 것이다. 그러나 <탑건>에서는 조종실에서 교육생을 가르친다. 전투에서는 항공기 등 여러 조건이 어떻건 간에, 더 기량이 뛰어난 조종사가 거의 언제나 이긴다. 이스라엘 공군은 장기간의 혹독한 시련 속에서도 용맹하게 싸워 적에게 치명상을 입혔다. 이 전쟁에서 양국 공군 간 격추 교환비는 정확하게 발표된 적이 없다. 이집트도 이스라엘도 자국 공군의 정확한 피해는 숨기고 있기 때문이다. 이스라엘 친구들은 이 전쟁에서 아랍 연합 공군 항공기 440대가 격추당했으며, 그 대부분이 공중전에서 발생한 것이라고 주장했다. 현재 나오는 보고서에 다르면 이 전쟁에서 이스라엘 공군의 공대공 격추 교환비는 무려 83:1에 달한다고도 한다. 이 전쟁에 미국의 기여는 크다. 그러나 승리의 가장 큰 원동력은 이스라엘 공군 조종사들이었다. 그들은 선배들이 쌓은 전통에 부끄럽지 않도록 분전했다.

한편, 욤 키푸르 전쟁은 <탑건>에도 위기였다. 이스라엘에 보유 항공기를 거의 다 주고 나니, <탑건>에는 A-4 가상적기가 1대만 남았다. 이래 가지고서는 학교가 제대로 돌아갈 수 없다. 10월 기수는 정상적으로 졸업했다. 그러나 머그스는 다음 기수 입학을 취소시키고, 이 문제의 해결에 매진했다.

<탑건>은 태동기부터 질투와 관료 사회의 적의를 받아 왔다. 우리는 자원과 해군 타 부서의 인정을 얻기 위한 투쟁을 일찍부터 벌였다. 그리고 그 싸움에서 느리게나마 승리를 거두고 있었다. 전쟁 전 해, 데이브 프로스트 교장이 직을 걸고 총대를 멘 덕택에 <탑건>은 자체 항공기를 보유한 독립 부대가 될 수 있었다. 이제 베트남 전쟁이 종결되자, <탑건>의 위와 주변에 있는 출세지향가들은 이 학교를 독립 부대로 놔둬야 하는지에 대해 의문을 제기하기 시작했다. 초급 장교로 이루어진 <탑건>은 이러한 권력 싸움에 취약했다. 소령 계급의 교장과 대위 계급의 교관으로 이루어진 학교에는 적의 위협을 물리칠 정치력이 없다.

다행히도 머그스 맥코운은 특이한 지휘관이었다. 그는 학교에 가해지는 위협을 잘 알고 있었다. <탑건>은 가상 적기가 없으면 독립적으로 기능할 수 없다. 당시 <탑건>의 교관 중에는 윌리엄 드리스콜도 있었다. 그는 베트남 전쟁 해군 유일의 에이스 RIO였다. 그를 포함한 당시 교관진들은 중대한 기로에 서 있었다. 해군은 <탑건>에 새 비행기를 사 줄 생각도 없었고, 베트남 전쟁의 잉여 기체를 지급해 줄 생각도 없었다. 이러한 적의를 주도한 것은 공격기 조종사 출신의 참모 장교들이었다. 그들 때문에 <탑건>은 자원 부족에 시

달렸다. 머그스가 항공기 부족 문제를 해결하지 못하면, <탑건>은 관료적 위축에 의해 공중분해 되고 말 것이다.

뼛속까지 타고난 전사였던 그의 호출 부호는 해군 사관학교 시절 권투를 하다가 정해졌다. 그는 영광의 해 1960년에 해군 사관학교 미식축구단의 러닝 백으로도 활약했다. 그 해에 해군 사관학교는 예전의 전국 1위이던 워싱턴 허스키스 팀을 물리치고 전국 3위를 차지했다. 머그스는 공군에서도 교육을 받은 경험이 많기 때문에, 타군 출신 친구가 많았다. 그는 국회의원 또는 공군 주요 지휘관이 된 친구들과 연줄이 있었다.

전화통을 열심히 붙잡고 도움을 청한 결과, 머그스는 VX-4의 친구를 통해, 공군이 해군 실험 시설 차이나 레이크에 잔뜩 망가진 T-38 훈련기 2대를 보냈다는 사실을 알게 되었다. 그 항공기들은 표적기로 개조되어 폭파될 예정이었다.

머그스, 그리고 당시 부교장을 맡고 있던 제리 사와츠키는 실태 조사를 위해 차이나 레이크를 찾았다. 항공기의 상태는 심각했다. 엔진 공기 흡입구는 사막의 모래먼지로 막혀 있었다. 사출 좌석도 고장나 있었다. 없어진 부품도 많았고 타이어도 터져 있었다. 그러나 이런 상태의 항공기도 없는 것보다는 나았다.

제작사 <노스롭> 사의 지원을 받아, <탑건>은 이 항공기들의 재생 작업에 매달렸다. 머그스와 제리는 재생 완료된 항공기를 몰고 미라마로 돌아왔다. 그러나 미라마의 정비사들은 이 기종의 정비를 위한 장비가 없었다. 항공기의 기본 성능 유지를 위해 필요한 엔진 스탠드, 호이스트, 예비 부품 중 어떤 것도 없었다. 정비사들은 응급 수단에 의존했다. 수작업으로 엔진을 탈거한 후, 매트리스 위에 내려놓는 식이었다. 그러나 이는 땜질식 처방에 불과했다. 이 항공기들을 위한 정식 보급 체계를 확보해야 했다.

시간과의 싸움이 되었다. <탑건>은 오랫동안 휴교 상태를 유지할 수 없었다. 그랬다가는 높으신 분들 중 악의를 품고 있는 사람들의 주의를 끌게 될 것이다. 그래서 머그스는 시험비행조종사학교 때의 친구인 공군 소령 리처드 "무디" 수터에게 연락했다. 그는 공군의 대규모 다국적 훈련 <레드 플래그>를 만드는 데 큰 역할을 했다. 머그스는 수터와 뒷거래를 했다. 수터에게 미 해군용 지급품 가죽 비행 점퍼를 대량으로 주는 대신, <탑건>이 요구하는 부품과 장비를 제공받는 식이었다.

공군의 C-130이 <탑건>에서 주문한 장비들을 싣고 미라마에 착륙했다. 마침 그 모습을 본 태평양 해군 항공대의 제독은 부하에게 이런 질문을 했다고 한다.

"우리 기지에 공군의 분견대라도 오는가?"

"아닙니다. 제독님. 저 수송기에 실린 화물은 모두 <탑건> 것입니다."

"뭐라구?"

<탑건>의 역사 저변에는 "허가를 구하지 말라. 저지르고 나서 용서를 비는 쪽이 훨씬 편하다."라는 정서가 흐르고 있다. T-38 항공기들은 <탑건>이 다른 항공기를 보급받을 때까지 대체 전력으로 운용되었다.

얼마 가지 않은 1974년 1월, 머그스는 제리 사와츠키로부터, <탑건>에서 나가겠다는 통보를 받았다. 제리는 어느날 밤, 머그스에게, 더 이상 <탑건>과 함께하기 어렵다고 말했다. 해군에 수병으로 입대한 그는 해군 조종 사관 후보생 제도(Naval Aviation Cadet, NAVCAD)를 통해 장교가 되었다. 이제 그는 대학도 졸업해야 했고, 또 신혼이었다. 너무 해야 할 일이 많았다. 그러나 <탑건>의 부교장은 <탑건>의 일에 온 힘을 기울여야 했다. 제리는 <탑건>의 부교장 직위에서 물러나겠다고 했고, 머그스는 사의를 수리했다.

다음날 아침, 잭 엔슈가 <탑건> 사무실에 들어서는데 마침 제리가 자기가 쓰던 책상을 비우고 있었다. 잭은 북베트남 상공에서 격추되어 포로 생활을 했다. 그로 인해 생긴 부상과 질병을 치료하기 위해 무려 9개월간이나 입원한 끝에, 치료를 마치고 돌아온 참이었다. 잭은 제리에게 물어보았다.

"대체 무슨 일이야?"

그러자 제리가 대답했다.

"나는 <탑건>의 부교장 자리에서 사퇴했어. 이제 자네가 새로운 부교장이다."

잭은 그 말을 듣고 큰 충격을 받았다. 그는 <탑건>에 특별기획관으로 들어왔다. 특별기획관은 정식 보직이 주어질 때까지 주는 임시 보직이다.

머그스와 잭 간의 인연은 해군 조종사 간의 뜨거운 전우애를 보여주는 좋은 사례다. 머그스도 아직 갈 길이 먼 청년 장교였다. 그는 잭에게 진지하게 이렇게 말했다. "자네도 알겠지만, 나는 형제가 없어. 나는 자네와 같은 형제를 갖고 싶었다네."

두 사람은 전투에서도 함께 비행했다. 1972년 5월 MiG-17 2대를 격추했다. 그 전투에서 그들은 MiG기의 꼬리를 잡았다. 당시 머그스 항공기의 후방석에 타고 있던 잭은 머그스에게 이렇게 말했다. "어서 적기를 격추하자고. 나도 자네를 바로 따라가겠어."

머그스는 큭큭대면서 이렇게 답했다. "그래, 저 놈들을 날려 버리자. 농담 아니다."

13일 후, 머그스는 <탑건>의 교장으로 부임하기 위해 양키 스테이션을 떠났다. 잭은 양키 스테이션에 남았다. 잭은 다른 조종사와 함께 비행하던 중 북베트남의 SAM에 피격당해 비상 탈출했다. 조종사인 마이크 도일은 전사했다. 잭은 탈출 과정에서 중상을 입고 체포되어 북베트남 포로수용소에 인도되었다.

머그스가 이 소식을 들었을 때, 그는 자신과 잭이 MiG기 2대를 격추한 1972년 5월의 공적으로 해군 십자 훈장을 받을 예정이라는 것도 알게 되었다. 해군 십자 훈장은 해군에서 두 번째로 훈격이 높은 무공 훈장이다. 머그스는 반드시 잭과 함께 훈장을 받겠다고 고집했다. 잭이 석방된 지 8개월 후, 머그스는 잭과 함께 가족과 소수 VIP가 모인 자리에서 훈장을 받았다.

<탑건>에서 잭은 또 머그스의 바로 뒷자리를 지켰다. 두 사람은 새로운 시대를 맞은 <탑건>의 능력을 증진시켰고, 난세 속에서도 미 해군 항공대 전투기 부대가 세계 최강의 전투력을 유지하는 데 공헌했다.

1974년 봄, 나는 <퓨킨 독스>와 함께 <아메리카>에 탑승해 아직 지중해에 있었다. 중간 기항지인 스페인의 팔마 데 말로르카의 수변 호텔에서 한 잔 하고 있는데 라운지에 민항사 객실 승무원들이 들어왔다. 그 사람들은 이스라엘의 <엘 알> 항공 소속이었다. 그 중 한 사람이 내게 왔다.

"선생님이 해군 중령 댄 페더슨 씨이신가요?"

"그렇습니다만."

"이스라엘의 친구분이 보내신 선물을 가져왔습니다."

그러면서 그녀는 내게 작은 상자를 하나 주었다. 상자에는 쪽지도 안 붙어 있었고, 카드도 없었다. 상자만 있었다. 그녀는 다른 말은 하지 않고 사라졌다.

상자를 열어보니, 금 사슬 목걸이에 매달린 아름다운 14K 금제 다윗의 별이 들어 있었다. 그 선물을 준 사람이 누군지는 전혀 알 단서가 없었다.

그건 그렇다 치고, 내가 여기 있는 줄은 어떻게 알았대?

나는 샌 디에고의 집에 벤, 댄 할루츠, 기타 이스라엘 조종사들을 초대해 바비큐를 구워 먹었던 때가 불현듯 떠올랐다. 이스라엘 조종사들은 철저히 합리적이고, 비밀을 잘 지키면서도 학습 의욕이 높았다. 또한 뼛속까지 프로였다. 그 때 나는 벤에게 이스라엘 사람들이 왜 그리도 전쟁에 진지하게 임하는지 물어 보았다. 그러자 벤은 이렇게 대답했다.

"대니얼, 자네도 실전에서 적에게 사격을 준비해보면 알게 될 걸세. 아니, 자네 아내와 아이들이 있는 집 상공만 날아봐도 알게 될 거야."

이스라엘인들은 최악의 상황에서도 삶을 영위하고 있는 이들이었다.

나는 언젠가 이스라엘을 찾아가 그 친구들을 다시 만나고 싶다. 그러면 누가 이 선물을 주었는지도 알 수 있을지 모른다.

나는 그 목걸이를 해군에서 제대할 때까지 매고 다녔다. 그 목걸이는 작은 쥐 인형, 1950년대 레이밴 선글라스와 함께 나와 함께 어디든 갔다. 그 목걸이를 볼 때마다 나는 우정이 나라를 구할 수도 있다는 사실을 떠올리곤 한다.

제16장
명예로운 귀환

1975년 4월 29일, 남베트남 40마일 앞바다

해군 항공대는 베트남 문제를 영원히 떨쳐 버릴 수 없을 것 같았다.

한 자리에 집합한 VF-51의 조종사와 RIO. 그 앞에 선 사람은 해군 대위 다렐 "콘도르" 개리였다. 다렐의 군력은 아직 짧았다. 그러나 그는 1960년대 후반, RAG에서 기종 전환 교육을 제대로 수료하지도 못하고 F-4의 RIO로 베트남 전쟁에 2회 파견되었다. 그가 귀국하자마자 나는 그를 <탑건>의 교관으로 초빙했다. 이후 그는 비행 학교에 입학하여 F-4 조종사 자격을 얻게 되었다. 그리고 나서 그는 <탑건>에 입학해 전술 교육을 받은 다음, USS 코럴 시에 승함해 전투 조종사로서 첫 해외 전개에 나서게 되었다.

1975년, 아직 어린 대위였던 그에게 주어진 임무는 가혹했다. 이 비행대대가 받았던 브리핑 중 가장 고통스런 내용의 브리핑을 진행하는 것이기 때문이었다. 동맹 베트남을 영원히 포기한다는 것이 그 브리핑의 내용이었다.

비극은 1975년 3월, 북베트남이 베트남 중부 고원에서 공세를 시작하면서 벌어졌다. 그 이전 18개월간 미 의회는 남베트남에 대한 군사 원조 규모를 꾸준히 감축했다. 예비 부품과 탄약, 윤활유 등의 물자 부족에 시달린 남베트남군의 전투 준비 태세는 최악이었다. 거기에는 분명 미국의 책임도 있었다.

북베트남은 병력 8만 명을 동원해 중부 고원을 공격했다. 남베트남은 북베트남에게 일방적으로 밀렸다. 1970년대 초반 주월미군이 철수할 때, 미군은 남베트남군을 제대로 훈련시키려 했다. 그러나 남베트남 장교단의 부정부패와 비겁행위에는 당할 재간이 없었다.

남베트남 대통령 응우옌 반 티에우는 미 대통령 제랄드 포드에게 3억 달러 규모의 긴급 군사 원조를 요구했다. 물론 미 의회는 이를 반대했다. 반대한 이유는 남베트남군의 붕괴가 확연하기 때문도 있었다.

티에우 대통령은 주요 도시와 전략 거점을 방위하기 위해, 남베트남군에 전략적 철수를 명령했다. 북베트남 군의 맹공에 시달리는 남베트남군은 철수를 시작했으나, 이미 도로는 피난민들로 꽉 막혀 있었다. 남베트남군의 철수는 제대로 진행되지 않았다. 장교들은 공황을 일으켰다. 어느 장군은 부하들에게 이렇게 말했다. "모든 인간은 다 혼자야." 철수는 어느새 패주로 변질되었다.

놀란 것은 북베트남도 마찬가지였다. 그들은 기회를 놓치지 않고 사이공을 향해 진격했다. 그들은 다낭 항공 기지를 점령하고, 거기 있던 남베트남 공군 항공기 수십 대도 노획했다.

혼란은 남쪽으로 번져 나갔다. 4월 1일이 되자, 미국이 당장 개입하지 않는 한 남베트남은 끝장인 게 분명해졌다. 이제는 남베트남군에 돈을 아무리 많이 쥐어줘도 이길 가능성이 없었다. 오직 지상군과 항공력의 대규모 전개만이 상황을 바꿀 수 있었다. 미국은 탄손누트 공항에 중수송기 수십 대를 보내 가급적 많은 사람들을 철수시키려 했다.

철수 진행 중에 벌어진 참사도 있었다. 4월 4일, 당시 세계 최대의 수송기이던 C-5 갤럭시가 250명의 고아를 싣고 비행 중 기체 고장을 일으켰다. 승무원들은 바로 탄손누트 공항으로 회항, 불시착을 시도했으나 그 과정에서 탑승자 중 153명이 죽고 말았다. 철수 작전이 가속되는 중에도 북베트남 군은 사이공으로 진격을 계속했다. 그러자 민항기들도 철수 작전에 투입되었다. 만약 탄손누트 공항을 사용할 수 없게 되면 헬리콥터가 마지막 남은 철수 수단이었다. 물론 탄손누트 공항은 얼마 못 가 북베트남 군의 포격으로 사용할 수 없게 되었다.

남베트남 해안 앞바다에 있던 미 해군 임무부대 소속 항공모함 <엔터프라이즈>, <코럴 시>, <미드웨이>, <행콕>이 이 철수 작전의 마지막 희망이었다.

4월 29일, 다렐은 소속 비행대대원들에게 사이공 시내의 건물 옥상과 급조 헬리포트에서 미국인 철수를 위해 이착륙하는 헬리콥터들을 위한 MiGCAP 임무 준비를 브리핑했다. 마지막 철수 지점인 주월 미국 대사관에서는 대사관 직원들이 나무를 잘라 두 번째의 헬리포트를 만들고 있었다. 상황은 혼돈의 극치였다.

다렐은 최신 정보를 가급적 냉정하게 검토했다. 그러나 그의 내부에서는 실망감과 슬픔이 넘쳐 흘렀다. 그가 성년이 된 이후 늘 계속되었던 이 전쟁이, 미국의 남베트남 포기로 끝이 나고 있었다. VF-51의 분위기도 음울했다. 늘상 농담을 지껄이던 대대원들조차도 이제는 말이 없었다. 북베트남 공산당이 이 전쟁에서 이긴다면, 결과는 참혹할 것이다. 수만 명의 무고한 사람들이 체포되어 사형에 처해지거나 노동 수용소로 보내질 것이다. 항공모함을 4척이나 끌고 온 미군이 왜 이를 보고만 있어야 하는가?

다렐은 교전 규칙 설명으로 넘어갔다. 늘 그렇듯이, 워싱턴식 사고방식으로 만들어진 규칙이었다. 미국 항공기가 적의 직접 선제 공격을 받지 않는 한, 미군은 싸울 수 없었다. 북베트남 MiG기가 철수용 항공기를 요격하려고 시도할 경우에도, 미군은 북베트남기가 명백한 위협을 가할 때에만 사격을 가할 수 있었다. 철수 작전에 투입되는 헬리콥터는 총 80대로, 이 헬리콥터들은 모두 항공모함 <미드웨이>에 착함하고, 나머지 세 항공모함은 철수 작전을 지원한다. 그 밖의 미 군함들은 해안과 항공모함 사이에 방어진을 형성하며, 필요 시 항공모함을 지원할 태세를 갖춘다. 다렐의 브리핑이 종료되자, 조종사들은 모두 자리에서 일어나 항공기를 타러 움직였다.

미국의 철수용 헬리콥터가 사이공에 도착했을 때는 마침 북베트남 선도부대가 사이공 외곽에 도착했을 때였다. 그러나 북베트남 군은 철수 작전을 방해하지 않았다. 이제 와서 까딱 잘못했다가는 미국의 재개입을 유발할 수 있다. 다 된 밥에 재 빠뜨리는 격이 된단 말이다. 때문에 북베트남 군은 일단 정지했다. 북베트남 공군의 MiG 전투기는 물론 그들이 다낭에서 확보한 구 남베트남 전폭기들도 날아오지 않았다.

미국 헬리콥터들이 직면한 가장 큰 위협은 불만을 품고 폭도로 변한 남베트남군이었다. 그들은 대사관 지붕과 테니스장에 내려앉는 헬리콥터들에 소병기 조준 사격을 가해 벌집을 만들었다.

더 높은 고도에서 비행하던 다렐과 VF-51 대대 조종사들은 미국 대사관에서 피어오르는 연기를 볼 수 있었다. 대사관에서는 마지막까지 남은 직원들이 1급비밀 문서들과 금전을 소각하고 있었다. 대사관 굴뚝에서 연기와 함께 뿜어져 나온 타다 만 지폐 조각들과 재가 베트남 사람들 머리 위에 눈송이처럼 떨어졌다. 헬리콥터들은 부지런히 대사관에 착륙해, 사람들을 최대한 태우고 항공모함으로 날아갔다.

만종이 울리자 사이공 시내에는 인기척이 눈에 띄게 줄어들었다. 운행 중인 자동차는 징발된 구급차들 뿐이었다. 수많은 사람들이 돈을 있는 대로 끌어모으고 짐을 챙겨, 가족들을 데리고 북베트남 군이 입성하기 전에 도시를 빠져나갔다. 남베트남의 모든 강어귀와 계류장에서 배라는 배는 모두 사람들을 빼곡이 태우고 바다로 빠져나왔다. 보트, 삼판, 룻거, 뗏목, 거룻배 등, 물에 뜨기만 한다면 아무 것이나 좋았다. 수백 척의 배를 타고 바다로 몰려나온 베트남인들의 모습은, 마치 물결에 출렁이는 나뭇잎 위에 모여 앉아 구조를 기다리는 개미들의 모습과도 같았다. 제2차 세계대전 종전 직전 이래로 가장 큰 인도적 위기였다. 방치해 두면 수백만 명이 죽을 것이었다.

다렐은 자신의 편대를 이끌고 연료가 남아 있는 한 비행을 계속했다. 연료가 고갈되자 그들은 항공모함으로 돌아갔고, 항공모함에서는 그들이 있던 자리에 다른 F-4 편대를 보냈다. <탑건> 창설 멤버 중 최연소자였던 다렐은 <코럴 시>로 돌아가던 길에 본 장면을 영원히 잊지 못할 것이다. 그의 F-4 아래 바다는 피난민들이 탄 배들로 수평선까지 빼곡이 메워져 있었다. 그 배들은 미 해군 임무부대를 향해 나아가고 있었다. 그 장면은 자유의 소중함을 사무치게 깨우쳐 주고 있었다. 실로 가슴아픈 장면이었다.

오전 중간쯤, 남베트남 육군 헬리콥터들이 미 해군 임무부대에 날아오기 시작했다. 그 헬리콥터의 조종사들은 자기 나라가 망했다는 것을 알고 있었다. 그래서 자신과 가족들을 태우고 날아온 것이었다. 바다에서는 배가, 하늘에서는 헬리콥터가 피난민을 태우고 <미드웨이>로 몰려오고 있었다.

다렐은 <미드웨이>에서 10마일(18.5km) 떨어진 지점에서 항해하던 <코럴 시>에 착함한 후, 헬멧을 벗어 한 손에 들고 귀환정보보고를 하러 갔다. 비행에서 본 것들은 그에게 깨달음을 주었다. 미국이 절대 이길 수 없던 이 전쟁이 끝이 나고 있었다. 앞으로 수십 년에 걸쳐 벌어질 일의 조감도가 그의 머릿속에 그려지고 있었다.

다음날 아침 0500시, 남베트남은 이제 사실상 사라진 거나 다름 없었다. 주월 미국 대사는 CH-46 시 나이트 헬리콥터에 탑승해 미국 대사관을 떠났다. 그로부터 3시간 후, 미국 대사관에 남아 있던 마지막 미국인들인 미 해병대원들도 헬리콥터에 탑승해 앞바다의 해군 함대로 떠났다. 그걸로 모든 것이 끝났다. 그날 늦은 오후 남베트남은 북베트남에 무조건 항복했다.

그로부터 수년이 지난 후 어느 현충일이었다. 짐 라잉과 다렐 개리는 불리스에서 맥주를 마시고 있었다. 둘 다 제대했고, 민간인 생활에도 잘 적응했다. 그들은 옛 전우들의 안부가 궁금해졌다. 그리고 전우들 중에 죽은 사람이 몇이나 될지도 궁금해졌다. 그들은 칵테일 냅킨 위에 죽은 전우들의 이름을 적기 시작했다. 처음으로 이름이 적힌 3명은 <탑건> 초창기 임대한 비치 하우스에서 함께 살던 9명 중 전사한 인원들이었다. 명단은 계속 길어졌고, 기억력의 한계가 올 때까지 적힌 사람 수는 총 43명이었다. 그 중 반은 전사했고,

반은 훈련 중 순직했다. 전쟁에서는 언제나 사람이 죽는다. 친구들을 빼앗아간다. 그 결과 생기는 일은 상상하기도 힘들다.

베트남 전쟁 마지막 날까지 진행된 이 철수 작전에서, 헬리콥터로 미 해군 임무부대에 철수한 인원은 미국인 1,373명과 베트남인 5,595명이었다. 그 외에 선편으로 남베트남을 탈출한 65,000명이 미 해군 임무부대에 구조되었다. 고정익기를 타고 탄손누트 공항을 떠난 인원은 50,493명으로, 이 중 약 2,700명이 고아였다. 그래도 이들은 운이 좋았다. 남베트남이 붕괴한 직후, 15만 명의 구 남베트남 시민이 종적을 감추었다. 그들은 사형에 처해지거나 강제 수용소에 수감되었다. 사이공 시도 <호치민> 시로 개칭되었다. 이 전쟁에서 전사한 숫자 미상의 북베트남 병사들을 기리는 의미에서였다. 1955년부터 1975년 사이에 사망한 베트남인은 100만~400만 명 사이일 것으로 추정된다. 캄보디아에서도 30만 명이 죽었다. 라오스에서는 2만~6만 명이 죽은 것으로 추정된다. 남베트남 붕괴 이후 수년이 지나, 라오스와 캄보디아에서도 공산 게릴라들이 현지 정부를 전복해 버리면서 살인은 계속되었다. 캄보디아의 인구는 800만 명이었다. 크메르 루즈는 이 중 무려 250만 명을 1975년부터 1979년 사이에 살해하거나 아사시켰다. 미국이 인도차이나 반도에서 철수하자 집권한 공산당 정권이, 자국 인구의 무려 32%를 죽인 것이다. 이제 와서 베트남 전쟁을 돌아보면, 당시 미국 사회 내부의 분열이 떠오른다. 워싱턴에 있는 긴 검은 벽 모양의 추모비에 새겨진, 58,000명의 미군 전사자 명단도 떠오른다. 물론, 그것들은 반드시 잊지 말아야 할 중요한 것이다. 그러나 미국이 베트남 전쟁에서 다른 선택을 했다면 역사가 어떻게 바뀌었을지에 대해 논하려는 자는 별로 없다.

해군 함대가 남베트남 철수를 엄호하고 있던 1975년 4월, 나는 필리핀으로 가고 있었다. 비행대대장으로 잘 근무한 덕택에 더 높은 자리로 영전하게 되었다. 수빅 만에서 나는 항공모함 <코럴 시>에 탑승했다. 나는 해당 함의 제15비행단의 신임 단장으로 내정되어 있었다.

항공모함의 분위기를 탓할 생각은 없었다. 모두가 전쟁을 잊고 싶은 마음뿐이었다. 다행히도 이 배는 남쪽의 오스트레일리아 퍼스로 항해할 예정이었다. 1942년 산호해 전투를 기념하기 위해서였다. 이 전투에서 미국에게 패배한 일본은 오스트레일리아 상륙을 단념하게 된다.

제15비행단은 미국의 가장 가깝고 충성스런 동맹국인 오스트레일리아에 상륙해 휴가를 보낼 필요가 있었다. 오스트레일리아인들은 우리 해군 장병들을 언제나 친절하고 정성스럽게 대해 주었다. 동포인 미국인들도 우리를 그 정도로 극진하게 대우해 주지는 못할 지경이었다. 상륙은 부하 장병들과 친해지고, 전임 단장인 인먼 "호기" 카마이클 중령과의 인수 인계를 쉽게 하는 방법이기도 했다.

우리는 큐비 포인트에 잠시 머물렀다가 출항했다. 순다 해협을 통과했다. 순다 해협은 제2차 세계대전에서 중순양함 USS <휴스턴>이 장렬한 최후를 맞은 곳이다. 승조원들은 퍼스에서 즐거운 시간을 보내기를 기다리고 있었다. 매일 아침마다 나는 콘도르가 비행갑판 위에서 조깅을 하는 것을 보았다. 그는 즐거운 휴가가 다가오자 정상 상태를 회복해 가는 것 같았다.

그런데, 그 휴가는 결국 오지 않았다. 콘도르의 말이다. "어느 날 아침 일어나서 조깅을 하러 비행 갑판에 나갔는데, 해가 평소와는 다른 쪽에서 뜨고 있는 거예요." 뭔가 또 큰 사건이 터진 것이었다. 그리고 대통령은 사건 현장에서 가장 가까이 있는 항공모함을 찾았고 말이다. 그 항공모함이 바로 <코럴 시>였다. <코럴 시>에는 함수를 북으로 돌려 전속 전진하라는 명령이 내려왔다.

캄보디아 크메르 루즈가 미국 국적 컨테이너선 <마야게즈> 호를 납치한 것이었다. 그 승조원들은 어딘가로 끌려갔고 말이다. 1968년 <푸에블로> 함 사건의 정확한 재판이었다.

동남아시아와 미국 간의 악연은 언제까지 계속될 것인가?

<마야게즈> 호는 사이공의 미국 대사관에 보관되어 있던 컨테이너 80개 분량의 군 장비와 물자를 싣고 남베트남을 출항한 차였다. 이 배의 원래 목적

지는 태국이었다. 항해 중인 이 배는 잘못하여 캄보디아 영해에 들어섰다. 우리가 퍼스로 가고 있던 1975년 5월 12일, 풀로 와이 섬으로부터 몇 마일 거리의 앞바다에서 크메르 루즈 군의 보트가 <마야게즈> 호에 접근해 선수를 향해 RPG(Rocket Propelled Grenade, 소련제 대전차 로켓포-역자주)를 사격했다. <마야게즈> 호 선장 찰스 밀러는 배를 정지시키고 SOS 신호를 발신할 것을 명령했다. 크메르 루즈 군은 <마야게즈> 호에 승선하여 풀로 와이 섬으로 갈 것을 요구했다.

다음날 아침, 미 해군 초계기 2대가 정박해 있는 <마야게즈> 호를 코 탕 섬 북쪽에서 발견했다. 크메르 루즈에 의해 그 곳으로 옮겨진 것이었다. 배의 국적과 이름을 확인하기 위해 저공비행하던 미군 항공기들에게 크메르 루즈는 대공포화를 가했다.

제랄드 포드 대통령은 크메르 루즈가 해적 행위를 하고 있다고 전 세계에 주장했다. 1968년 푸에블로 함 납치 사건은 당시 존슨 행정부를 수개월간이나 골치 아프게 했다. 안 그래도 남베트남 패망으로 인해 미국의 자존심에는 금이 갔다. 포드 대통령은 이번에도 약한 모습을 보이기 싫었다. 그는 미군에 <마야게즈> 호를 습격, 탈환하고 승조원들을 구출할 것을 명령했다. <코럴 시> 소속 제15비행단은 이 작전에서 항공 지원 및 캄보디아 본토 표적 타격을 맡게 되었다.

원칙대로라면 나는 지금 제15비행단을 지휘하고 있어야 했다. 그러나 호기 카마이클은 전투가 코앞인 이 시점에 지휘권을 반납하고 이임할 생각이 없었다. 물론 나는 그것도 비난할 생각이 없었다. 나 같아도 그랬을테니 말이다. 나는 임무부대 사령관 봅 쿠간 소장과 함께 주어진 상황을 견디기로 했다.

서태평양 전역에서 고른 미군 부대들로 구출부대가 만들어졌다. 이들의 조직과 지휘는 제7공군 사령부에 맡겨졌다. 원 계획은 태국의 항공 기지에서 공군 헬리콥터에 해병대를 태워 캄보디아에 보낸다는 것이었다. 그러나 5월 13일 밤, 목표로 날아가던 헬리콥터 1대가 추락하여 탑승자 23명이 죽었다. 이 때문에 작전은 <코럴 시>가 현장에 도착할 때까지 일시 정지되었다.

5월 14일 아침, 공군의 F-111과 A-7 항공기들이 어선에 타고 있던 <마야게즈> 호 선원들을 발견했다. 크메르 루즈는 미군이 이들을 찾기 어렵게 하기 위해 이들을 캄보디아 본토로 옮겨 놓을 생각이었다. 미군 항공기는 어선 전방에 위협 폭격과 사격을 가하고, 캄보디아 고속정 여러 척을 격침했다. 그러나 크메르 루즈는 이 정도로 포기하지 않았다. 어선은 계속 전진했고, 미군 항공기들은 어선을 놓치고 말았다. 이후 미국 선원들의 행적에 대해서는 보고자마다 말이 다 달랐다. 어떤 사람은 그들이 코 탕 섬으로 돌아갔다고 주장했다. 또다른 사람은 그들이 캄보디아 본토에 상륙했다고 믿었다.

14일 오후, 제랄드 포드 대통령은 코 탕 섬과 <마야게즈> 호에 헬리콥터 강습 작전을 실시할 것을 제7공군에 명령했다. 코 탕 섬에 투입된 병력은 미국 선원을 수색 구조할 것이고, <마야게즈> 호에 투입된 병력은 배를 탈환해 공해상으로 몰고 갈 것이었다.

구출 부대가 투입되기 직전, 쿠간 제독은 포드 대통령과 헨리 키신저 국무부 장관이 건 직통 전화를 받았다. 그 때 나는 <코럴 시>의 지휘통제실에서 쿠간 제독과 함께 있었다. 나는 쿠간 제독의 통화 내용을 주의깊게 들었다. 포드 대통령은 <코럴 시>에게, 항구 시설과 해군 기지를 포함한 캄보디아 본토 표적을 타격할 것을 명령하고 있었다. 대통령은 이런 말도 덧붙였다.

"제독. 우리 화물선과 선원들을 탈환하시오. 이건 당신의 작전이오. 핵무기 사용을 제외한 일체의 권한을 부여하겠소. 자유롭게 사용하시오."

그러고보니 양키 스테이션의 우리 지휘관들은 이런 말을 거의 들어본 적이 없었다. 닉슨 대통령조차도 전투 명령을 이렇게 분명하게 내린 적은 없었다.

구출 작전은 5월 15일 새벽에 시작되었다. 그날 늦게 비행할 예정이던 다렐 개리는 전폭기들이 줄줄이 사출 발함하고, 해병대를 태운 공군 헬리콥터들이 코 탕 섬으로 날아가고 있던 그 시간에 비행 갑판으로 올라갔다. <알파 스트라이크>는 주어진 표적을 신속하게 완파했고, 덕분에 다렐의 비행은 취소되었다.

뒤늦게나마 우리 군은 주어진 임무를 제대로 수행해 보이고 있었다.

유감스럽게도, 당시에는 합동 특수작전 사령부나 신속대응부대 같은 것은 없었다. 급조된 합동부대가 코 탕 섬 상황에 대한 부정확한 정보에 의존해 작전할 수밖에 없었다. CIA는 코 탕 섬의 방위 상태가 약할 거라고 생각했다. 그러나 사실 그 섬에는 크메르 루즈 군 병력 100여 명이 배치되어 있었다. 좀 어이없게도 공산주의 동맹국 베트남으로부터 섬을 방위하기 위해서였다. 베트남은 그 섬에 대해 영유권을 주장하고 있었다.

착륙 지대에 투입된 해병대는 적의 기관총 및 RPG의 불세례를 받았다. CH-53 중수송 헬리콥터 여러 대가 적의 대공포화에 피격되는 것이 항공모함의 다렐에게도 보였다. 어떤 헬리콥터는 RPG를 2발 얻어맞고 앞바다 해상에 추락했다. 그 헬리콥터의 생존자들도 미군 호위함에서 보낸 구조용 보트가 올 때까지 몇 시간이나 바다에서 기다려야 했다. 이 생존자들 중에는 해병대 전방 항공 통제사도 있었다. 그는 공군의 생존용 무전기를 어떻게 찾아냈다. 그 무전기는 그가 A-7 코르세어 공격기를 표적으로 유도할 때 사용하던 것이었다. 헬기 잔해에 들러붙어 있던 그 무전기의 배터리 잔량은 점점 줄어들고 있었다. 그는 무전기를 사용해 할 수 있는 조치를 모두 취했다. 그 덕분에 착륙 지대에 고착되고 진을 친 해병대가 지원을 받을 수 있었다.

이 구출 작전에서 CH-53 졸리 그린 자이언트 헬리콥터 3대가 격추당했다. 그 날 코 탕 섬에서 벌어진 전투로 해병대원 15명이 전사했고 50명이 부상을 당했다.

한편, 미군 공격기는 <마야게즈> 호에 최루탄을 투하했다. 해병대 1개 중대를 태운 미국 군함이 <마야게즈>가 있던 정박지에 들어왔다. 1시간 후 <마야게즈> 호에 대한 습격이 시작되었다. 방독면을 쓴 해병대는 <마야게즈> 호에 승선했으나, 배는 비어 있었다. 배는 탈환했는데 사람들은 어디 간 걸까?

결국 크메르 루즈는 억류했던 미국 선원들을 석방하고, 이들을 배에 태워 바다로 보내 주었다. 미 해군 초계기가 그 배를 발견했다. 미 해군 군함이 그 배와 만나, 점심시간 이전에 미국 선원들의 신병을 확보했다.

오후에 벌어진 이 작전의 마지막 조치는, 미 공군이 해병대를 착륙 지대에서 퇴출시키기 위해 벌인 싸움이었다. 캄보디아 군은 막대한 화력을 동원해, 공군을 거듭 몰아냈다. 적의 대공포화에 손상을 입은 CH-53 헬리콥터 1대가 <코럴 시>에 강제 착함하기도 했다. 우리 정비사들은 순식간에 손상을 복구, 그 헬리콥터는 몇 시간 만에 다시 전투에 투입되었다.

전투는 격화되었고, 미군의 좌절도 심해졌다. 미군 항공기들은 계속해서 대공포화에 피격되었고, 미 해병대는 막대한 인명 손실을 내고 있었다. 결국 저녁식사 시간이 되자 공군은 작전 현장에 AC-130 건쉽 1대와 C-130 수송기 5대를 투입했다. 이 C-130들에는 15,000파운드(6.8톤)급 BLU-82 폭탄이 탑재되어 있었다. BLU-82는 미군의 가장 크고 강력한 재래식 폭탄이었다.

초탄의 폭발 장면은 다렐을 포함해 항공모함에 있던 사람들에게도 보였다. 대폭발과 함께 엄청난 충격파와 폭풍이 밀려왔다. 그 위력에 섬의 모습은 흐릿해졌고, 거대한 항공모함 <코럴 시>도 흔들릴 지경이었다.

어둠이 내리자 또다른 CH-53 헬리콥터가 달빛 없는 밤하늘에 불안하게 흔들거리며 나타났다. 이 헬리콥터에는 승무원 5명과, 엔진이 고장나기 전에 필사적으로 태운 해병대원 34명이 타고 있었다. 헬리콥터는 항공모함에 착함했고, 램프가 열리자 타고 있던 해병대원들이 비틀거리며 갑판으로 걸어 나왔다.

항공모함의 의무병들이 달려가 부상자의 부상 정도를 확인하고, 부상자들을 엘리베이터 위에 정렬시켰다. 비행단의 주임원사도 몸소 해병대원 한 사람 한 사람에게 음료수와 격려의 말을 전하며, 그들이 필요한 무엇이라도 주려고 했다. 부상을 모면한 인원들도 열대 지역에서 12시간이나 물 보급 없이 계속된 전투로 인해 탈수 증세를 보이고 있었다. 엘리베이터 위에 모인 부상자들은 격납 갑판으로 운반된 다음, 거기서 의무병과 그밖의 지원한 인원들에 의해 함내 병원으로 옮겨졌다. 병원에서는 외과 군의관들이 밤새도록 부상병들의 상처를 치료했다. 그들 덕택에, 그날 항공모함에 온 부상자들 전원이 목숨을 건질 수 있었다.

그날 밤, 어느 젊은 해병대 소위는 다렐 방의 침대를 배정받아 묵었다. 그는 탈진했고 충격에 빠져 있었다. 그의 표정은 "도대체 이게 어떻게 된 일이지?" 하고 말없이 묻고 있었다. 불과 48시간 전만 해도 그는 오키나와에서 편안한 생활을 즐기고 있었는데, 어느날 갑자기 아침부터 열대의 전쟁터에서 싸우고, 부하들이 전사하는 광경을 봐야 했다.

철수 마지막 단계에서 그 소위는 C-130이 자신을 향해 날아오며 BLU-82를 투하하는 것을 보았다. 낙하산이 개산된 그 폭탄은 어이없게도 그 소위가 이끌던 소대 위치에 착지했다. 그러나 다행히도 불발탄이었다.

<코럴 시>와 그 소속 비행단은 불과 3주도 안 되는 기간 동안 남베트남에서의 미국인 최종 철수는 물론, 오늘날 베트남 전쟁 최후의 전투로 불리는 <마야게즈> 호 전투에까지 참전했다. 코 탕 섬에서 전사한 15명의 해병대원들의 이름은 10년 후 건립된 워싱턴 베트남 전쟁 전사자 추모비의 마지막 부분에도 새겨지게 되었다. 그 섬에서는 그 밖에도 해병대원 3명이 실종되었다. 이후 그들은 크메르 루즈 군에 생포되어 구타당해 죽은 것이 밝혀졌다.

손실은 컸지만 미국은 배와 선원을 탈환했다. <푸에블로> 사건이 반복되게 놔둘 수는 없었다. 크메르 루즈는 <마야게즈>에 실려 있던 화물을 검사하거나 하역할 시간을 얻지 못했다. 덕분에 그 화물의 비밀은 지켜졌다. 현재까지 미국 정부는 <마야게즈>에 실려 있던 화물의 정체를 밝히지 않고 있다.

<코럴 시>의 우리들은, 미군의 힘을 보여주겠다는 포드 대통령의 의지를 알게 되어 매우 기뻤다. 내가 맡을 비행단도 주어진 표적을 모두 파괴하는 훌륭한 성과를 보여 주었다. 이런 류의 위기를 가장 잘 처리하는 방법을 알아내는 데는 그 후로도 많은 시간이 걸렸다. 1980년 이란 인질 구출 작전의 실패는 이런 작전에서 해서는 안 되는 일들의 반면 교사였다. 그래도 그 덕분에 우리 군은 발생할 수 있는 어떤 사태에도 대응할 수 있는 유연성을 갖게 되었다. 적어도 <마야게즈> 호 사건을 통해 포드 대통령은 미국의 힘과 의지를 적들에게 확실히 보여주었다. 린든 B. 존슨 대통령도 그런 기개가 있었다면 우리 군에게 큰 도움이 되었을 텐데 말이다.

부상당한 해병대원들을 수빅 만에 내려놓고, 우리 항공모함은 퍼스로 향해

해 거기서 10일을 기항했다. 오스트레일리아인들은 우리를 매우 따뜻하게 맞이해 주었다. 우리는 어딜 가건 가족같은 대접을 받았다. 승조원들은 술잔을 기울이며 즐겁게 웃고 떠들면서 전쟁의 상처를 묻으려 했다. 기항 기간이 끝날 쯤 나는 공짜 술과 파티에 지칠 지경이 되었다. 그래서 침대 속으로 도망쳐 기상 나팔 없는 잠만 자기도 했다. 세계는 10년만에 다시 평화를 찾았다.

제17장

<탑건>과 톰캣

내가 <코럴 시>의 비행단장으로 항해에 나간 동안, 미 해군은 베트남 전쟁 이후 첫 번째 대혁신을 시작하고 있었다. 그 변화의 중심에는 강력한 신형 전투기가 있었다. <탑건>에서도 설계에 참여한 그 전투기는 바로 그루먼 항공기 제작사의 F-14 톰캣이었다.

<탑건>이 1969~1970년에 실시한 연구로 인해 해군 항공대의 개념과 역할은 재정립되기에 이른다. 헌신적인 지휘관과 초급 장교들의 노력으로, <탑건>은 베트남전쟁 종전 후에도 살아남았고, 새로운 전성기를 맞아 해군 항공대가 향후 20년간 사용할 전술을 정하는 데 기여하게 되었다.

어떤 전투기도 영원히 사용할 수는 없다. 팬텀은 많은 장병들의 사랑을 받으며 오랫동안 큰 활약을 해 왔다. 그러나 1969년 내가 <탑건> 교장으로 임명되었을 때도, 이미 팬텀 시대의 종말은 예견되어 있었다. 미라마 시절의 전우 샘 리즈는 1972년 10월, 항공모함 USS <엔터프라이즈> 소속 제1전투비행

대대(VF-1)의 대대장으로 영전했다. 이 비행대대는 미 해군 최초로 F-14를 지급받아 운용한 부대였다. 같은 해, F-8 기종전환 훈련 비행대대였던 VF-124도 F-8 조종사 양성을 중단하고, F-14 조종사 양성을 시작했다. <탑건>에서는 그 대대의 칼을 훔쳐내어 팬텀기에 싣고 마하 2까지 속도를 낸 적이 있다.

마지막까지 팬텀을 운용하던 함재 비행대대도 1987년에 톰캣으로 기종 전환을 완료했다. 즉 15년 동안 팬텀과 톰캣이 해군 항공모함에서 동시 운용된 셈이다.

톰캣 부족에 속할 기회가 없었다는 게 군생활에서 몇 안 되는 한 중 하나다. 그럴 기회만 있었다면 나는 뒷좌석에 J.C. 스미스나 호크아이 라잉 같은 사람을 태우고 멋지게 비행하는 꿈을 꾸었을텐데 말이다.

물론 F-14 톰캣도 하마터면 세상에 못 나올 뻔 했다. 국방부 장관 로버트 S. 맥나마라는 실무자들보다 해당 사업을 더 잘 알고 있다고 확신하던 인물이었다. 1968년, 그는 해군에 거대한 F-111 전투 폭격기를 함재기로 사용하라고 강요했다.

그러나 국방부의 해군 항공 작전 차장인 토머스 코놀리 중장이 F-14를 사용하겠다고 고집을 부렸을 때 국방부 장관이 얼마나 분했을지는 상상이 가고도 남는다. 코놀리 중장은 의회에 다음과 같이 솔직히 증언했다. “F-111은 전투기로 쓰기에는 추력이 너무 부족합니다.” 그리고 그는 장관과의 싸움에서 이겼다. 해군은 이렇게 <날개 달린 에드셀(Edsel)>을 사 쓰는 비극을 피했다. <…에드셀>은 F-111에 공군이 붙여 준 별명이다. 에드셀은 원래 포드 자동차의 모델 중 하나였지만, 워낙 성능이 좋지 않아 실패작을 의미하는 속어로도 쓰인다. F-111을 강력하게 지원하던 맥나마라 장관이 포드 자동차 사장 출신이라 이런 이름이 붙었다. 맥나마라는 복수에 들어갔다. 코놀리 중장은 충분히 대장으로 진급할 수 있는 인물이었지만, 맥나마라는 그를 진급시키지 않았다. 그러나 이 싸움에서 거둔 해군의 승리는 또다른 방식으로 영원히 남게 되었다. 해군이 F-14의 별칭을 코놀리 중장의 애칭 톰(Tom)을 따서 톰캣(Tomcat)으로 정했기 때문이다. 이 전설적인 항공기의 이름은 그렇게 정해졌다. 물론 톰캣의 이름 뒷부분은 제작사인 그루먼 사가 해군 전투기를 만들 때 고양이(cat)에 관련된 이름을 붙이는 전통(와일드캣, 헬캣, 베어캣, 타이거캣 등)에 따라 캣(cat)이 되었다. 톰캣의 이름은 국방부 장관에 맞서 해군이 거둔 승리의 상징으로 남아 있다.

항공기를 자동차로 비유한다면 F4D 스카이레이는 포르쉐, F-4 팬텀은 머슬카, F-14 톰캣은 과급기 장착 캐딜락이라고 할 수 있다. 톰캣은 캐딜락처럼 크고 편안하고 빠르다. 타 기종보다 조종석 여유공간도 많고, 계기와 조작장치, 스위치의 배치도 합리적이라 조종이 편하다. 기다란 물방울형 캐노피 덕택에 조종사와 RIO의 시계는 팬텀보다 훨씬 좋다. 심지어 제작사인 그루먼 사는 RIO용 계기판 위에 손잡이까지 만들어 주었다. 공중전 시 RIO가 한 손으로 이 손잡이를 잡으면, 후방을 보러 몸을 돌리기가 훨씬 쉽다.

팬텀과 마찬가지로 톰캣도 함대 방공이 주임무인 쌍발 요격기다. 그러나 팬텀 개발 시와는 달리, 그루먼 사가 톰캣을 개발할 때는 전통을 중시했다. 다름아닌 전투기에는 기관총이 있어야 한다는 전통이었다. 그루먼 사의 설계자들은 톰캣의 기수에 강력한 20mm 기관포를 내장식으로 설치하여 이 전통을 이어나갔다. 거기에는 <탑건>도 한 몫 했다. 국방부에서 근무하던 해군의 프로젝트 담당 장교가 넬리스에 와서, 미사일 발사 플랫폼으로서의 F-14의 장점을 찬양하는 발표를 한 적이 있었다. 그 발표를 듣고 있던 머그스 맥코운(후일 <탑건> 교장 역임)과 나는 이런 질문을 했다. "기관총은 어디 있나요?" 그 날 우리는 그 외에도 많은 프로젝트 담당 장교들에게 핵심을 찌르는 질문을 했다. 결국 톰캣은 조종실 아래에 내장식 20mm 기관포를 설치한 형태로 완성되었다. 그 6포신 기관포의 무시무시한 사격음을 한 번이라도 들어본 사람은 그 소리를 절대 잊지 못한다. 분당 발사율도 6,000발에 달해, 적 조종사의 사기를 꺾는 데도 큰 효과가 있다. 전투기에는 기관총이 있어야 한다는 조종사들의 의견을 국방부에 전달하여, 결국 톰캣에서 실현시킨 것도 토머스 코놀리 제독의 공헌이다.

기관포는 전투기의 필수 무장이다. 그러나 F-14에만 탑재되는 최첨단

AIM-54 피닉스 공대공 미사일이야말로 F-14의 필살병기라 할 수 있다. F-14는 탑재하고 있는 휴즈 AWG-9 다작동방식 펄스 도플러 레이더를 사용해 100마일(185km) 이상 떨어진 6개의 표적을 동시 추적하고, 이 표적들에 피닉스 미사일 6발을 동시에 유도해 격추할 수 있다. 단가가 약 50만 달러나 하는 피닉스 미사일은 발사되면 무려 마하 5의 속도로 표적을 향해 날아간다. 그러나 중량 문제 때문에 피닉스 6발을 다 달고 비행하는 경우 보다는, 피닉스 4발, 스패로우 2발, 사이드와인더 2발을 달고 비행하는 것이 더욱 일반적이다. 톰캣의 최종 개량형인 F-14D는 <봄캣(Bombcat)>으로도 불리운다. 그 이유는 이 개량형에 들어서 합동직격탄(Joint Direct Attack Munition, JDAM) 등의 GPS 유도폭탄, 페이브웨이 레이저 유도폭탄, 정찰 포드 또는 적외선 표적 지시 포드 등의 장비 운용도 가능해졌기 때문이다. 이러한 톰캣의 도입으로, 해군 항공대는 이전보다 훨씬 높은 화력을 투사할 수 있게 되었다.

톰캣의 주익은 가변익이다. 고속비행 시에는 후퇴각을 20도까지 줄일 수 있고, 이착륙시에는 후퇴각을 직선익에 가까운 68도까지 늘일 수 있다. 날개의 후퇴각은 주어진 대기속도에서 최상의 비행 성능을 내기 위해 자동 조정된다. 날개를 최대한 후퇴시키면 마치 독수리처럼 보인다. 그러면서도 기동성 또한 엄청나다. 톰캣은 심지어 동체에서도 양력을 발생시키도록 설계되었기 때문이다. 톰캣의 원 엔진은 프랫 앤 휘트니 사 제품이었으나, 나중에 더욱 신뢰성 높은 제네럴 일렉트릭 F-110 엔진으로 대체되었다. 전자장비도 신형으로 교체되어, 이 3800만 달러 짜리 항공기의 힘은 더욱 강해졌다.

이 항공기는 1986년 개봉한 영화 <탑 건>으로 스타가 되었다. 이 항공기는 그 후 수십년 간 <탑건> 학교 및 미 해군 항공대 자체의 상징으로까지 여겨졌다. 실제 전투 조종사들은 물론 항공팬들까지도 팬텀파와 톰캣파로 나뉘어 의견을 좁히지 못한다. F-14가 보급되는 중에도 아직 많은 비행대대는 F-4를 운용하고 있었다. 그러나 내가 <코럴 시> 소속 비행단장으로 항해를 마치고 돌아오자, 함재기의 세대교체는 빠르게 다가오고 있었다. 미라마에서 <탑건>은 예상되는 위협에 대응한다는 본연의 임무를 계속하고 있었다.

톰캣의 대규모 전개가 시작된 해인 1975년, <탑건>의 공중전 기동 교육 방식에도 큰 혁신이 이루어졌다. 그 혁신을 일으킨 것은 신기술이었다. 샌 디에고에 위치한 회사인 <큐빅 코퍼레이션>은 해군 기술자들과 협력해 특별 원격 측정 포드를 개발했다. 이 포드는 전투기의 사이드와인더 미사일 탑재용 파일런에 그대로 끼울 수 있다. 데이브 프로스트는 항공기에 이 장비를 달고 1972년에 첫 비행 시험을 해 보았다. 이 장비는 공중전 훈련 공역 내에서 진행된 훈련의 모든 사항을 완벽히 기록하여, 훈련 종료 후 검토 가능하게 해주었다. ACMR(Air Combat Maneuvering Range 공중전 기동 훈련장)이라고도 불리우는 이 장비는 전투 조종사 훈련에 혁신을 몰고 왔다. 이 장비 덕택에 <탑건> 초창기의 문제점들을 해결할 수 있었다. 그 문제점들은 다음과 같다.

미라마 기지의 제1격납고. <탑건> 교육생들이 교육생석에 늘어져 있다. 방금 전 끝난 비행에서 무려 4~5회의 근접 공중전을 했던 터라 탈진한 상태다. 얼굴에는 산소 마스크 자국이 역력히 찍혀 있다. 산소 마스크는 고G를 받아도 빠지지 않도록 강하게 결속되기 때문이다. 비행복은 고속 기동으로 흘린 땀으로 절어 있다. 그들의 앞 연단에는 교관이 서 있다. 청색의 멋진 <탑건> 특제 비행복을 입고 있다. 살인 위원회를 통해 갈고 닦은 귀환정보보고 실력을 자랑하는 그는, 각 교육생들의 기동을 상세히 적은 노트를 주의깊게 참조한다. 교육생들에게 가르침을 줄 때 "좋은 소식은 뭐고 나쁜 소식은 뭐다." 하는 식으로 말하는 것이 <탑건>의 오랜 전통이다. 가끔씩은 교육생들에게 전해줄 좋은 소식이 없는 경우도 있다. 특히 교육 초기에 그런 경우가 많다. 그러나 나쁜 소식의 전달과 분석은 교육 극초기부터 시작된다.

교관은 보통 이렇게 말할 것이다. "크루저, 제3교전에서 자네는 머지 이후 첫 선회를 아주 잘 했다구. 내가 추월을 하지 않으려고 수직 기동으로 옮겨야 했을 정도지. 그런데 거기서 자네는 내 모습을 놓쳤지, 그렇지? 로우디. 후방석에 있던 자네는 날 보았나?"

그리고 나서 교관은 니 보드에 기록한 내용과 기억력에 근거해 전투 도해를 칠판에 그린다. 그러나 그가 이용하는 자료출처는 모두 믿음직하지 못하다. 특히 속도와 고도가 급격히 변하는 공중전 중에 심한 G를 받은 인간 두뇌에는 혈액이 잘 공급되지 않는다. 한 번의 비행에서 4~5회의 모의 교전을 하는 점도 문제를 더욱 악화시킨다. 그런 와중에서 모든 것을 다 이해하려다간 감각의 단락이 일어난다. 물론 무전 통신 내용을 담은 카세트 테이프가 있으면 도움이 되겠지만, 한계는 뻔하다. 교관은 오직 자기 힘만으로 누가 무슨 일을 했고, 거기서 어떠한 전훈을 이끌어낼 수 있는지를 알아내야 한다. 그래서 우리는 이런 말을 했다. "모의 교전의 승자는 칠판에 제일 가까이에 있는 사람이다."

올트 대령과 그의 연구진들은 이러한 문제 역시 예견했다. 그가 써낸 1969년 보고서에서는 모든 ACM 비행에서 항공기의 기동을 정확히 기록, 재생하는 전자적 관찰 체계의 필요성을 주장하고 있었다. 보고서의 권고안 부분을 집필한 멀 고더는 동서 해안의 주요 전투기 부대들이 ACMR을 설치할 것을 권했다. 이에 필요한 예산과 계획은 1968년 11월 응용 물리학 연구소와 존스 홉킨스 대학이 공동 발표한 보고서로 이미 기준이 나와 있음도 지적했다.

그로부터 채 10년도 안 지나서, 이러한 시스템의 잠재력은 <탑건>의 아리조나 훈련장에서 실증되었다. 해병대 유마 항공 기지 동쪽에 있는 곳이다. 원격 측정법 덕택에 주어진 공역에서 실시되는 공대공 전투에서 나오는 고도, 속도, 비행방향, 중력가속도, 무장상태 등의 다양한 데이터를 모두 기록할 수 있게 되었다. 이로서 우리 교관들은 전지적 시점은 물론, 훈련에 참가한 각 조종사의 시점으로도 교전을 재현할 수 있게 되었다. 절대 한눈팔지 않는 전자눈 덕택에 조종사가 미사일을 주어진 영역선도 내에서 발사했는지도 알 수 있게 되었고, 훈련 참가자들끼리 내가 격추했네 너는 못했네 하고 입씨름을 벌이던 시대는 종식되었다. 훈련장의 지상 기지국은 전투기에서 받아온 하드 데이터를 훈련장 본부에 중계한다. 훈련장 본부에서는 이 데이터를 극초단파 데이터 링크에 실어 미라마로 전송해 준다. 조종간에 달린 무장 발사 스위치를 누를 때마다, 이 시스템은 마치 심판처럼 그 명중 혹은 불명중 여부도 판

정해 준다. 때문에 이 시스템을 사용하면 정찰기를 몰고도 전투기 훈련에 참가할 수 있다.

이 새로운 시대를 맞은 <탑건>은 머그스와 존 엔슈가 이끌고 있었다. 그들의 지도력은 굳건했다. 그들은 <탑건>이 F-4 시대에 세워놓았던 엘리트적 분위기를 더욱 강하게 보전해 나가는 동시에, 신기술과 신개념을 도입했다. 머그스는 정계의 친구들의 힘을 빌어, 가상적기도 많이 도입했다. 그 중에는 남베트남 공군에서 운용하던 F-5 프리덤 파이터 전투기들도 있었다. 남베트남 공군 조종사들이 베트남 전쟁 패전 시 태국으로 타고 나온 것들이었다. 결국 <탑건>은 원하는 것은 뭐든 손에 넣을 수 있게 되었으며, 1급의 교육용 항공기도 확보했다. 건물도 없어서 주워 온 이동식 사무실을 교무실 겸 교실로 쓰던 때로부터 이 정도로 성장하기까지 실로 기나긴 세월이 걸렸다.

미국에 훈련을 받으러 오는 외국 조종사들도 이구동성으로 <탑건>에 와보고 싶어했다. <탑건>은 미 공군의 <레드 플래그> 조차도 빛을 바래 보이게 만드는 위엄이 있었다. <탑건> 교관들은 사우디 왕자부터 프랑스 공군 미라지 조종사까지 다양한 손님을 맞이해야 했다. 물론 그 중에는 술을 좋아하는 영국인들도 있었다. 영국인들은 지상에서나 하늘에서나 해괴망측하기 그지없었다.

못 말리는 다렐 개리가 이러한 변화의 중심에 서 있었다. 그는 1970년대 당시 <탑건>에 가장 깊숙이 연계된 해군 군인이었을 것이다. 그가 <탑건>에 처음 온 것은 1969년, <탑건>의 최연소 교관(RIO 담당)으로였다. 그는 교관 근무 중 뛰어난 실력과 헌신성을 보였다. 이후 그는 비행 학교에 입학하여 F-4 조종사가 되었다. 그는 <탑건>의 조종사 교육생 과정을 졸업하고 VF-51로 돌아갔다. 그 이후 내가 그를 다시 만난 것은 <마야게즈> 호 사건 당시 항공모함 <코럴 시> 함상에서였다. 그 항해 이후 그는 <탑건> 교관으로 부임, <탑건>에 세 번째로 발을 들이게 되었다. 그는 교관 조종사, 유마 기지의 공중전 기동 훈련장 기획관으로 근무하면서 <탑건>을 한 단계 더 높은 수준으로 올려놓은 기술 혁신의 선구자가 되었다.

개리는 미 공군 전술 공군 사령관인 공군 대장에게도 ACMR에 대해 브리핑을 한 적이 있다. 브리핑을 들은 그 장군은 그 시스템이 마음에 들지 않는다고 얘기했다. 개리가 그 이유를 묻자 장군은 이렇게 답했다. "우리 공군 조종사들은 누구나 좋은 기동과 실수한 기동을 구별할 수 있기 때문이라네. 이런 장비를 주면 사고율만 높일 뿐이야. 공군 조종사들은 허접하게 보이느니 죽음을 선택할 사람들이거든." 개리는 그 말에 농담과 진담이 반반 섞여 있음을 알아챘다.

전투 공역을 시공간적으로 정밀 파악하고자 한 사람들은 <탑건> 교관 말고도 많았다. 우리 함대 항공대 요원들도 마찬가지였다. 신기술 덕택에 그들 역시 원하던 것을 얻을 수 있었다. 최신 공중 조기 경보(airborne early-warning, AEW) 항공기는 먼 거리에서도 적기를 발견하여 추적할 수 있는 강력한 레이더를 달고 있다. E-2 항공기의 직경 24피트(7.2m)짜리 회전식 레이돔이 바로 그런 첨단 기술의 산물이라고 할 수 있다. 이 레이더는 무려 수백 제곱 마일 면적을 볼 수 있다. 이 항공기에는 5명의 승무원이 타는데, 그 중 3명은 전투정보관, 공정통제사, 레이더 조작사 등의 전문 요원이다. 이들이 근무하는 항공기 기내는 <터널>이라는 별칭으로 불리우는 좁고 밀폐된 장소다. 내부에는 스코프, 다이얼, 스위치들이 빼곡하다. 모든 전투 정보를 관리하는 이 항공기의 체계를 조작하려면 엄청난 실력이 필요하다.

미라마 해군 항공대의 공식 명칭은 태평양 함대 전투 및 공중 조기 경보 비행단(Fighter and Airborne Early Warning Wing, Pacific Fleet, 약자로 ComFitAEWWingsPac)이다. 이 부대의 조기 경보기 운용 부대는 함대에 파견되어 전투 준비 태세를 유지하는 비행대대들은 물론 <탑돔(Top Dome)>이라는 이름의 자체 전술 학교도 갖고 있다. 함대 방공에는 실시간 정보의 신뢰성 있는 전달이 필요하다. 때문에 데이터 링크는 갈수록 중요해졌다. 훈련에서도 E-2와 전투기들의 합동 작전이 많이 실시되고 있었다. 그러나 다른 곳에서는 <탑건>이 원하는 종류의 협동성을 내지 못하고 있었다. 코브라 룰리프슨과 호크 스미스가 지휘하던 당시의 <탑건>은 이 문제의 해결에 전력했다.

룰리프슨은 E-2 승무원들의 기량을 발전시키기 위한 프로그램을 고안해냈다. 이 프로그램은 해상 공중 우세 위협(Maritime Air Superiority Threat, 약자로 MAST) 프로그램, 또는 <탑스코프(Topscope)>라고 불리웠다. 이 프로그램 내용은 1976년 당시 해군 참모총장에게 제출되었고 1978년부터 본격적으로 시작되었다. 1979년 <탑건>의 1개 기수 교육 기간은 5주였으며 기수별 정원은 49명이었다. 같은 시기 <탑스코프>의 1개 기수 교육 기간은 4주였으며, 기수별로 항공기 조종사 및 공중 요격 통제사 109명씩을 양성했다. 1980년, 이 두 프로그램은 공식 통합되었으며, 교육 기간은 6주로 늘어났다.

베트남 전쟁 종전 후 일어난 이러한 발전은 초대형 항모를 보호하는 데 기여했다. 소련은 미국 항모전단의 위협을 잘 인식하고 있었다. 그들은 미국 항모전단을 물리칠 방법을 수십년간 연구해 왔다. 소련은 자국산 초대형 항모를 건조하지는 못했다. 그러나 미국 항모전단을 위협할 항공기와 무기를 개발해내는 데는 성공했다.

미국 항공모함 킬러로 잘 알려진 Tu-22M 백파이어 폭격기는 1969년 처녀비행했다. 전력화는 1972년에 이루어졌다. 300마일(560km)의 사거리를 지닌 공대지 미사일로 무장한 이 항공기는 마하 2의 속도로 미국 항모전단에 돌격하여, 미국 방공 화기의 사거리 밖에서 공대지 미사일을 사격할 수 있었다. 백파이어 폭격기 1대는 공대지 미사일을 4발 이상 탑재한다. 그렇다면 백파이어 1개 비행연대(약 40대) 전체가 공격에 나설 경우 미국 항모전단은 최대 약 200발의 미사일을 얻어맞게 된다. 항모전단의 방공 능력을 압도하는 화력이다. 이들 공대지 미사일에는 재래식 탄두는 물론 핵탄두도 탑재할 수 있다. 최악의 경우 자산 가치가 수십억 달러나 되고 수천 명의 미국 젊은이들을 태운 항모전단 하나가 미사일 한 발로 증발해 버릴 수도 있는 것이다.

때문에 1970년대 초반부터 우리군 고위 사령부가 소련 백파이어 폭격기의 위협을 매우 심각하게 여기고 걱정한 것은 무리가 아니었다. 그 위협에서 우리 항모전단을 지켜야 했다. 미군이 내놓은 해결책은 F-14, E-2 항공기, 피닉스 미사일의 조합이었다. F-14는 항속거리가 길어 항모에서 멀리까지도 초계가 가능했다. E-2는 레이더 탐지범위가 넓어 항모에서 멀리 떨어진 표적도 볼 수 있다. 항모전단이 적의 탐지를 피하려 "EMCON" 통제 상태(레이더 등 전자파를 방출하는 기기를 모두 끈 상태)로 항해하고 있을 때도 말이다. 사거리가 100마일(185km)이나 되는 피닉스 미사일은 항모전단에서 멀리 떨어져 있는 Tu-22도 격추할 수 있다.

소련 백파이어에 대한 대응 전술 고안은 <탑건>에게 맡겨졌다. 1970년대 후반과 1980년대 초반을 거쳐, <탑건>은 미 해군 항공대의 장거리 요격 및 전투기 간 근접 공중전 능력을 강화해 주었다. 먼로 스미스는 <탑건>의 교장으로 재직할 당시, <전기톱(chainsaw)>이라는 전술을 고안해냈다. 톰캣을 항속거리가 허용하는 한 항공모함에서 최대한 멀리 떨어진 곳에서 초계시키는 것이다. 이 전술을 구현하려면 E-2 호크아이, 톰캣, 공중급유기가 계속 비행해야 한다. 이들 항공기들은 항모전단을 중심으로 반경 200마일(370km)에 달하는 방공망을 구성한다. 이 방공망은 항공모함 갑판에서 5분 대기 중인 전투기로 쉽게 강화할 수 있다. E-2 호크아이는 전투기 근처에서 선회비행하면서 방공망보다 반경이 수백 마일 더 넓은 공역을 레이더로 탐지하고 통제할 수 있다. 백파이어 폭격기들이 발견될 경우, 톰캣은 후기 연소기를 작동시켜 적기와 빠르게 거리를 줄이고, 피닉스 미사일을 발사한다. 소련 폭격기 승무원들은 우리 E-2의 뛰어난 레이더 성능을 뼈저리게 느끼게 될 것이다. 톰캣 전투기 역시 공중급유만 받는다면, 조종사의 체력이 받쳐주는 한 언제까지나 소련 폭격기들을 추격할 수 있다. 피닉스 미사일이 문제 많은 스패로우 미사일보다 더욱 신뢰성이 높기만을 바랄 뿐이었다.

미라마 <탑건>의 프로그램 확장은 전투기 승무원 및 조기 경보기 승무원들을 이러한 함대 방공 전술에 숙달시키는 것이 목표였다. 승무원들은 전투기 간 공중전은 물론 소련 폭격기의 인해전술에 대한 항모전단 방어에 대해 더욱 심도 있게 배우게 되었다. 우리는 적기가 미사일을 쏘기 전에 격추하고 싶었다. <탑건>은 MAST 프로그램 팀을 동해안의 F-14 및 E-2 비행대대로 보내, 최신화된 소련의 대항공모함 능력과 그에 대한 대처법을 브리핑했다. 때때로 소련은 신전술을 우리에게 시연하기도 했다. 1980년대 초반, 소련은 미 항공모함 <엔터프라이즈>와 <미드웨이>로부터 120마일(222km) 떨어진 곳까지 폭격기를 보내 모의 공격을 실시하기도 했다. 그들의 훈련을 관찰한 우리는 소련 백파이어 폭격기들의 작전 계획에 대해 잘 알게 되었다. 그리고 거기에 맞춰 우리의 전술도 바꾸었다.

로니 “이글” 맥클룽은 1980년부터 1981년까지 <탑건>의 교장이었다. 그는 F-14 조종사들에게 소련 순항 미사일의 위협에 대처하는 방법을 교육시키기 위해 공군의 협력도 얻었다. 공군의 SR-71 블랙버드는 가상 적 순항 미사일로 최적의 기체였기 때문이다. 그는 빌 공군 기지의 협조를 얻어, 블랙버드를 이륙시켜 샌 클레멘트 섬 한참 아래쪽의 해상으로부터 해안을 향해 날아가게 했다. <탑건>은 블랙버드의 방사상 예상 접근 경로 상에 10마일(18km) 간격으로 F-14를 배치하고, 레이더를 남쪽으로 향하게 했다. F-14의 레이더가 블랙버드를 조준하자, <탑건> 교육생들은 후기 연소기를 작동시키고 상승하여, 피닉스 발사에 적합한 위치로 날아갔다. SR-71의 엄청난 속도는 유사 시 날아올 소련 대함 미사일의 속도와 매우 비슷했다. 이 훈련을 통해 교육생들은 소련 미사일을 격추할 수 있는 시간이 매우 짧다는 것을 체감하게 된다. 속도와 고도를 높일수록 적을 격추할 가능성도 높아진다. 이글에 따르면, 톰캣의 고도가 40,000피트(12km)는 돼야 한다. 실습을 통해 표적과의 접근 속도를 체감하는 것보다 더 좋은 교육방식은 없다.

다행히도 우리는 이런 전술이 실전에서도 유효한지를 알 기회는 없었다. 만약 소련과의 전면전이 벌어진다면, 해군 항공대는 백파이어 수백 대는 물론, 구형인 Tu-16 폭격기와 Tu-95 베어 폭격기도 상대해야 한다. 이들 소련 폭격기들은 호위 전투기는 물론, 전자전기도 동행하고 있을 것이다. 그들은 우리 항모전단에 수천 발의 미사일을 날려댈 수 있을 것이다. 어떤 전술도 무기도 만병통치약이 될 수 없다. 우리가 적기 중 99%를 격추한다고 해도, 적은 나머지 1%만 갖고도 우리 함대를 충분히 증발시킬 수 있다.

베트남 전쟁 종전 이후 적의 위협이 구체화되고 <탑건>이 이에 대응하는 기간 동안, 나는 바다에 꽤 오래 나가 있었다. F-4 팬텀 4개 비행대대, 공격 비행대대, 폭격 비행대대, 급유 비행대대, 조기경보 비행대대, 헬리콥터 비행대대 등으로 이루어진 항공모함 비행단의 단장직은 내가 해 본 일 중에 가장 어렵고도 재미 있었다. 어떻게 보면, 비행단장직은 해군 조종사로서 마지막으로 누릴 수 있는 꿀보직이기도 했다. 그보다 더 높은 직위로 올라가면 조종을 해 볼 기회는 크게 줄어드니까 말이다. 비행단장은 비행단이 보유한 모든 항공기를 다 타 볼 수 있다. 정말 흥분되는 경험이 아닐 수 없다. 나는 불과 며칠 만에 F-4 팬텀, A-6 인트루더, 헬리콥터를 다 타 보았다. 전시에는 나는 <알파 스트라이크>를 지휘하여, 휘하 비행대대들의 공격 작전을 조정하게 된다.

비행단장직을 잘 하려면 그 이전까지 배웠던 모든 것을 총동원해야 한다. 비행단장은 그 동안 다른 장교들에게서 배우고 조언받은 것들 중 적절하다고 여겨지는 것을 골라 지휘에 활용해야 한다. 탁월함과 개방성, 자기평가를 장려하는 부대 분위기를 만들어야 휘하 장병들이 자기를 계발하고 성공으로 나아갈 수 있다. <코럴 시> 함상에서, 나는 큰 지침을 정하는 데는 <탑건>에서 배운 지휘 방식을 주로 사용했다. 그리고 나서 사소한 것은 참견하지 않고, 휘하 비행대대장들의 재량에 맡겨 두었다.

우리 F-4 비행대대들은 소련 폭격기 및 소련 전투기 요격을 모두 훈련하고 있었다. 하나의 임무에만 과도하게 몰입하던 시대는 끝났다. 지난 1960년대 베트남 전쟁과 그에 대한 <탑건>의 해결책으로부터 우리 군은 많은 것을 배웠다. 이제 시대는 어떤 위협에도 대처할 수 있는 유연한 부대를 원하고 있었다.

정말 가슴벅찬 시절이었다. 나는 한시도 빼놓지 않고 그 시절을 철저히 즐겼다. 비행단장직에서 이임하면, 이제 일선 비행은 후배들에게 맡겨야 한다는 것을 알고 있었다. 그런 의미에서 볼 때 F-14의 함대 보급이 갈수록 늘어나는 것은 즐겁기도 하고 슬프기도 했다. 비행단장직만 무사히 마치면 나의 경력은 탄탄대로였다. 제77임무부대의 참모직도 수행할 수 있고, 그러고 나면 항공모함 함장도 할 수 있을 것이었다. 그러나 한편으로 F-14를 몰고 고도 5만 피트(15km)에서 음속돌파를 해 볼 기회가 없는 것은 아쉬웠다. 노스 섬에서 <포드>를 조종하던 시절로부터 참 먼 길을 왔다.

비행단이 상륙했을 때 롱 비치 해군 조선소 장교 회관에서 보낸 순간이야 말로 내 군생활 중 제일 즐거웠던 순간 중 하나다. 한 번은 다이델리언 협회(Daedalian Society, 미군의 항공 우주 전력에 대한 국민들의 관심과 성원을 장려하는 군민 연합 단체-역자주)의 기조 연설을 맡은 적도 있었다. 그 때 무슨 말을 했는지는 잘 기억이 안 난다. 하지만 그 때 맨 앞자리에 있었던 어떤 사람은 확실히 기억난다. 덩치가 작은 그는 스스로를 돋보이려 하지 않았다. 그는 겸손하게 처신했다. 훌륭한 사람들이 모두 그렇듯이 말이다. 그는 다름 아닌 지미 둘리틀 장군이었다.

나는 쉽게 감동하는 사람은 아니다. 그러나 둘리틀 장군이 나를 불러 항공과 그에 연관된 다양한 것들에 이야기를 나누었을 때, 나는 그에 대한 엄청난 감사와 경외를 느꼈다. 후일 그의 이름을 따 <둘리틀 공습>으로 불리게 된 1942년 4월의 도쿄 폭격 작전에서, 그는 실로 엄청난 용기를 발휘했다. 제2차 세계대전에서 미국의 패배가 코앞에 있는 듯 하던 그 시기, 그는 16대의 육군 폭격기를 이끌고 낡은 직선 갑판 항공모함에서 발함했다. 그가 맡은 임무는 사실상 자살 공격이었다. 둘리틀 장군은 나를 불러 스카치를 마시면서, 나의 <코럴 시> 생활에 대해 많은 이야기를 나누었다. 그와 함께 시간을 보낸 것은 크나큰 영광이었다. 그것은 나 역시 군생활 중 업적이 있음을 그도 인정하는 것이었다. 훌륭한 인물과 함께 나눈 잊혀지지 않는 술잔이었다.

1976년, 나는 비행단장 임기 중 마지막 비행을 하고 조종석에서 나오면서 전일제 해군 조종사 생활에도 작별을 고했다. 해군은 나를 대령으로 진급시켜 주었다. 이제 나는 해군의 고급 장교가 되었다. 물론 대령이 된 후에도 가끔씩은 비행은 가능하다. 그러나 일선 전투 조종사 시절은 끝이 났다. 이제 전역하는 날까지 사무실 근무만 기다리고 있을지도 모른다. 그 현실을 받아들이기가 참 어려웠다. 다행히도 그런 일은 벌어지지 않았다. 신임 대통령 로널드 윌슨 레이건이 집권했기 때문이다. 그는 베트남 전쟁 패전으로 실추된 미군(당연히 해군 항공대도 포함한)의 위상을 다시 높이고자 했다. 그러니 나처럼 갓 진급한 대령에게도 지휘권이 주어지기 안성맞춤인 조건이 되었다. 해군은 나를 함장으로 임명해 다시 바다에 나가라고 했다.

제18장
검은 구두*

1978년, USS <위치타> 함상

항공모함에 승조한 해군 조종사들은 언제나 그 항공모함의 승조원으로 여겨진다. 그들은 그 항공모함 소속 비행단 공중 근무자이고 그 항공모함의 장교이기 때문에 그런 인식은 타당하다. 또한 아무리 숙련된 해군 조종사라도 비행을 하지 않는 항공모함 승조원들이 도와줘야 그 기량을 발휘할 수 있다. 물론 항공기와 공중 근무자들이야말로 항공모함에서 제일 돋보이는 부분이고, 항공모함의 존재 이유다. 그러나 그들은 항공모함의 일부이지 전체는 아니다. 항공모함에 실린 90대의 함재기와 항공기 승무원을 언제 어디에라도 출격시키기 위해, 무려 5,000명의 승조원이 근무하고 있다. 하지만 갈색 구두라고도 불리우는 공중 근무자들은 그들의 노고 대부분을 접하지 못한다. 공중 근무자들은 비행대대와 비행단, 비행에만 신경쓴다. 기관, 항법, 보급,

* black shoes: 미 해군의 함상 근무자를 부르는 속어. 함상 근무자용 신발은 모두 검은색인 데서 유래했다. -역자주

의무, 치무, 통신은 물론, 심지어 비행갑판과 격납 갑판에서조차 다른 승조원들이 하는 일은 공중 근무자들에게는 다른 나라의 일이다.

항공모함 함장직은 해군 조종사 경력의 최고봉으로 여겨졌다. 그것은 해군이 오래 전부터 쌓은 경험칙 때문이었다. 항공모함 함장은 다른 군함의 함장과는 다른, 독특한 지휘 결심을 할 수 있어야 한다. 또한 해상 항공기 운용의 복잡성을 이해해야 한다. 따라서, 항공모함 함장을 맡을 해군 조종사 및 항공기 승무원이 거쳐야 할 보직들은 거의 전통으로까지 굳어져 있었다. 항공모함 함장을 맡기 전 항공모함의 수상전 사관 또는 갑판 사관을 해봐야 하는 것이다. 그런데 해군은 나를 로드 아일랜드의 지휘관 보임 전 과정 학교(Prospective Commanding Officers School)를 수료시키고, 군수지원함 USS <위치타(AOR-1)>의 함장에 임명했다. 내가 처음으로 지휘하게 된 함이었다.

조종사 생활과의 큰 차이점 하나를 거론하겠다. 마하 2급 전투기를 조종하던 나는, 순식간에 배수량 4만 톤, 길이 660피트(약 200m) 짜리 거대한 배에 장교 22명, 사병 400명과 함께 몸을 싣고 태평양을 12노트(시속 22km) 속도로 떠돌아 다니는 신세가 되었다. 이 배에도 함재기가 있기는 있었다. 그러나 그것들은 회전익기였다. 다른 배에 대한 수직 보급 임무를 수행하는, 보잉 사에서 제작한 CH-46 시 나이트 헬리콥터 2대였다. 군생활 중 처음으로 고정익 항공기가 없는 곳에 배치되고 말았다. 내 이전 근무지들과는 너무나도 다른 곳이었다.

왜 미 해군은 나 같은 전투 조종사를 군수지원함 함장으로 보임했을까? 알고 보면 신의 한 수다. 제2차 세계대전 중 미 해군은 항공모함을 모항에서 수천 마일 떨어진 해역에 계속 배치하고자 했다. 이는 결코 쉬운 일이 아니다. 항공모함 한 척에 탄 사람들이 소비하는 식량과 기본 보급품(휴지, 껌, 담배 등)의 양은 엄청나다. 항공모함도 자체 항행을 위한 연료와 윤활유, 그리고 소속 함재기들이 사용할 연료와 윤활유를 막대하게 소모한다. 그러니 항공모함을 계속 작전 상태로 유지하려면, 이 모든 보급품을 전달해 줄 보급 함대가 필요하다. 제2차 세계대전 중 만들어진 그 보급 함대는 해군의 전력 투사 능력에 혁신을 일으켰다. 종전 이후 30년이 넘게 지나면서 미 해군은 보급 함대의 전력도 가히 예술적인 수준으로 갈고 닦았다.

보급해 줄 항공모함과 바다에서 만나면, 우리 군수지원함은 항공모함과 옆으로 나란히 운항하면서, 항공모함과 홋줄을 연결한다. 그리고 커다란 고리가 달린 급유 호스를 연결하고, 그 호스를 통해 항공모함에 항공유와 벙커유를 보급해 준다. 그 동안 우리 배의 두 헬리콥터는 팔레트에 담긴 보급품을 줄에 매달아 항공모함의 비행 갑판에 내려 준다. 불과 몇 시간 만에 항공모함은 부족한 보급품을 모두 재보급받고 또 싸울 준비를 갖추게 된다.

한꺼번에 다른 배 두 척에 보급을 해 줘야 하는 경우도 있다. 공해상에서 초대형 항공모함과 구축함에게 동시 보급을 해 줬던 때가 생각난다. 3척의 군함이 미식축구 구장 길이 정도의 간격을 두고 횡대로 나란히 서서 파도를 가르며 나아갔다. 엄청난 조함 기술이 필요했다. 요즘도 그렇게 할 수 있는 다른 나라 해군은 드물다. 이런 뛰어난 보급 능력이야말로 우리 미 해군이 세계 어느 바다에나 가서 작전할 수 있는 비결이다.

항공모함 전단 작전을 보급적 측면에서 이해할 수 있어야 항공모함의 함장이 될 수 있다. 따라서 군수지원함으로 항공모함에 보급을 해 주는 것이야말로 항공모함 함장이 되기 위한 중요한 과정이다. 때문에 군수지원함 함장 자리는 결코 아무에게나 돌아가지 않는다! 해군에서 지극히 신임하는 극소수의 장교만이 군수지원함을 몰고 정확한 시간과 장소에 나타나 항공모함을 지원하는 일을 할 수 있다. 해군 조종사의 수는 엄청나게 많다. 그러나 <위치타> 같은 군수지원함의 숫자는 조종사에 비하면 소수다. 항공모함의 수는 군수지원함보다도 적다. 그러니 군수지원함과 항공모함의 함장이 되기 위한 조종사들 간의 경쟁은 상상을 초월할만치 심하다. 조종사들은 이 자리를 얻기 위해 엄청난 시간과 공을 들여 공부한다.

이 배를 타고 있을 때도 큰 위기가 있었다. 1978년, <위치타>를 샌 프란시스코 헌터스 포인트 조선소로 몰고 갔을 때다. <위치타>는 거기서 근대화 개장을 받을 예정이었다. 헌터스 포인트는 1978년 미식축구 시즌 때 무려 2승 14패를 기록한 <포티 나이너스> 팀의 연고지인 캔들스틱 파크 다음으로 범죄와 마약이 극심한 동네다. 그러나 우리는 <위치타>의 근대화 개장이 이루어지는 9개월 간 그 동네에 주둔할 수밖에 없었다. 첫 번째 문제는 승조원들의 숙소를 해결하는 것이었다. 배는 건선거에 입거되어 개장 공사를 받을 것이므로, 배를 숙소로 쓰는 것은 좋은 생각이 아니었다. 그래서 나는 다른 적당한 숙소를 알아보기로 했다. 하필이면 그 곳에는 숙박함도 없었다. 그러다가 조선소 구내의 빈 4층 건물을 발견했다. 다른 사람이 사용한 적도 없고 상태도 좋았다. 이 건물의 건물주는 우리 승조원들이 개장 공사 중 그 곳에서 숙박할 수 있게 해주었다. 우리는 그 건물에 침대와 TV를 설치했고, 매일 오후 5시 30분마다 맥주도 배급했다. 승조원들은 건물 현관에 <더 위치타 힐튼(The Wichita Hilton)>이라고 적힌 간판도 달았다. 그 멋진 호텔 덕분에 승조원들이 개장 공사 중 더럽고 시끄러운 함내에서 지내지 않아도 되었다.

조선소 사장은 특이하게도 도시 목장을 갖고 싶었던 것 같았다. 그는 다수의 가축들을 조선소 내에 풀어 놓았다. 나만 해도 꿩, 닭, 암컷 뿔닭들이 <포티 나이너스> 팀 구장 그늘 아래의 식물을 쪼아 먹는 모습을 보았다. 물론 승조원들도 그 동물들을 보았다. 우리는 필리핀 출신의 요리사 여러 명을 시켜 그 동물들을 사냥해 승조원들에게 요리해 먹였다. 조선소 사장은 우리의 그런 행위에 대해 일절 문제를 제기하지 않았다. 그러나 그가 매우 아끼던 염소가 사라졌을 때는 문제를 제기했다. 하필이면 그 전날 밤 우리 승조원들은 바비큐 파티를 즐겼고 말이다. 승조원들은 문제의 염소가 바다에 뛰어들어 알라메다를 향해 헤엄쳐 갔다고 주장했다.

그 곳에서 나는 카터 대통령 휘하의 미 해군 함장들이 직면한 가장 큰 문제인 인사 문제를 알아가기 시작했다. 베트남에서 미군이 철수하면서 미국은 징병제를 없애고, 3군의 인원 전원을 지원제로 충원했다. 그 이후 일부 전문 분야에는 숙련 장병이 크게 모자라게 되었다. 나는 그 사실을 헌터스 포인트에 신임 승조 군의관이 왔을 때 알아차렸다.

당시 함대는 군의관 부족으로 몸살을 앓고 있었다. <위치타> 함에도 군의관이 배정되지 않을 정도였다. 그러나 나는 높으신 분들에게 생떼를 써서, 결국 <위치타> 함에 군의관 1명을 배정시키는 데 성공했다. 하지만 도착한 군의관 잭 메스너의 면면을 보니, 그 군의관은 나를 도우러 온 게 아니라, 높으신 분들을 괴롭힌 나를 벌주러 온 사람 같았다.

그는 출고된 지 얼마 안 된 포르쉐 911 컨버터블을 몰고 부대 진입로에 들어섰다. 그리고 하필이면 내 전용 주차 구획에 차를 세운 다음 차에서 내려 나를 처음으로 만났다. 그는 외모도 매우 인상적이었다. 백발은 규정 이상으로 길게 길러 휘날리고 있었다. 옷도 그 날의 착용 복장으로 정해진 카키색 근무복이 아니라 백색 하약복이었다. 가슴에는 약장이 무려 4줄이나 붙어 있었다. 목에는 디스코 시절 유행하던 번지르르한 금목걸이가 걸려 있었다.

나중에 안 사실이었지만 군의관들의 의무 복무 기간은 짧았다. 때문에 함대에 배치되는 군의관들도 별도의 전입 장병 교육은 받지 않았다.

그것까지 알고 나니 그의 군복에 붙어 있는 그 많은 약장들이 가짜가 아닌가 하는 의심이 들었다. 그것들 다 정식으로 수여받은 거냐고 묻자 그는 어깨를 으쓱이며 능글맞은 미소를 지으며 이렇게 말했다. "모병관이 이렇게 달아도 된다고 하던데요."

그는 내 힘으로는 도저히 길들일 수 없는 야생동물이었다. 나는 부장을 불러 잭을 하갑판으로 데려가 가짜 약장을 제거시키고, 머리도 해군 규정에 맞게 깎아주라고 명령했다. 부장은 잭의 머리를 깎으려고 시도했지만, 사자 갈기 같던 잭의 머리를 조금밖에 건드리지 못했다. 이후에도 부장은 잭의 머리를 규정에 맞게 짧게 깎으려고 했지만, 그런 일은 일어나지 않았다. 승조원들도 잭이 자신들의 건강검진 보고서를 쓰는 사실을 알고 있었기 때문이다.

잭 군의관은 분명 골칫덩이였다. 그러나 군의관으로서 매우 유능한 인물이기도 했다. 그는 일반 개업의와 정신과 의사 자격을 취득한 후, 세계를 여행하기 위해 해군에 입대했다. 그는 활발한 성품과 성욕을 가지고 있었다. 나는 그가 텍사스 시골에 질린 나머지, 더욱 화끈한 모험을 찾아 군대에 온 거라고 확신했다.

내가 접한 해군의 문제 중에는 인종 간 갈등과 마약도 있었다. 베트남 전쟁 이래 우리 군은 계속 힘겨운 시간을 보내고 있었다. 심지어 베트남 전쟁 중에 조차(1972년 10월 12/13일-역자주) USS <키티 호크>에서 대규모 인종 폭동이 발생, 수십 명의 부상자가 발생하기도 했다. 다행히도 해군은 단결력을 높여갔고, 흑인 장병들에게 더 나은 처우를 실시했다. 이러한 조치로 인해 인종 간 갈등이 최악으로 치닫는 것을 막을 수 있었다.

마약은 인종 문제와는 또 다른 얘기였다. 항해 중인 수많은 해군 군함에서 마음만 먹으면 엔젤 더스트(버섯 채취 화낙 알칼로이드가 주성분인 펜시클리딘 계 마약-역자주), 헤로인, 팟(Pot, 대마초의 이명 중 하나-역자주), 코카인 등을 쉽게 구할 수 있었다. 심지어 전우들에게 마약을 팔아 돈을 버는 장병들도 있었다. 함상의 해군 장병들에게는 미국 우정청에서 정기 우편이 배달되어 온다. 그리고 군함의 간부들에게는 우편물의 내용을 사전 검사할 권한이 없다. 때문에 미 본토의 마약 장사들은 누구의 방해도 받지 않고 이 우편물을 이용해 함상의 장병들에게 마약을 통신 판매할 수 있었다. 해군 범죄 수사대는 이런 식으로 함내에 반입되는 마약에 대해 완전 무방비 상태였다. 그들이 대책을 세우기 까지는 수년이 걸릴 것이었다. 함상에서 마약 거래를 하는 사람들을 적발해 현행범으로 체포하는 것이 유일한 대책이었다. 그러나 그 조차도 적발 실적이 가뭄에 콩나듯이었다. 현실적인 집행 수단이 없었기 때문이다.

<위치타>의 승조원 중에 마약을 한 사실이 적발된 인원은 극소수였다. 대부분의 승조원들은 헌신적이고 열심히 일하는 프로들이었다. 나를 포함한 우리 함의 간부들은 상부를 설득해, 우리 함의 상급 하사관들이 배의 개장 공사를 감독 관리할 수 있도록 하기도 했다. 당시 나는 우리 함에서 상급 하사관들만큼 헌신적인 인원도, 배를 잘 아는 인원도 없다고 생각했기 때문이다. 그러니 그들에게 결정권을 주지 않을 이유가 없다. 이러한 조치는 크게 성공했다. 개장 공사는 예상보다 빨리 끝났고 예산도 200만 달러나 절약할 수 있었

다. 전례가 없던 일이었다.

개장 공사가 끝난 <위치타>를 인수받아 다시 바다로 끌고 나갈 준비를 하던 기간이었다. 그날 밤 나는 늦게까지 일하고 있었다. 당시 10살 먹은 내 아들 크리스가 함장실의 전화번호를 알아내 전화를 걸었다. 전화를 받자 아이의 울음소리가 들렸다.

"아빠, 제발 가지 마."

나는 1968년 이래 가족과 나누었던 작별 인사를 모두 떠올렸다. 나는 그 아이에게 F-4의 조종석에 몸을 싣고 떠나는 모습을 너무나도 많이 보여주었다.

"아빠는 가야 돼, 크리스."

"다른 친구들은 다 집에 아빠가 있는데 나만 없어. 제발 가지 마."

1973년 집에서 바비큐를 먹다가 전화가 걸려왔던 일이 기억났다. 전화에서는 할리가 실종되었다고 알렸다. 식구들에게 작별 인사를 건네는 내게 크리스가 애처롭게 들러붙던 모습도 기억났다.

해군 장병은 가정에 충실하기 힘들다. 늘 어렵고 때로는 가혹하기까지 한 운명이다. 그날 밤, 내가 가지고 있던 군인으로서의 계급과 영예는 아무 의미 없었다. 그 순간만큼은 나는 출항을 준비하는 함장이 아니었다. 가족과 오래, 자주 떨어져 있어야 하는 불쌍한 직업을 선택한 아버지일 뿐이었다. 어떤 말로도 그 아이의 눈물을 막을 수 없을 것이었다. 우리 배는 다음 날 출항했다.

내 개인적으로도 가족들과 그런 일들을 겪었기에, 승조원들의 가정사에 대해서는 특별히 신경쓰려 했다. 우리가 할 수 있는 것은 주어진 일에 집중하고, 우편물이 도착할 때를 기다리고, 항구에 기항했을 때 전화통화를 하는 것 뿐이었다.

1979년 4월, 우리 배의 시운전은 순조롭게 진행되었다. 시운전이 완료된 후 우리는 항공모함을 지원하러 극동으로 돌아갔다. <위치타> 함은 태평양 함대에서 주는 전투 유공장을 받았다. 이 상은 특정 함종 중 가장 뛰어난 근무 성적을 보인 함에 준다.

<위치타>의 태평양 항해 중, 잭 군의관은 해군 전통에 익숙하지 않아 또 문

제를 일으켰다. 그는 대양에 나가 본 적이 별로 없었다. 그리고 항해 중에는 4만 톤짜리 군함에 갇혀 살아야 했다. 서태평양에서 한 달을 보내고 진주만으로 돌아오던 중, 잭의 사기가 눈에 띄게 낮아진 것이 보였다. 나는 그를 함장실로 불러 특별 임무를 부여했다. 그는 헬리콥터로 호놀룰루의 포트 드루시에 공수되어, 그 곳의 해군 휴양소에서 <위치타> 장교들을 위한 저녁 파티를 준비하게 되었다. 파티는 우리 배가 진주만에 입항하는 날로 정해졌다.

다음 날 우리 배가 포드 섬에 입항했을 때, 함교에 서 있던 나는 잭 군의관이 메르세데스 벤츠 컨버터블을 운전하여 정박지로 달려오는 것을 보았다. 그 차에는 잭 외에도 멋지게 차린 3명의 여자가 타고 있었다. 그는 갑판에 도열해 있던 승조원들에게 손을 흔들어 인사를 보냈다. 승조원들의 눈은 놀라움으로 휘둥그래졌다. 마침 그 때는 기지 사령관도 입항하는 우리 배를 해군의 전통에 따라 환영하러 세단을 타고 온 참이었다. 우리는 이미 기지 사령관을 맞을 준비를 하고 있었다. 배의 장교들이 현문 앞에 도열해서 기지 사령관을 승함시키려고 하고 있었다.

그러나 늘 그렇듯이 해군의 전통과 예절 따위는 안중에도 없던 잭 군의관은 기지 사령관 역시 안중에도 없었다. 그는 세 여자들을 데리고 기지 사령관을 한참 앞질러 현문 안으로 냉큼 들어가며, 현문을 지키고 있던 소위에게 먼저 거수경례를 했다. 기지 사령관이 마음만 먹으면, 이런 결례 행위에 대해 잭 군의관은 물론 <위치타> 승조원 전원에게 책임을 물어 징계를 가할 수도 있었다. 우리 승조원들은 예전에도 그런 사례를 보았기에, 그 후폭풍이 너무나도 두려웠다.

기지 사령관은 잭이 승함한 지 몇 분 후에 도착해 승함했다. 해군의 관례에 따라, 함장인 나는 함장실에서 사령관을 맞이하여 커피를 대접하며 이야기를 나눠야 했다.

나는 부리나케 함장실로 들어갔다. 그러나 거기서 나를 기다리고 있던 것은 기지 사령관만이 아니었다. 잭 군의관과 세 명의 여자도 있었다. 아주 잠시 동안, 나는 "이제 망했다."는 생각 말고는 아무 것도 들지 않았다. 그러나 기지 사령관의 한쪽 입꼬리가 하늘로 살짝 들려올라가는 것이 보였다. 그걸 본 나는 사령관도 이 웃기는 상황을 즐기는 것을 알아챘다. 그날 밤에 잭이 주최한 파티는 우리 배의 장교들을 엄청나게 즐겁게 해 주었다. 아무리 바다 냄새가 좋고 얼굴에 와 닿는 바닷물의 비말이 좋더라도 여러 주 동안 항해를 하고 나면 결국 지치고 만다.

그 외에도 우리 승조원들의 사기를 크게 높인 사건이 또 있었다. 그 사건은 내 개인적으로도 군생활의 가장 의미 있던 순간이었다.

어느 아름다운 날, 멕시코 바하 남쪽 해상에서였다. 하와이를 출항해 여기 온 <위치타>는 우리 군의 <콘스텔레이션> 항공모함 전단을 4일간이나 기다리고 있었다. 그 동안 우리가 한 일은 아무 것도 없었다. 그러나 우리 승조원들은 너무 피로해 있었고, 기분 전환이 필요했다. 그래서 나는 상부에 멕시코 마자틀란에 1~2일간의 상륙 및 휴양을 허가해 달라고 요청했다. 남쪽에서 폭풍이 몰려오고 있었다. 그러나 그 정도 기간만 머무르고 떠날 거면 상관 없을 것 같았다.

멕시코에 상륙한 우리는 <세뇨르 프로그>에서 맛있는 음식과 음료수를 즐겼다 그 때 폭풍이 북상해 오고 있었으므로, 우리 배는 예정보다 일찍 출항하여 카보 산 루카스를 향했다. 그런데 몇 명의 승조원이 배에 제 때 타지 못하고 현지에 남겨지고 말았다. 그래서 나는 마자틀란 주재 우리 군 연락관에게, 낙오된 승조원들을 버스 편으로 티후아나에 보내, 현지 해경 함정을 타고 우리 배에 합류시킬 것을 명령했다. 티후아나까지는 먼 길이었다. 버스로 1주일은 달려가야 했다. 그 동안 승객들의 식사를 위해 자주 정차해야 했다. 결국 그들은 우리 배로 복귀하는 데 성공했다.

그 친구들을 승함시키고 나서 나는 측방함교에서 몇 시간 동안 낮잠을 잤다. 결국 일어난 다음에 나는 함교로 들어가서 무전 통신 내용을 들었다. 그런데 갑자기 채널이 이상하게 바뀌더니 두 척의 돛단배에 나눠 탄 두 사람이 무전기로 자신들이 처한 문제에 대해 상의하는 소리를 우연찮게 듣게 되었다. 한 배의 이름은 <인피니티> 호였다. 그 배는 이번이 처녀 항해였다. 그 배에 타고 있던 것은 심장병 전문의와 그의 아내였다. 항해 경험이 적던 아내는 밤 동안 배를 너무 무리하게 몰아 돛대와 구동 장치에 문제를 일으키고 말았다. 결국 <인피니티> 호는 동력을 잃고 표류 중이었다.

또다른 한 척의 돛단배에는 치과 의사와 자식 5명을 포함한 그의 가족이 타고 있었다. 치과 의사는 바다 위에서 길을 잃고 말았다. 그러나 그의 배는 아직 자력 항해는 가능했다.

그 무전을 접한 나는 두 대의 함재 헬리콥터를 발함시켜, 이들의 배를 수색했다. 바하 상공에 뇌우를 뿌리는 큰 적운 두 개가 발견되었음에도 말이다. 나는 삼각측량을 통해 두 척의 배의 방위각을 알아낸 다음, 두 배에 다른 배들의 방위각을 알아내라고 지시했다. 그들이 전달해준 방위각을 가지고 우리는 해도 상의 그들의 위치를 알아낼 수 있다.

자신의 위치를 알아낸 치과 의사의 배는 마그달레나 만으로 갔다. 그러자 나는 헬리콥터로 <인피니티>를 수색했다.

결국 해지기 직전에 <인피니티>를 발견했고, 우리 배는 두어 번의 실패 끝에 <인피니티>에 예인삭을 연결하는 데 성공했다. 우리 배는 10시간 동안 <인피니티>를 예인하여 마그달레나 만으로 가서 현지 해경에 이 배를 인계했다.

그날 밤 나는 그 의사가 개심 수술을 받은 후 회복중이었고, 아내가 사고가 나서 예인 중이라는 사실을 남편에게 숨기고 있음도 알았다.

그날 우리가 한 일은 일반적인 해군 작전은 아니었다. 그러나 그 자리에 있었다면 누구나 마땅히 해야 할 일이었다. 또한 그 사건이 우리 승조원들에게 준 영향도 매우 컸다. 동포 미국인이 도움을 청한다면, 에머슨의 가르침을 따라 그를 돕는 것이 세상을 더욱 살기 좋은 곳으로 만드는 데 기여해야 할 것이다. 우리 모두는 그 때 그 사실을 깨우쳤다. 그날 밤, 폭풍을 피해 북상하면서, 나는 당시 비번이었던 승조원 거의 대부분이 함미 난간에 나가 있는 것을 보았다. 그들은 <인피니티>에 탄 의사 부부를 격려하면서, <위치타>가 그들을 돕고 있음을 상기시켰다. 그들은 <인피티니>의 타기를 잡고 있던 의사 부인과 계속 대화를 시도하면서, 재미있는 농담을 건네어 그녀의 긴장을 풀어 주려 했다. 나는 그날 승조원들이 보여 준 진심을 언제까지나 소중히 기억할 것이다.

우리는 <인피니티>를 데리고 마그달레나 만에 들어가는 데 성공했다. 우리는 그 배를 현지 해경에 인계하고, <콘스텔레이션>을 만나러 떠났다. 이 구조 활동에 대해 보고하자, 샌 디에고의 어느 제독이 이를 문제 삼았다. 그는 내가 구조 활동 중 <위치타> 함을 위험에 처하게 했다며 나를 군사 재판에 보내겠다고 했다. 그러자 나와 함께 그 제독을 만나러 갔던 우리 배의 주임원사는 이렇게 말했다. "우리 배의 구조 활동은 안전하게 수행되었습니다. 또한 위험에 처한 사람을 구조하고 보호하는 해군의 자랑스런 전통을 지키기 위한 활동이었습니다. 뭣보다, 바다에서 미국인의 생명을 구한 군인을 군사 재판에 보내면 언론이 어떻게 생각하겠습니까?" 그러자 그 제독은 구조 활동에 대해 더 이상 문제 삼지 않았다.

미 해군은 계급 정년이 있는 조직이다. 근무 성적이 우수하지 못하면 진급할 수 없고, 일정 기간 동안 진급 못 하면 제대해야 한다. <위치타>의 함장으로 2년을 근무한 1980년 가을, 나는 새 임지로 갈 것을 명령받았다. 내 군력의 중요한 순간이었다. 다음 자리는 육상 근무하는 참모직이 될 수도, 해상 근무가 될 수도 있었다.

나는 희망과 자신감에 가득차 인사 명령서 봉투를 열었다. 나는 <위치타>를 타면서 큰 성과를 거두었다고 생각했다. 그러나 앞서의 그 제독이 문제를 제기했을지도 모른다.

나는 인사 명령서를 펴서 읽고 읽고 또 읽었다.

미 해군은 나를 항공모함 함장으로 임명했다.

제19장
최고와 최후

1980년 11월, 인도양 모처

그날 오전에도 일과에 맞춰 항공기를 발함시키는 USS <레인저> 비행갑판 위의 갑판 승조원들 위에 열대의 햇살이 뜨겁게 내리쬐고 있었다. F-14 톰캣 전투기들이 제일 먼저 발함했다. 안전장치를 해제한 사이드와인더와 스패로우 미사일을 탑재한 그 거대한 항공기들은 하나씩 사출기 위로 유도 주행했다. 사출기 위로 올라간 후 앞쪽 착륙장치에 피스톤을 연결한다. 사출기 장교는 조종사에게 스로틀을 최대 추력 위치로 놓으라는 수신호를 보낸다. 그 다음에는 스로틀을 후기 연소기 위치로 놓고, 브레이크를 걸라는 수신호를 보낸다. 이로서 항공기는 마치 잔뜩 잡아당겨진 활시위 위에 놓인 화살처럼, 언제라도 하늘로 날아오를 준비를 갖추게 된다. 계기를 최종 점검한 조종사는 수신호로 발함준비 완료를 알린다. 야간에는 플래시 라이트로 발광 신호를 보낸다. 사출기 장교는 조종사에게 거수경례를 한 다음, 들고 있는 경광봉으로 함수를 가리킨다. 이것이 발함 신호다. 그 신호에 맞춰 거대한 피스톤이 톰캣을 고속으로 밀고 나간다. 두 줄의 긴 화염을 뿜어내며 톰캣은 하늘로 날아간다. 그리고 나면 두 대의 톰캣이 또 사출기 위에 올라온다.

당시 나는 <레인저>의 함장이었다. 나는 함교에 놓인 안락의자에 앉아 있었다. 등받이에 <함장>이라고 스텐실 글씨가 써진 그 의자는 북적대는 비행갑판이 가장 잘 보이는 특등석이었다. 당시 46세였던 나는 펜사콜라 후보생 시절에 샀던 레이밴, 그리고 이스라엘 친구에게서 선물받은 다윗의 별 목걸이를 착용하고 있었다. 노스 섬 시절에 얻은 작은 쥐 인형도, 이 의자 후방 몇 피트 거리의 함장실에 보관되어 있었다. 나와 언제나 함께하는 이 세 부적은 펜사콜라에서 처음으로 항공기를 조종해 본 이후 내가 누구이고 내가 어디에서 왔는지를 잊지 않게 해 주었다.

나는 이 자리에 앉아 보고서야, 초대형 항모의 함장 자리가 해군 조종사에게 매우 중요한 경력인 이유를 실감했다. 갑판 근무자들이 벌이는 발레야 전투기 조종석에서도 늘 보던 것이었다. 그러나 착함 시 우리가 신경쓰는 것은 우리가 안전하게 착함하게 하기 위해 애쓰는 착함 신호 장교 뿐이었다. 하지만 조종석에서 보이지 않을 뿐, 우리 항공기의 안전 운항을 위해 힘쓰는 사람들은 엄청나게 많았다. 착함 신호 장교는 에어보스, 함장과 끊임없이 이야기를 나누면서, 풍속과 해상 상태에 맞게 배의 침로와 속도를 조절해 나간다. 이 세 사람의 협력은 악천후 및 야간 항공작전 시 매우 중요하다. 이것들을 알면 착함 시 항공기가 항공모함에 맞춰 난다고 말할 수 없다. 항공모함이 항공기에 맞춰 운항하는 것이다.

어느 날은 뇌우가 몰아치는 속에서 A-6 인트루더 6대가 착함 패턴에 들어온 적이 있었다. 나는 에어 보스와 착함 신호 장교를 호출했고, 그들은 자신들이 원하는 바를 요구했다. 바람의 방향이 갈수록 변덕스럽게 바뀌고 있었으므로, 우리는 그에 맞춰 최대한 맞바람을 받는 방향으로 함수를 틀었다. 6대의 항공기가 모두 착함했을 때, 우리 배의 방향타는 60도나 꺾여 있었다. 이런 상황에서 함장이 비행의 감을 아는 조종사 출신이 아니라면, 아무리 최대한의 능력을 발휘해도 모든 항공기를 안전하게 착함시키기는 거의 불가능하다.

나는 1980년 10월 20일, 수빅 만에서 항공모함 <레인저>와 승조원 5,000명을 이끄는 신임 함장으로 취임했다. 내 전임 함장은 <탑건> 교장을 지냈던 로저 박스였다. 로저 박스는 1979년에 <레인저> 함장으로 취임했는데, <레인저>가 말라카 해협에서 유조선과 충돌 사고를 일으킨 직후였다. 말라카 해협은 세계에서 제일 붐비는 해로다. 유조선은 침몰 직전까지 갔고, <레인저>도 함수와 연료탱크 2개를 중파당했다. 수빅 만에서 응급 수리를 한 <레인저>는 일본에 가서 정식 수리를 받았다. 이 사고 때문에 <레인저> 함장이 박스로 교체된 것이다.

이로서 <탑건> 교장 출신자들이 두 번 연속으로 <레인저> 함의 함장을 맡게 되었다. <탑건>이 개교한 지도 벌써 11년이 지났다. 그 동안 <탑건>의 교장, 교관, 졸업생들은 해군 각계각층에 널리 퍼지게 되었다. 그러면서 그들은 <탑건>의 기풍과 지휘 방식을 해군 전 부대에 전파했다. 우리는 <탑건>의 방식이 그렇게 해군의 수상부대에까지 널리 퍼질 거라고는 꿈에도 생각해 본 적이 없었다. 하지만 <탑건>의 핵심 가치와 지휘 철학은 <레인저>에서도 통할 수 있었다. 그리고 나 역시 그렇게 하고 있는 중이었다.

나는 승조원들에게 일체감을 심어주고자, 매일 전 승조원들에게 연설을 했다. 그리고 하루에 두 번씩, 주임원사와 함께 함내의 여러 부서를 방문하여 승조원들과 친해지고자 했다. 하갑판의 일부 부서에 배속된 승조원들 중에는 항해 중에 단 한 번도 햇빛을 보지 못하는 사람도 있다. 물론 그들의 부서에 함장이 오는 경우도 거의 없다시피 했다. <레인저>의 배수량은 8만 톤이 넘는다. 길이는 1,000피트(300m)가 넘고, 격실의 수는 2,000개가 넘는다. 승조원은 5,000명이 넘는다. 이만한 규모를 갖춘 이 배는 사실상 바다에 떠다니는 미국의 소도시라고 할 수 있다. 이 배의 모든 격실에 다 가보는 것은 이만한 인구가 사는 미국 도시의 모든 집을 다 방문해 보는 것과도 비슷한 일이다. 그래도 나는 가급적 많은 격실을 방문했다. 배의 주임원사 데이브 홉스를 가급적 대동하고 말이다.

하루에 두 번씩 함내를 순시하면서, 나는 승조원들을 더욱 잘 알게 되었다.

그들 중 대부분은 올바른 대의를 위해 해군에 입대한 19~20세의 청년들이었다. 그들은 조국을 위해 복무하고자 했고, 기술도 배우고 싶어했고, 해군에서 제대하고 나면 대학도 다니고 싶어했다. 물론 해군을 평생 직장으로 여기는 승조원들도 일부 있었다. 그들은 홉스 주임원사만큼 높은 자리에 오르고 싶어했다. 마지막으로 끊임없이 마약을 복용하고 범죄를 일으키는 문제 인원들도 있었다. <레인저>의 승조원 중에 4% 정도가 이 부류에 속했다. 마약에 중독된 승조원들은 아무 일도 못 하면서 어떤 문제라도 저지를 수 있다. 정말 예상할 수 없는 지독한 문제 인원들이었다. 나는 함장이 되기 전까지는 마약은 물론 마약 중독자도 접한 적이 없었다. 해군 조종사들은 마약 문제와 철저히 차단되어 있다. 마약 중독자는 결코 항공모함 함상에 야간 착함할 수 없기 때문이다.

그러나 <레인저>에 부임한 이후 몇 달간, 나는 매일같이 마약 문제를 접하게 되었다. 결국 해군 수사관들은 그 배에 타고 있던, 마약 거래로 악명 높은 승조원 한 명을 적발하여 불명예 전역시켰다. 얼마 후 또다른 승조원을 적발해서 전역시켰다. 하지만 손으로 벽돌을 던져 넣어 그랜드 캐년을 메우려는 것 만큼 쓸데없는 짓으로 여겨졌다. 그런 사람들을 적발해도 마약 장사는 또 나타났고 함내에는 계속 마약이 유입되었다. 태업도 문제였다. 내가 있는 동안 <레인저> 함에서 반전주의 성향의 장병들이 일으킨 태업 사건이 20건이 넘는다. 내가 취임하기 전에도, 어느 승조원이 중요한 장비 안에 페인트 제거기를 일부러 던져넣어 고장내 버리는 바람에 수백만 달러의 재산 피해를 낸 적이 있다. 그 때문에 <레인저>의 전개도 수개월이나 늦어졌다. 범인을 찾아내기란 매우 힘들었다. 전임자인 로저 박스도 격납 갑판의 소화 장치를 무단으로 작동시킨 태업 사건을 처리했다. 소화 장치에서 고압으로 뿜어져 나온 소화액은 격납 갑판 내부를 난장판으로 만들었다. 그런데 같은 사건이 내가 함장으로 있을 때도 터졌다. 이번에는 하필이면 격납 갑판에 항공기가 가득 차 있을 때였다. 비행단은 분노했다. 그러나 수사는 진척이 없었다.

데이브 홉스 주임원사와 나는 창의적인 방법을 고안해냈다. 사건이 일어난 다음날 아침, 나는 아침 연설을 하면서, 이 사건의 개요와 함에 준 피해 규모도 설명했다. 그러면서 이 말을 덧붙였다. “누가 이런 짓을 저질렀는지는 모른다. 하지만 범인에게 거래를 제안하고자 한다. 오늘 내로 자수하면 가급적 선처하겠다. 또한 어떤 문제가 있건 해결을 도와 주겠다. 반복하지만, 오늘이 지나면 선처받을 기회는 없다.” 나는 범인이 자수 전화를 거는 데 필요한 보안 전화 번호도 알려 주었다.

그날 밤, 내 침대 옆 전화기가 울렸다. 상대방은 데이브 홉스 주임원사였다. “범인이 전화를 했습니다.” 약간의 협상 끝에, 범인은 주임원사실에 제 발로 들어왔다. 나도 주임원사실로 갔다. 범인을 직접 만나 무슨 생각으로 그런 짓을 했는지 알아보기 위해서였다. 주임원사실에서 만난 범인의 모습에서는 짙은 절망감이 느껴졌다. 비쩍 마른 체형의 그는 20살 정도 먹어 보였다. 눈빛은 공허했다. 얼굴도 수척하고 말라 있었다. 전형적인 마약 중독자 다운 모습이었다. 그런 그의 모습을 보니 나는 화를 낼 수 없었다. 그는 해군을 좀먹는 암인 본토의 나쁜 문화의 화신이었다. 그는 주어진 힘든 삶에서 도망칠 기분 전환 거리를 찾다가 이 꼴이 된 것이다.

그는 자신이 앤젤 더스트의 중독자라고 주장했다. 그는 범행 동기를 설명하지 못했다. 그러나 그는 분명 마약에 의해 피폐해져 있었다. 그는 자신을 도와 달라고 요청했다.

우리는 그를 보호 구치 처분했다. 그가 함에 피해를 입히지 않았더라면 많은 승조원들이 애써 그 피해를 복구하려 고생할 일도 없었다. 따라서 승조원들은 범인에 대해 상당한 적의를 품고 있었다. 데이브와 나는 그 승조원의 신원을 공개했다가는 분노한 동료 승조원들에게 구타당하거나, 최악의 경우 바다에 내던져질지도 모른다고 생각했다. 훗날 우리는 그를 샌 디에고에 보내 마약 중독 치료를 받게 했다.

미 군함 내의 마약 문제에 대한 해결책은 마약 공급을 차단하는 것이다. 그러려면 미 본토에서 오는 우편물을 검사하기만 해도 된다. 그렇게 차단하고 나면 매우 긴 미국 군함의 항해 기간도 마약 문제 해결에 도움이 된다. 승함할 때 직접 들고 왔던 마약이 순식간에 동이 나면 함내 마약 중독자들은 어쩔 수 없이 마약을 끊게 되는 것이다.

하지만 우리는 그럴 수 없었다. 해군 승조원의 사생활은 법으로 보장되어 있었다. 때문에 승조원에게 전달되는 우편물의 개봉 및 검열은 불가능했다. 이러한 방침은 이후 바뀌게 된다. 9·11 사건 이후 전투 지역에서 반입 또는 반출되는 우편물은 철저한 검열을 받게 되었다. 술(구강청정제로 위장 포장되는 경우가 많았다), 의약품, 무기, 무기 부품 등의 금지 물품은 우정청에 의해 압수당한다. 1980년에 이런 조치를 실시했다면 많은 생명을 구할 수 있었을 것이다.

나는 근무 시간 대부분을 인사 문제 해결에 투자했다. 학교 선생님들 말로는, 반에서 문제를 일으켜 처벌이 필요한 아이는 2~3명 뿐이다. 그러나 그 2~3명을 말을 듣게 하려면 반나절이 걸린다. <레인저> 함상에서도 똑같았다.

고향의 사람들도 승조원들에게 스트레스와 어려움을 준다는 사실을 여러 차례 깨달았다. 미 본토에서 멀리 떨어진 바다를 초계하는 군함으로 들어오는 절교장과 파혼장, 이혼 요구서들은 장병들을 마음아프게 하고 사기를 심각하게 저하시켰다. 어떤 사람은 자기 일에 더욱 집중하여 그 슬픔을 잊으려 했다. 반면 고향으로 돌아가기 위해 무슨 짓이라도 벌이는 사람도 있었다. 심지어 바다로 뛰어드는 사람도 있었다. 그런 사람들이 너무 많았기 때문에, 결국 함내 텔레비전 방송국을 통해 우리 배가 머물고 있는 해역에서 촬영한 상어 사진을 보여주었다. 사진 속의 상어들은 군함에서 배출한 음식물 쓰레기를 먹고 있었다. 상어의 날카로운 이빨까지 텔레비전에 나오자, 그 이후 아무도 바다로 뛰어들지 않았다.

항구에 기항 중이던 어느 날 저녁, 내게 전화가 걸려 왔다. 전화를 받으니 승조원 한 명이 양손목에서 피를 흘리면서 갑판 난간 위에 앉아 있다는 얘기가 나왔다. 그는 70피트(21m) 아래의 콘크리트 부두로 뛰어내리겠다고 소리를 질렀다. 당시 나는 저녁식사 파티에 참석 중이었고 백색 하정복을 입고 있었다. 나는 전화를 받자마자 모든 일정을 취소하고, 함으로 달려갔다. 항공모함에 가니 그 불쌍한 친구가 슬프게 울고 있는 모습이 보였다. 그는 가위로 양쪽 손목을 찌르는 자해를 했고, 그 가위를 여전히 들고 있었다.

나는 그 승조원과 대화를 시도했다. 그 친구의 투신 시도를 막으려고 애쓰면서 말이다. 그는 머뭇거리다가 결국 내게 속내를 털어놓았다. 그 친구의 이야기는 슬펐다. 그 친구는 자신이 만든 문제 속에 갇혀 빠져나오지 못하고 있었다. 죽음만이 그 문제에서 탈출할 유일한 출구인 것 같았다. 나는 오랫동안 그 친구를 설득해, 난간에서 내려오게 했다. 그는 내게 걸어와서 나를 꽉 끌어안았다. 나는 그를 의무실로 보내 치료를 받게 했다. 의무실로 들어가는 그의 모습을 보고서야, 내 백색 하정복이 그의 피로 물들어 있는 것을 알아챘다. 그 승조원은 동시에 두 여자와 연애를 하고 있었으며, 두 여자를 모두 임신시켰기 때문에 그 소동을 벌인 것이었다.

우리는 페르시아만 해상의 곤조 스테이션까지 가면서 태국, 케냐, 스리랑카 등 들르는 모든 곳마다 성조기를 휘날렸다. 당시는 이란 미국인 인질 사건이 종결되기 직전이었다. 곤조 스테이션에서 우리는 공격 명령을 애타게 기다렸다. 그런 명령은 내려오지 않았다. 그러나 우리는 만반의 공격 준비를 갖추고 있었다.

이란은 공군을 출격시켜 미군을 시험한 적은 없었다. 이란 공군의 장비 중에는 다수의 F-14 톰캣도 있었다. 이란의 샤 국왕이 이슬람 혁명으로 퇴위하기 직전 사들인 것이었다. 물론 당시 우리 <레인저> 함에도 F-14 2개 대대가 탑재되어 있었다. 그것도 미 해군 항공대에서 가장 오래되었고 가장 화려한 무용담을 지닌 VF-1과 VF-2였다. 이 부대의 대원들은 모두 강도 높은 훈련을 받은 A급 조종사들이었다. 그들은 이란의 엉덩이를 걷어차 줄 날이 오기를 간절히 기다리고 있었다.

그러나 이란은 소련과 달리 백파이어 등 장거리 미사일을 탑재한 폭격기를 띄워 우리 군을 위협하지는 않았다. 때문에 우리는 F-14 전투기에 스패로우와 사이드와인더 미사일만을 탑재하고, 피닉스 미사일은 거의 탑재하지 않았다. 호르무즈 해협을 지나 페르시아 만으로 들어갈 때 우리는 F-14 전투기들을 이란 영해와 공해 경계에 상시 초계시켰다. 육안으로 이란 해안이 보이는 지점이었다. 이란 군용기가 저공 비행으로 접근해 오더라도 공해상에 들어서는 순간 우리 전투기에 바로 발견되어 격추당할 것이었다.

이란은 군용기 대신 고속 어뢰정을 사용해 우리 군을 괴롭히기로 했다. 그러나 우리 항공모함 전단의 구축함과 순양함들은 이런 위협에 매우 잘 대처했다.

격렬한 작전 중 비행단에서는 한 달에 엔진 5~6개씩을 이물질로 인한 기체 손상(foreign object damage, 약칭 FOD)으로 잃는다. 비행 갑판 위에 굴러다니는 나사나 볼트, 너트 같은 작은 금속 조각도 제트엔진의 공기 흡입구로 빨려 들어가면 엔진 터빈 블레이드를 파손시킨다. 그것은 육상과 해상을 불문하고 언제나 있는 문제였다. 해결책은 승조원들이 비행 갑판 위를 자주 돌아다니면서 이물질을 발견해 수거하는 수밖에는 없었다. 물론 비행 갑판의 항공기 고정구 속으로 굴러들어간 너트나 나사까지 모두 다 찾아내어 제거하기란 불가능했다.

계산을 해보니 FOD 수색을 철저히 하려면 300~400명이 필요했다. 그러나 비행 갑판 근무자 중에는 그 정도의 인원을 뺄 수가 없었다. 나는 항공모함 하갑판에 갔을 때 아이디어가 하나 떠올랐다. 그 아이디어는 하루 중 정해진 시간에, 에어 보스가 현재 손이 비는 인원들 전원을 비행 갑판에 집합시켜 바닷바람을 마시며 운동을 시키고, FOD 수색에 투입시키는 것이었다.

가끔씩은 내가 직접 1MC(main circuit, 함내 전체 방송)를 맡아 전 승조원에게 갑판으로 나와 “장미 향기를 맡을 것”을 지시하기도 했다. 물론 승조원들은 이걸 듣고 웃어댔지만, 효과가 있었다. 함의 기관병들과 조리병들도 갑판으로 나와서 체조를 하면서 FOD를 찾을 준비를 하는 것을 보았다. 그리고, 나는 특정 색상(보통은 검정색)의 매우 작은 나사를 찾는 사람에게는 3일간의 휴가를 주겠다고도 약속했다. 이러한 조치는 승조원들의 이목을 끌었다.

이런 <레인저>식 방식은 큰 성공을 거두었다. 우리 배는 107일간 FOD 없이 지내는 기록을 세웠고, 이 방식은 해군 전체에 퍼져나갔다.

우리는 계속 곤조 스테이션에 머물렀다. 1981년의 첫 1주일간 이란의 동태를 주시하면서 매일같이 함재기를 띄웠다. 1981년 3월, 우리는 수빅 만으로 돌아와 오랫동안 바라던 휴양을 즐겼다. 세계에서 제일 번잡하고 병목현상이 심한 해로인 말라카 해협에 다가가자, 우리 배의 비행단장은 항공기 몇 대를 띄우게 해 달라고 요청했다. 나는 이에 동의했다. 항공기를 띄우면 해상 상황을 하늘에서도 볼 수 있어 좋기 때문이다. 그 날, 1981년 3월 20일 금요일은 당시 <레인저>를 탔던 모든 승조원에게 잊을 수 없는 날이 되고 말았다.

그날 아침, 나는 함교 좌현에 있는 내 자리에서 갑판 승조원들이 A-6 인트루더 공격기 2대를 발함시키는 장면을 보았다. 그 항공기들은 말라카 해협을 동쪽으로 건너 남중국해로 들어가는 우리 배를 앞질러 날아갔다.

비행하던 A-6 항공기들은 파도에 표류하는 작은 배를 보았다. 항공기들은 그 배 위를 선회하고, 배 상공을 스쳐 지나가기도 하면서 배를 관찰하고, 배에 사람들이 잔뜩 타고 있다고 보고했다. 분명 그 배는 동력이 없었다. 돛도 달려 있지 않았다. 물결을 따라 표류만 하고 있을 뿐이었다. 바람 한 점 없는 엄청나게 덥고 습기찬 날이었다. 그 배에 타고 있던 사람들은 작렬하는 태양에 그냥 노출되어 있었다.

우리는 그 배의 위치를 파악하고, 그 배를 정선시키라고 명령했다. 그 날 오후 늦게, 우리 배는 그 배를 만나게 되었다. 배의 길이는 40피트(12m) 정도 되어 보였고, 작은 밀폐식 조타실을 갖추고 있었다. 어딜 가나 사람들로 빼곡했다. 그 사람들은 미동도 안 하고 누워 있었다. 심지어 여러 사람이 겹겹이 쌓여 있기까지 했는데, 일부는 환각 증세까지 보일 정도로 몸 상태가 매우 안 좋았다. 대부분의 인원은 일어나 앉아서, 자기들 배 옆에 온 우리 배를 볼 힘도 없었다. 옷을 제대로 입은 사람은 극소수였고, 대부분은 상반신에는 아무것도 입지 못했다. 완전히 나체인 사람도 있었다.

우리 헬리콥터가 상공에서 선회 비행을 하면서, 그 배에 타고 있던 사람들을 구조하는 장면을 사진 촬영했다. 어떤 사람들은 들것에 실려 우리 배로 올라와야 했다. 그들은 베트남인이었다. 베트남을 통일한 공산당 정권의 폭력을 피해 도망나온 지 2주일 지났다고 했다. 그러나 배가 바다로 나온 지 얼마 안 되어 엔진이 고장났다. 그 다음에는 식량이 고갈되고, 곧 식수도 고갈되었다. 그 배의 정원은 25명이었다. 그러나 실제로 탑승한 인원은 무려 138명이었다. 그들은 갈수록 쇠약해졌다. 여러 사람이 죽었다. 우리가 그들을 구조한 날, 생존자들은 다른 사람을 죽여서 인육을 먹을 것을 논의하고 있었다고 한다.

조금이라도 늦었다면 큰일날 뻔 했다.

우리 승조원들은 신속하고 정성스럽게 생존자들의 구호에 나섰다. 우리 의무대에서는 이들의 탈수, 열탈진 등 다양한 질환을 치료하고, 정맥 주사도 놓아 주었다. 함내의 재단사와 낙하산 정비사들은 이들을 위해 옷을 만들어 주었다. 조리병들은 이들이 먹을 식사를 만들었다. 승조원들과 베트남 난민간에 유대가 생기는 데는 오랜 시간이 필요 없었다. 정말 아름다운 광경이었다. 예기치 못하게 타인의 생명을 구하게 된 순간이었다.

그들은 베트남의 평민들이었다. 폭압을 저지르면서 자국민들을 살해하고 투옥하는 자국 정권으로부터 도망치기 위해 모든 것을 버린 이들이었다. 그 배에는 심지어 베트남 공산군 병사도 1명 타고 있었다. 그 역시 베트남을 휩쓰는 분노와 폭력으로부터 벗어나 새 삶을 얻으려고 탈영해 이 배에 올랐다. 그들이 겪었던 시련, 그리고 그들이 목숨까지 걸고 배를 탄 이유에서 우리는 많은 것을 배울 수밖에 없었다. 우리 미국인의 조상들 역시 같은 이유에서 배를 타고 신대륙으로 오지 않았는가.

우리는 그들을 태우고 수빅 만에 입항했다. 그들은 필리핀 정부에서 마련한 난민 수용소에 보내졌다. 나중에 알았지만 거기서도 그들의 시련은 끝나지 않았다. 필리핀에서 그들은 허술한 대접을 받았다. 식량과 식수도 제대로 공급되지 않았다. 그러나 그 배에 탔던 138명 중 대부분은 미국으로 이민 와서 서해안에서 새 삶을 시작했다.

그 베트남인들이 필리핀에서 미국행 비행기를 기다리고 있던 동안, 우리 배는 엄청난 비극을 당했다. 그 난민들을 구조한 지 약 3주 후, 젊은 항공대원인 폴 트레리스가 죽었다.

미시간 출신, 향년 20세이던 트레리스에게는 슬픈 과거가 있었다. 그의 군생활은 마약이 우리 해군에 준 악영향을 고스란히 대변해 주는 사례와도 같았다. 그는 입대한 지 3년이나 지났는데도, 그 동안 전혀 진급한 적이 없다. 그는 군생활 내내 계속 문제를 일으켰고 2번이나 탈영을 시도했다. 그의 직속 상관은 그에게 계속 처벌을 가했다. 그는 교정 구치 교육대(correctional custody training unit, 약자로 CCU. 함내 영창이라고도 잘못 불리우나 둘은 다르다.)의 단골이었다. 그럼에도 그의 삶은 나아지지 않았다. 그의 상관들은 그에게 실망했다. 나는 생전의 그를 만나 본 적은 없다. 그러나 그의 죽음은 내 삶을 영원히 바꿔 놓았다.

그는 사망하던 시점인 1981년 4월에도 CCU에 있었다. 우리 배가 5일간 홍콩에 기항했는데, 그 기간 중 그가 무단으로 군무를 이탈했기 때문이었다. 해군의 사건 조사에 따르면, 그가 사망한 경위는 이랬다. 늘 호전적이었던 그는 CCU에서도 상급 하사관 여러 명과 싸움을 벌여 구타했다. 그에게 구타당한 상급 하사관들은 그를 비행 갑판으로 올려보내 구보를 시켰다. 너무 날씨가 더웠기 때문에 사실상 체벌이나 다름 없었다. 그리고 먹을 것도 빵과 물 말고는 주어지지 않았다. 달리던 그는 쓰러졌다. 함내로 실려간 그는 발작을 일으켰다. 30분 후 의무대원이 그를 치료하러 왔다. 그러나 그는 곧 죽고 말았다. 미 해군은 그가 열탈진으로 심장마비를 일으켜 죽었다고 진단했다.

사건 조사 중 그가 동료 승조원들 여러 명과 격납 갑판의 S-3 바이킹 항공기 내에서 마리화나를 흡입한 사실이 드러났다. 폴이 죽은 지 몇 달이 지나, 우리 군종 장교가 나를 만나러 왔다. 그는 자신이 CREDO 프로그램(Chaplains Religious Enrichment Development Operation: 신앙 전력화 작전, 해군의 함상 근무자 및 그 가족의 영적 평안을 위한 종교 활동)으로 폴의 마약 중독 상태를 1년이나 치료하고 있었음을 밝혔다. 그렇다면 폴은 마리화나보다 더욱 위험한 마약도 손대고 있었을지 모른다. 나는 군종 장교에게 질문했다. "왜 더 일찍 알리지 않았소?" 그러자 그는 고개를 흔들며 이렇게 답했다. "그건 그 친구와 하나님 간의 문제였기 때문입니다."

함장은 배에서 일어난 모든 일에 대해 최종 책임을 진다. 우리 배와 승조원들은 그 동안의 한해에서 뛰어난 실적을 보였다. 그러나 이 사망 사건 한 건으로 그 모든 것이 쓸모 없어질 수 있다는 걸 나는 잘 알고 있었다. 미 본토로 귀환하는 중 우리 배는 해군 법무실의 조사를 받았다.

우리 배가 샌 디에고에 입항한 것은 1981년 5월이었다. 거기 입항하자 나는 태평양 해군 항공 사령관인 해군 중장 로버트 "더치" 숄츠의 호출을 받았다. 숄츠 중장은 폴이 CCU에서 당한 가혹 행위와, 탈진 후 부적절한 치료를 문제삼아 내게 경고 처분을 내렸다.

숄츠 중장은 그 후 내게 이렇게 말했다. "댄. 다음 <레인저> 항해 때도 함을 지휘해 주겠나?"

물론 나는 하겠다고 했다.

제20장
또 한 번의 작별 인사

1982년 봄, 태평양 모처

나는 함장실에 앉아서, 메리 베스의 편지를 소중한 보석처럼 붙들고 있었다. 나는 그 2페이지짜리 편지의 모든 문장을 다 외울 때까지 읽고 또 읽었다. 나는 이 편지가 내게 도착한 사실조차 믿을 수 없었다. 그것은 우리가 휘티어 대학 카페테리아에서 이별한 지 수십년이 지나도록 그녀가 나를 생각하고 있다는 증거였다.

「댄, 당신은 진짜 사나이란 걸 난 알고 있어. 앞으로도 언제나 그럴 거야. 당신 친구들도 그걸 알고 있겠지. 당신 친구들은 당신에 관한 신문 기사를 믿지 않아.」

트레리스 사건은 <디트로이트 프리 프레스>, <로스 앤젤레스 타임스>, <샌 디에고 유니온 트리뷴> 지에 대서특필되었다.

언론이 내게 파괴적인 힘을 가할 수 있다는 것을 안 그녀는 나를 찾아 편지를 보낸 것이었다. 그 후로도 <뉴욕 타임스>, <플레이보이> 지는 물론 모든 텔레비전 방송국 저녁 뉴스에서 트레리스 사건을 다루었다. 이 사건은 전 국민의 관심을 모았다. 트레리스의 죽음은 분명 비극이었다. 그러나 나는 이 사건 보도에 열을 올리는 언론을 보고 충격과 당혹감을 느꼈다. 1981년 한 해 동안 복무 중 사망한 미 육해공군 장병은 4,699명에 달한다. 당시는 전쟁이 없는 평시였으므로, 이들의 사망은 모두가 순직이었고, 전사자는 단 한 명도 없었다. 순직 사유도 다양했다. 사고사, 자살, 피살, 심장마비 등의 질병…

그런데 이 모든 순직자 중 트레리스만이 몇 개월 간이나 언론의 주목을 받았다. 물론 그의 죽음은 유족들에게 평생 가는 마음의 상처를 남긴 비극이었다. 그 점에 대해 변명의 여지는 없다. 그렇다면 트레리스의 죽음은 사전에 막을 수 있었는가? 나는 스스로에게 수년간이나 그 질문을 매일같이 했다. 답은 알 수 없었다. 그의 마약 중독 정도를 미리 알았더라면, 탈영, 태업 등의 범죄에 대한 처벌로 CCU 대신 마약 중독 치료 등 다른 조치를 취했을 것이다. 우리가 그 친구의 마약 중독을 치료했더라면 그는 더 나은 삶을 살 수 있었을지도 모른다. 폴 트레리스와 그의 가족을 위해 제발 그랬어야 했다. 그러나 그가 마약 중독자인 사실이 밝혀졌을 때는 이미 너무 늦었다.

서해안의 언론사들은 이런 내 관점에는 별 관심이 없었다. 그들은 나를 너무나도 잔인하게 후벼 파 댔다. 내가 해군에서 전역시킨 마약 장사 2명의 말만 믿고, 나를 함상의 폭군으로 몰아 갔다. 기분에 따라 가혹한 벌을 주어 승조원들의 생명을 위태롭게 한 무모한 자라고 주장해댔다. 나는 졸지에 냉전 시대의 블라이 함장(Captain Bligh, 18세기 영국 군함 <바운티> 함의 함장으로, 승조원들에게 상습적으로 가혹행위를 가해 1789년 동함에서 발생한 함상 반란의 원인을 제공했다.-역자주)이 되었다. 전국에서 나를 응징해야 한다는 목소리가 높아졌다.

심지어 우리 가족들도 수개월간 매일 살해 협박을 받았다. 1981년 봄, 나는 샌 디에고 시내를 돌아다닐 때는 경호원 2명을 무조건 대동해야 할 정도였다. 우리집 우체통에는 증오 편지가 넘쳐났다. 트레리스 유족은 해군을 상대로 여러 건의 소송을 진행했다. 그 중 한 건은 내가 피고였다. 현역 장교가 직무

상의 사건으로 피소당하는 것은 전례가 드물었다.

메리 베스의 편지가 도착한 것은 이 난장판의 와중이었다. 우리가 마지막으로 대화한 것은 아이젠하워 대통령 시절이었다. 내가 그녀를 마지막으로 본 것은 어느 미식축구 경기가 끝나고였다. 그녀는 허리 높이에서 손을 살짝 흔들어 내게 인사했다. 그녀의 눈에는 눈물이 고여 있었다. 그런 건 아무래도 상관 없었다. 그 이후 나는 단 하루도 그녀를 잊은 적이 없다.

나는 그녀에게 답장을 보내기로 했다. 그녀에게 감사를 표하고 싶었다. 그녀의 말이 내게 큰 힘이 되었다고 말하고 싶었다. 불과 1년 전만 해도 나는 존경받는 해군 조종사였으며, 동료들이 꼽은 유력한 제독 진급 후보자였다. 그러나 이제는 사람들이 해군 장교에 대해 가지고 있는 모든 안 좋은 선입견의 화신이 되어 버렸다.

나는 펜을 꺼내서 편지지에 글을 쓰려다가 멈칫했다. 이러면 안 돼. 그녀는 이미 선택했어. 그 선택을 존중해야 해.

메리 베스는 그 미식축구 선수와 아직 결혼 관계를 유지하고 있었다. 나 역시 그랬다. 하지만 나는 아직 메리를 사랑하고 있었다. 그걸 감안한다면 지금 그녀에게 편지를 쓰는 것은 내 아내에 대한 부정 행위일 수 있다. 그녀의 편지는 오래된 상처를 다시 건드렸다. 내가 항상 사랑해 왔지만 결코 평생을 함께 할 수 없는 사람의 편지였다. 그녀로 인한 고통은 언론의 공격만큼이나 괴로웠다.

결국 나는 답장 쓰기를 포기했다. 대신 나는 언론의 공격이 계속되는 와중에 그 편지를 들고 레인저에 탑승했다. 매일 밤 나는 그 편지를 읽고 또 읽었다. 그리고 나와 내 지휘 방식에 대한 언론의 거짓말을 믿지 않는 사람들이야말로 내가 지켜야 할 이들임을 새삼 깨달았다.

어느 날, 나는 내가 그녀의 편지에 너무 심하게 의존함을 깨달았다. 나는 그녀에게 편지를 써서는 안 되었다. 그녀와 다시 연락해서는 안 되었다. 나는 우리 승조원과 배를 위해 전력을 다해야 했다. 그리고 사람들의 시선 따위는 무시할 힘도 얻었다.

연방 법원은 마침내 소송을 기각했고, 항소심에서도 이 판결이 유지되었다. 그러나 폴의 죽음으로 인한 후폭풍은 <레인저>의 우수한 장교와 상급 하사관 다수에게 불어닥쳤다. 나는 그들을 보호하기 위해 할 수 있는 것은 다 했다. 당시 내 해군 경력도 위기에 처해 있었음에도 말이다.

1982년 6월 11일, 지상 참모 보직을 맡은 나는 <레인저>의 함장직에서 이임했다. 함장 이후 참모 보임은 제독으로 가는 일반적인 징검다리였다. 그것도 진주만의 태평양 함대 사령관 휘하 현행작전 부참모장이라는 요직이었다. 그 보직은 내 군생활 중 제일 바쁜 곳이었다. 그러나 힘든 만큼 보람찼다. 오죽하면 그 보직은 해군 내에서 <제독 공장>으로 유명했다.

그 보직에 보임된 지 1년 정도 지났을까. 워싱턴의 해군 참모총장이 나를 불렀다. 그의 사무실로 들어가자, 그는 사무실 문을 닫고, 트레리스 사건이 언론의 엄청난 주목을 받은 이유를 설명해 주었다. 트레리스의 가족은 정치권과 연줄이 있었다. 그들은 어느 미시건 주 상원의원의 주요 후원자였다. 그 상원의원은 트레리스의 순직을 개인의 영달에 악용하려 했다. 그는 1984년 재선을 앞두고 있었고, 경쟁 후보는 강력했다. 그는 해군을 공격하고 후원자 가족의 죽음을 끝까지 파헤쳐, 정치 무대에서 유리한 입지를 다지는 동시에 후원자들에 대한 충성을 입증하려 했다.

이 사실을 알게 된 연방 법원은 나에 관련된 소송을 기각했다. 해군의 사문회에서도 이 사건을 단순 사고로 결론지었다. 그러나 그 상원의원은 상원 국방위원회에서의 자신의 입지를 이용해 나의 제독 진급을 막으려 했다.

해군 참모총장은 내 편이 되어 싸워 주었다. 나는 <탑건> 초대 교장을 지낸 데다가, <레인저>로 2번의 전투 파견을 치르면서 한 건의 항공기 사고도 일으키지 않은 훌륭한 복무 기록의 장교였다. 당시 우리 해군에 그만한 무사고 기록을 지닌 항공모함은 없었다. 그러나 내게도 정치적 책임은 있었다. 해군 참모총장은 나를 구해내려고 애썼다. 그러나 그 역시 외압에 밀려 1983년 준장 진급 예정자 명단에서 나를 뺄 수밖에 없었다. 나는 해군을 무엇보다도 사랑했다. 해군에서 나가면 뭘 할 수 있을까? 그러나 나는 해군에 계속 머물러 있는다면 이 싸움에서 이길 수는 없다는 결론을 내렸다. 그 상원의원은 재선에 성공할 것이고, 내 제독 진급을 계속 막을 것이다. 해군이 나를 지키기 위해 싸운다면, 그 때문에 해군이 피해를 볼 수도 있다. 그게 바로 미국 정부가 돌아가는 방식이었다. 해군을 사랑하는 사람 입장에서 못 볼 일이었다. 결국, 나는 참모직에서 사임하고, 그로부터 2주 후인 1983년 3월 1일 퇴역했다. 29년 1개월 1일간 해군에서 복무한 이후였다.

내가 <레인저> 함장으로 재직하고 있던 1980년대 초, 레이건 행정부는 국방 예산을 크게 증액했다. 당시 탑건의 교장은 훌륭한 장교인 어니 크리스텐슨이었다. 그는 존 F. 리먼 해군 장관에게 꾸준히 압력을 가해, <탑건>의 지위를 상승시켰다. 덕택에 국방부 내의 적들도 더 이상 공격을 못 하게 되었다.

<탑건>의 조직문화와, 그간 배출한 다수의 관련 인원들은 언제나 <탑건>을 가장 냉정하게 평가해 주었다. 사실 1982년, <탑건>에 관한 평은 호불호가 심하게 갈리고 있었다. 함대 작전은 빠르게 진행되고 있었고, 우리 항공모함은 그 어느 때보다도 소련 영토 가까이에서 작전하고 있었다. 이는 레이건 대통령의 공격적인 해양 전략에 따른 것이었다. 때문에 훈련 시간의 단축도 요구받았고, 안 그래도 바쁜 함대 조종사들을 <탑건>으로 데려오기도 어려워졌다. 물론 <탑건>에서 배우는 ACM의 난이도는 여전히 높았지만, 이제는 <탑건> 졸업생들이라고 해서 실무 부대 훈련에 예전만큼 큰 영향은 못 주는 것 같았다. 그렇게 보는 이유 중에는 F/A-18 호넷 전투기를 장비한 신규편성 비행대대가 너무 많이 생긴다는 점도 있었다. 이 전투기는 1980년대 초부터 해군에 대량으로 보급되기 시작했다. 1982~1985년 사이 이 전투기를 장비한 비행대대가 24개나 생겼다. 그리고 이 모든 부대에 <탑건> 졸업생을 보내기는 어려워졌다.

그러나 <탑건>의 영향력의 폭은 더 넓어졌다. <탑건>은 필리핀, 일본, 사우디 아라비아에 분견대를 배치하여 전방 해군 비행단을 직접 교육하기 시작했다. 이러한 <로드 쇼>를 통해 실무 비행대에게 강의와 시뮬레이션 교육

을 시키고, 항모전단 방어 훈련도 실시했다. 또한 NATO 회원국에는 <탑건>의 기동 훈련대(Mobile Training Team)를 파견했다. 특히 노르웨이와 독일이 <탑건> 교육을 좋아했다. 우리 교관들은 그 나라들이 보유한 F-5, F-104, F-16 항공기의 성능을 최대한 활용할 수 있도록 교육시켰다. 미 해군의 수상부대 또한 프리게이트, 구축함, 순양함 함장들에게 <탑건>식 교육을 시켜 기량을 높였다. 듣자하니, 초급 장교들에게 더 큰 발언권을 주는 <탑건>식 교육방침은 전통에 얽매인 해군 간부들의 원성을 샀다고도 한다.

이러한 모든 일들 덕택에, <탑건>의 명성은 일반에 더욱 더 크게 알려지게 되었다. 1983년, 월간 <캘리포니아> 지에는 <탑건>을 취재한 기사가 실렸다. 기사는 <탑건> 소속 어느 F-14 톰캣 조종사의 일상에 초점을 맞추었다. 영화 제작자인 제리 브룩하이머와 돈 심슨은 이 기사를 읽고, 파이터타운 USA를 배경으로 한 영화를 만들면 좋을 것 같다고 생각했다. 당시 <탑건>의 부교장이던 마이크 "위저드" 머케이브는 영화 제작자들을 미라마로 불러 이 구상을 검토했다. 영화 제작자들은 짐 캐시, 잭 엡스 등의 각본가를 동원해 각본을 쓰게 하고, 이 각본을 해군에 보여주며 지원을 요청했다.

당시 해군 참모총장이던 제임스 홀로웨이 제독은, 해군이 각본 내용을 정한다는 전제 조건 하에 전면적인 협력을 약속했다. 해군과 영화사 간의 협정이 맺어지자, 항공모함 2척이 영화 촬영장으로 동원되었고, 여러 대의 F-14도 영화 촬영 항공기로 개조되었다. 해군은 영화 제작사인 <파라마운트> 사에, 1비행시간당 7,800달러의 항공기 운항 요금을 요구했다. 감독 토니 스코트는 1985년 6월에 촬영을 시작했다.

스코트 감독에 따르면 원래 그가 만들고 싶던 것은 영화 <지옥의 묵시록(원제 Apocalypse Now)>의 항공모함판이었다고 한다. 하지만 영화 제작자들의 생각은 더 현명했다. 브룩하이머와 심슨은 전투기 조종사들이 나오는 록큰롤 영화를 만들기로 했다. 그렇게 만들어진 영화가 <탑 건>*이다. 영화는

* 미 해군은 언제나 <탑건(Topgun)>이라는 1단어 표기를 사용한다. 그러나 영화 제작자들은 <탑건(Top Gun)>이라는 2단어 표기를 고집했다. 내가 볼 때 2단어 표기 쪽이 영화 포스터나 책 표지에 쓰였을 때 더 멋진 것 같다.

1986년 5월 개봉되어 큰 호평을 받았다.

줄거리의 중심은 서로 경쟁 관계에 있는 두 <탑건> 교육생이다. 펫 "매버릭" 미첼 대위(톰 크루즈 분)와 톰 "아이스맨" 카잔스키 대위(발 킬머 분)가 그들이다. 영화 속 <탑건> 교장 마이크 "바이퍼" 메트칼프 역으로는 배우 톰 스커리트가 호연했다. 올바른 <탑건> 교장의 캐릭터와 <탑건> 교육의 엄격함을 잘 전달했다. 영화 속에서 서로 티격대는 두 젊은이보다도, 이 <탑건> 교장이 더욱 현실에 근접한 캐릭터라고 할 수 있다. 영화의 여자 주인공 찰리 블랙우드(켈리 맥길리스 분)는 헐리우드에서 만들어낸 캐릭터처럼 보이지만, 사실은 실존 인물에 기반했다. 그 실존 인물은 다름아닌 크리스틴 H. 폭스다. 미라마 기지에 배속된 민간인 수학자인 그녀는 공중 조기 경보 비행단장에게 조언을 해 주는 현장 분석관이었다. <탑건>과 그녀는 직접적 연관은 적었다. 그러나 그녀의 상관인 해군 소장 토머스 J. 캐시디 제독은 그녀의 뛰어난 업무 능력에 반했다. 영화사와 소통하는 해군 연락 장교 역할까지 어쩌다가 맡게 된 캐시디 제독은 영화사에 압력을 넣었다. 원 각본에는 톰 크루즈의 애인이 에어로빅 강사로 나와 있었다. 그러나 캐시디 제독 때문에 그녀의 직업은 폭스와 같은 뇌섹한 전술 고문관으로 바뀌게 되었다. 크리스틴 폭스는 훗날 국방부 차관을 맡아, 국방부 역사상 최고위직까지 승진한 여성이 되었다.

어찌 이런 영화가 페미니스트들을 이롭게 할 거라고 생각할 수 있겠는가? 우리 모두가 알다시피 이 영화는 테스토스테론을 끓어오르게 한다. <탑건>은 실제로는 학구적이고 엄격한 대학원 분위기다. 그러나 영화 속 <탑건>은 온 힘을 기울여 교내 대항전을 치르는 운동부 같은 분위기로 묘사된다. 그거야 토니 스코트 감독과 그의 제작진들의 권한이었다. 또한 이 영화의 항공 촬영은 영화 사상 단연 최고 수준이다. 해군에서 파견한 항공 촬영 기술 자문관 중에는 당시 대령(후일 소장까지 진급)이었던 펫 페티그루도 있었다. 베트남 전쟁에서 MiG 전투기를 격추하고 <탑건>의 교관도 거쳤던 그는 영화 <탑 건>에도 직접 출연한다. 자문관들은 영화 제작진이 만든 각본에서 꼬치꼬치 옥의 티를 잡아내며, 영화 속 F-14가 성능의 극한을 보여주는 데 기여했다. 덕분에 스코트 감독과 촬영감독 제프리 L. 킴볼이 촬영하고, 멋진 사운드트랙까지 들어간 이 영화의 공중전 장면은 관객들을 비행 중인 F-14 조종석 속으로 순식간에 밀어넣을 수 있었다. 이 영화는 영화 <크로커다일 던디>를 근소한 차로 따돌리고 그 해 미 박스 오피스 1위를 차지했다. 전 세계에서 3억 5천만 달러의 수입을 올렸다. 또한 <Take My Breath Away>라는 곡(조르조 모로데르 작곡, 톰 휘틀록 작사, 베를린 노래)으로 아카데미 영화음악상도 수상했다.

영화 제작 중에 펫 페티그루는 배우 멕 라이언의 뛰어난 연기에 감동했다. 멕 라이언은 매버릭의 RIO인 구스의 아내 역으로 나온다. 촬영 중 멕 라이언이 우는 장면을 찍어야 했다. 감독은 그 장면을 22번이나 재촬영했는데, 펫 페티그루의 증언에 따르면 멕 라이언은 감독이 울라고 지시할 때마다 기다렸다는 듯이 바로 눈물을 쏟아냈다고 한다. 내가 보기에는 구스 역을 맡은 안소니 에드워즈도 이 영화의 진정한 주인공 같았다. 후속편인 <탑 건 매버릭>(2022년작)에서는 구스의 아들이 <탑건> 조종사로 나온다. 내 개인적으로 이 후속편은, 2인승 전투기 후방석 승무원의 눈과 귀의 중요성을 매우 잘 강조한 교재라고 생각한다.

영화 홍보 활동에는 여러 <탑건> 교관들도 동원되어 카메라 앞에 얼굴을 비쳤다. 어느 교관은 건방진 캐릭터 매버릭을 어떻게 생각하냐는 질문에 이렇게 대답했다. "그 친구는 전투기 조종사로서 매우 훌륭한 자질을 갖고 있습니다. 하지만 태도가 그 따위면 절대 <탑건>에서 교육을 받을 수 없습니다." 나 때도 너무 오만한 조종사를 대하는 다른 조종사들의 태도는 똑같았다. 그런 조종사는 훌륭한 영화의 주인공은 될 수 있어도, 대기실에서 함께 비상 대기를 할 동료로는 부적합하다. 매버릭처럼 혼자서 영광을 독식하려는 조종사는 오래 가지 못한다. 다른 사람들에게 멋지게 보이려다가 비행 사고로 죽기 십상이다. <탑건>은 건전하고 성숙한 프로를 원한다. 신성한 열정과 사명감에 이끌려, 몸과 마음, 머리로 모두 싸울 수 있는 지적인 전사를 요구한다.

그러나, 리먼 해군 장관이 영화 속 거만한 조종사들에 대한 글을 썼을 때,

그가 염두에 둔 독자는 다름아닌 소련이었다. “영화에서는 자만심에 가까운 자신감과 뛰어난 기량을 갖춘 해군 조종사들이 적기를 박살냅니다. 이것은 결코 외교 무대에서 권장되는 완곡어법이 아닙니다. 우리가 표현하고자 하는 바를 매우 직설적으로 나타내 준 것입니다.” 물론 그의 말이 맞다. 어쩌면 그로부터 5년 후에 소련이 붕괴하는 데는, 이 영화가 심리전 무기로서 한몫을 했을지도 모른다.

물론 영화의 옥의 티를 지적하기는 쉽다. 왜냐하면 애당초 영화의 제작 목적은 현실을 완벽히 구현하는 게 아니기 때문이다. <탑건>에서 적기의 위로 올라가 기체를 뒤집고, 적기의 캐노피에 자기 비행기의 캐노피를 들이대는 조종사는 없다. 영화에서는 매버릭이 급상승한 후 추력을 공회전 수준까지 낮춰, 가상적기를 조종하던 부교장을 추월시키는 장면도 나온다. 잭 보리어는 그런 식의 기동은 자살 행위에 불과하다고 말했다. 그러나 그 영화가 해군 항공대에 준 긍정적 효과는 재론의 여지가 없다. 이 영화는 미 해군의 입대 지원자 수를 엄청나게 높여 놓았다. 그것이야말로 미 해군이 이 영화를 통해 얻고자 한 최종 목표였다. 홀로웨이 제독의 말에 따르면, 그 해 펜사콜라 비행학교 입교 지원자 중 적격자의 수만도 연간 훈련 가능 인원의 4배나 되었다고 한다. 결국 그는 국방부 장관 캐스퍼 와인버거의 승인을 얻어, 이 인원들의 입교를 허가하되, 실제 입교는 향후 3년에 걸쳐 나누어 실시하기로 했다. 그 기간 동안 안정적으로 조종학생을 받기 위한 조치였다. 공군도 <탑 건>이라는 기회를 놓치지 않았다. 언론에는 공군 모병관들이 영화관에 진을 친 모습을 담은 보도 사진이 나왔다.

항공 업계 종사자가 아닌 사람 중, 이 영화 촬영 중 불상사가 발생한 사실을 아는 사람은 많지 않다. 1985년 9월, 유명한 곡예 비행 조종사이자 에어쇼의 단골 출연자인 아트 숄이, 카메라가 장착된 촬영용 복엽기로 비행 장면을 촬영하다가 순직하고 말았다. 그의 2인승 피츠 스페셜 항공기는 뒤집어져 스핀을 일으켰고, 회복하지 못한 채 엔시니타스에서 9.3km 떨어진 태평양 해상에 추락했다. 그래서 영화 <탑 건>의 마지막 장면에는 “이 영화를 아트 숄의 영전에 바친다."는 자막 문구가 들어갔다.

영화 <탑 건>은 레이건 시대의 해군 전력 증강, 특히 모병 목표 달성에 큰 도움을 주었다. 그러나 해군 항공대 내에서 의도치 않은 부작용도 몰고 왔다. 그 부작용은 <탑건>을 수년간이나 괴롭혔다. 타 기종, 특히 공격기 조종사들이 이 영화를 보고 질투를 일으킨 것이다. 전투기와 공격기 간의 해묵은 악감정이 도졌다. 결국 1980년대 내내 <탑건>은 관료적 공격에 시달려야 했다. 나는 공격자들이 <탑건>을 망하게 할 의도였다고 굳게 믿고 있다.

물론 당시 나는 이미 민간인이었다. 입대 직전 휘티어 시내에서 신발을 팔던 시절 이후 처음으로 군대 밖에서 생활하게 되었다. 나 역시 나만의 문제와 씨름하고 있었다. 한 때 페르시아만에 전개된 초대형 항공모함의 함장이던 나는 이제 멋진 사복을 입은 회사원이 되었다. 해군에서 알게 된 사람들과도, 입대 전 고향에서 알던 사람들과도 이제는 만나기 어려워졌다. 퇴역하던 해 봄, 고향 캘리포니아에 돌아갔지만 마치 낯선 땅에 온 난민이 된 기분이었다. 나이를 근 50이나 먹었는데도 처음부터 다시 시작해야 했다. 새로운 일상에 맞춰 살아가야 했다.

해군 시절에는 황동 현창으로 들어오는 바다 냄새를 맡으며 격실에서 기상하는 게 일상의 시작이었다. 캐터펄트가 주는 엄청난 충격, 수직 상승으로 마하 1을 돌파하는 쾌감, 긴 야간 비행 중에 보는 아름다운 야경, 해상에서 인명을 구조할 때 느끼는 사명감도 그 일상 속에 있었다. 물론 북베트남 영토를 폭격하는 데 따르는 두려움도 있었다. <탑건>의 교장이 되어 미국 최고의 젊은이들과 함께 교육훈련을 했다는 영예도 있었다. 하노이 힐튼(Hanoi Hilton, 북베트남 포로수용소를 부르는 별칭-역자주)에서 돌아온 전우들을 만났을 때는 정말 기뻤다. 전우들과의 관계는 성인이 된 이후의 삶 전체를 규정했다. 그러나 퇴역 후에는 이 중 어떤 것도 내 삶에 없었다.

나는 민간 사회에 적응하기 위한 혼자만의 싸움을 벌여나갔다. 나는 첫 아내와 격동의 1970년대를 함께 견뎌내지 못하고 이혼했다. 너무나 오래 집을 비운 탓에 우리 사이에는 지울 수 없는 앙금이 생겼다. 나는 수상함 함장 근무 중 재혼했다. 의도한 건 아니었지만 난 늘 긍정적으로 살려고 했다. 두 번째 아내와 지내면서 제일 행복했던 일은 셋째 아이를 본 것이었다. 아름다운 딸 캔디스가 태어난 것을 나는 늘 감사하면서 살 것이다.

퇴역한 군 장교들은 방위산업체로 많이 간다. 급여도 복지도 엄청나다. 나도 갈 수 있었지만 가지 않았다. 나는 우리 군의 문제점 중 상당수가 획득 체계의 문제와 방위산업체가 미국 정부에 가하는 외압에 의해서 발생한다고 보고 있다. 나는 제대하고 나서 바로 정부에 그런 외압을 가하는 사람이 되기 싫었다.

대신, 나는 남 캘리포니아에서 개인 사업을 시작했다. 해군에서 배운 지휘 원칙은 내 사업의 성공에 큰 도움이 되었다. 또한 대성공한 사업가 조 시나이의 조언도 많이 받았다. 나와 시나이는 오랫동안 절친한 친구로 지내고 있다. 나는 그에게 큰 빚을 졌다.

주변 사람들이 하나 둘씩 세상을 떠나기 시작했다. 우리 아버지가 제일 먼저 돌아가셨다. 몇 년 후에는 어머니도 돌아가셨다. 그리고 나서 나는 로스 앤젤레스에서 사업을 하는 도중에도 틈틈이 휘티어로 돌아가 어머니의 가장 친한 친구던 루이스 시크레스트 여사를 만나러 가곤 했다. 그녀는 94세였지만 여전히 총명했다. 그리고 고향에 남은 내 유일한 사실상의 가족이기도 했다.

어느날 밤 그녀는 나와 함께 저녁을 먹고 나서 이렇게 말했다. “댄, 나는 네가 갓난아이일 때부터 너를 쭉 봐 왔어. 하지만 오늘처럼 마음 아파하는 모습은 처음 본다.”

아아, 그동안 잘 숨겨왔다고 자신했는데.

“네, 저 요즘 정말 행복하지 않아요.”

“너를 행복하게 해 줄 답을 알고 있다.”

그녀는 공책과 펜을 가져와서 공책에 뭐라고 적었다. 그리고 그 공책 페이지를 찢어서 내게 주었다. 페이지에 적혀 있는 것은 전화번호였다.

“거기로 전화해라. 지금 당장 전화해. 넌 30년 전에 거기로 전화했어야 했다.”

도대체 이 양반 무슨 소리 하는건가?

"댄, 메리 베스는 지금 짝이 없어. 전화해라."

나는 아무 말도 할 수 없었다. 그녀와의 관계는 오래 전에 끝이 났다. 어머니의 별세와 동시에 그녀의 정보를 들을 연결고리도 사라졌다. 당연히 그녀의 결혼 생활이 끝났음도 알 길이 없었다.

나는 업무용 카폰이 있었다. 나는 시크레스트 여사를 댁 현관까지 모셔다드린 다음, 내 차로 돌아와서 카폰으로 그 번호에 전화를 걸었다. 전화를 받은 사람은 메리 베스의 어머니였다. 그녀가 날 기억한다는 보장이 없었기 때문에, 나는 자기소개부터 했다. 그녀는 나와 통화해서 기쁜 것 같았다. 그녀는 나와 잠시 안부 이야기를 나누다가, 메리 베스의 진짜 전화번호를 알려 주었다. 나는 그 번호로 전화를 걸었다.

메리 베스가 전화를 받았다. 그녀의 목소리는 30년 전과 똑같았다. 그 목소리를 듣자 잠시동안 나는 크리스마스 때 엘 토로 기지의 T-33 항공기 기수 아래 서 있던 내 품 속으로 그녀가 뛰어들어오던 때로 돌아갔다.

"베스. 나 댄 페더슨이야."

메리 베스는 아무 말도 하지 않았다.

나는 내 이름을 다시 말했다.

그녀는 그녀의 형제가 내 목소리를 흉내내 장난전화를 걸었다고 생각하고, 그만 하라고 소리를 질렀다. 분명 내가 기대하던 반응은 아니었다.

나는 내가 진짜 댄 페더슨이라고 확언했다. 우리는 순식간에 함께 웃기 시작했다. 이런 편안한 분위기, 지난 여러 해 동안 전혀 느껴보지 못했다.

그녀가 물었다.

"당신 이 동네에 있는거야? 어디야?"

"커피 끓여 놔. 바로 갈게."

그녀가 자기 주소를 알려주자 나는 속도 제한을 어기면서까지 차를 몰고 달려갔다.

내가 차에서 내린 곳은 잘 가꾸어진 콘도미니엄 앞이었다. 나는 폴로 셔츠와 슬랙스 바지, 로퍼 신발을 착용하고 있었다. 언제나 신발은 좋은 것을 착용해야 한다. 언제 일생의 인연을 만날 수 있을지 모르기 때문이다.

대문이 열리고 메리 베스가 나왔다. 군 시절 동안 나는 기억 속 그녀의 옛 모습을 품고 여러 차례 대양을 건넜다. 30년의 시간이 흘렀지만 그녀는 여전히 예전처럼 아름다웠다. 너무나 비현실적이었다. 30년이 지났다. 그 동안 나는 그녀를 다시 만날 수 있으리라고는 꿈에도 생각하지 않았다. 그 동안 하루도 그녀의 빈 자리를 잊고 지낸 적이 없었다. 그 자각은 약해지기는 했을망정 사라지지는 않았다.

망가진 F-4에서 비상 탈출하여 낙하산도 제 때 개산되지 않았고, 낙하산이 펴지자마자 바로 라 호야 앞바다의 차가운 물에 빠져야 했던 그 비행 사고 때, 내가 떠올린 사람은 누구였는가? 바로 내 앞에서 예전과 마찬가지로 멋지게 차려입고, 행복감과 흥분에 가득한 시선을 보내고 있는 이 여자였다.

내가 그녀에게 다가가자 그녀는 미소지으며 팔을 벌렸다. 나도 그녀에게 손을 내밀어 끌어안았다. 그녀는 그 이상의 것도 준비하고 있었다. 그녀는 부드럽고 따스한 키스를 해 주었다. 마음을 열고 하나가 되는 키스였다. 옛 친구에게 해 주는 키스가 아니었다. 오랫동안 잃어버렸다가 다시 찾은 애인에게 해 주는 키스였다.

이상한 기분이 들었다. 내 마음 속의 공허함이 사라졌다. 그 순간 시간도 공간도 무의미해졌다. 키스가 끝나자 내 눈에는 나를 보는 그녀의 갈색 눈동자만 보였다.

그리고 그제서야 나는 고향에 돌아왔음을 실감했다.

제21장
<탑건>을 지켜라

2018년, 캘리포니아 주 팜 사막

이 글을 쓰는 현재 나는 83세다. 나는 여전히 비행기 소리만 들리면 하늘을 본다. 이제 독자들은 그 이유를 알 것이다. 비행이야말로 내 삶에서 가장 사랑하는 대상이다. 30년 동안 나는 비행을 위해 소중한 모든 것을 바쳤다. 비행이야말로 하늘과 땅, 바다 어디에나 있는 내 고향과도 같았다. 그러나 결국 메리 베스가 나타나서 그 동안 내가 잃어버리고 있던 것을 보여주었다. 그것은 가족들과의 즐거운 시간이었다. 아이들과의 사랑과 유대였다. 내가 하이퐁 남쪽에서 표적을 찾던 도중에는 절대 얻을 수 없던 것이었다.

시간은 밤 12시가 넘었다. 달이 뜨고 있는데도 민항기들은 열심히 하늘을 가로지른다. 그 아래 우리는 수영장 옆에 앉아 있다. 솔직히 말하면 후회할 일은 한 가지 뿐이다. 다나, 크리스, 캔디스(1982년생)와 더 많은 시간을 보내지 못한 것이다. 지금 와서 생각해 보면 어떤 여자건 나처럼 계속 해외로 파병되고, 정치권과 언론의 압박을 받는 사람과는 오래 같이 살 수 없었다. 내 첫 아내와 두 번째 아내는 대단했다. 나는 그녀들을 평생 사랑할 것이다. 그녀들과 함께 했을 때 가정 이외에 다른 것을 더 중시할 수밖에 없던 나를 그녀들이 용서해 주기를 바란다.

전쟁을 치르는 조국은 우리를 필요로 했다. 내 전우들이 북베트남의 나는 전신주(SAM 미사일의 별명)와 MiG-17에 맞서 사투를 벌이는데, 나만 도망칠 수는 없었다. 입대 선서를 하고 군복을 입은 자는 변하게 된다. 삶의 우선 순위도 바뀌게 된다.

하늘을 보자. 날아가는 비행등이 보인다. LAX(로스 앤젤레스 국제공항)를 출항한 737이라는데 한 표 걸겠다. 매일 밤 이 시각이면 늘 보이는 기체이기 때문이다. 시간표에 딱 맞췄군. 게이트나 승객 때문에 문제를 일으키지 않았어. 하는 생각이 들었다.

내가 얼마나 비행을 사랑하는지 누가 알랴. 이런 날 밤에 4만 피트(12km) 고도에 올라가면 수백 마일 밖까지 보인다. 머리 위에는 칠흑같은 밤하늘이 펼쳐져 있다. 그 하늘에는 셀 수 없이 많은 은하와 별들이 빛나고 있다. 발 아래에도 도시의 화려한 야경이 펼쳐져 있다. 마치 햇살을 받아 빛나는 다이아몬드 같다. 지구와 그 속에 사는 생명들의 아름다움을 만끽할 수 있다. 그런 모습을 직접 보고 나면 가슴이 열린다. 마약같은 중독감을 느낀다. 직접 경험하지 못한 사람은 비행이 그렇게 인생을 바꿀 수 있음을 결코 실감할 수 없다.

요즘은 이런 밤 시간에 군용기를 잘 볼 수 없다. 예산 감축과 예비 부품 고갈로 승무원들의 비행 시간은 크게 줄어들었다. 만약 지금도 내가 군대에 있다면 그런 상황과 <탑건>에 가해질 악영향이 매우 걱정스러울 것이다.

소련의 붕괴로 인해 1993년 국방 예산은 크게 삭감되었고, 다수의 기지도 폐쇄되었다. 평화로 인해 엘 토로 기지의 해병대는 미라마로 이사 왔다. 그 결과 미라마에 있던 <탑건>은 다른 곳으로 내쫓길 수밖에 없었다. 높으신 분들이 정한 <탑건>의 새 보금자리는 네바다 주 팰론이었다. 이 곳으로 이전한 <탑건>은 해군 타격전 본부, 통칭 <스트라이크 U> 휘하에 배속되었다. 이제 "바다가 보인다."는 말도 안 되는 이름이 붙은, 우리가 주워 온 이동식 사무실로 처음 <탑건>을 개교했던 기지는 더 이상 우리 집이 아니다. 이 이전에는 해군 상층부의 공격기 조종사들이 개입했다. 그들은 <탑건>을 상대로 결정적인 승리를 거두었고 <탑건>의 전통은 위기에 처했다.

1990년대 중반, 해군 전투 비행대와 <탑건>에 대한 해군 내부의 적개심은 고조되었다. 그 원인 중에는 영화 <탑 건>이 초래한 <탑건>의 록스타와도 같은 엄청난 인기도 있었지만, 다른 원인들도 있었다. 1991년 <테일후크 컨벤션>에서 벌어진 성추문 사건으로 해군 항공대의 명예는 훼손되었다. 더그(1996~1997년 <탑건> 교장을 역임한 롤랜드 G. "더그" 톰슨을 지칭-역자주)가 말했듯이, <탑건>은 많은 이들에게 해군 항공대 전투 비행대의 최후 보루였다. 그리고 이 사건은 해군 전투 비행대와 연관 없는 많은 이들에게까지 우리를 욕보였다.

<탑건>은 아름다운 해변이 있고 생기가 넘치던 남 캘리포니아에서 쫓겨나, 문명이 없는 오지와도 같은 곳으로 이사갔다. 언론은 이 사건에 큰 관심을 기울였다. 우리 학교의 인원과 물자를 실은 트럭이 가는 길에는 사람들이 작별 인사와, 앞으로의 건승을 기원하는 말이 적힌 팻말을 들고 줄을 섰다. 팰론에 처음 발을 디딘 <탑건> 교직원 부인들 중에는 황량한 그 곳의 풍경과 뜨거운 사막의 열기를 처음 접하자마자 울어버린 이들이 많았다. 그녀들은 분명히 아름다운 샌 디에고에 두고 온 추억을 떠올렸을 것이다.

당시 해군 참모총장은 제레미 마이클 부어다 제독이었다. 그는 우리를 매우 잘 보호해 주었다. 그는 <탑건>이 <스트라이크 U> 산하에 있는 동안 독립 부대 자격을 유지하도록 조치했다. <탑건>과 마찬가지로, <스트라이크 U>도 과거에는 공격기 조종사들을 매우 높은 수준으로 교육했다. 그러나 더그와 동료들이 18대의 호넷과 4대의 톰캣을 가지고 이사 오던 시절에는, <스트라이크 U> 교관들은 교관화 교육 중 <살인 위원회>를 열지 않았고, 항공기를 직접 조종하면서 교육하지도 않았다.

1996년은 해군에게 비극의 해였다. 그 해 부어다 해군 참모총장이 자살했다. 그는 유서에서 가짜 V자 약장을 군복에 부착한 것이 수치스러운 행위였으며, 그 때문에 자살하노라고 밝혔다. 그의 사망 이후, <탑건>을 보호해 줄 해군 제독은 하나도 남지 않았다. 결국 <탑건>은 독립 부대에서, <스트라이크 U>(해군 소장이 지휘)의 일개 부서로 격하되었다.

이렇게 패배하자 내 가슴도 미어졌다. 나 뿐 아니라 <탑건>을 창설하고 키우는 데 삶의 많은 부분을 할애하고, 갈수록 커지는 적의에 맞서 직까지 걸고 <탑건>을 지켜 온 모든 이들에게 가슴 아픈 사건이었다. <탑건>의 성공이야말로 역동적이고 창의적이며 동기 부여까지 잘 된 초급 장교들이 엄청난 일을 해낼 수 있다는 산 증거였다. 이것이 왜 문제가 되는가? 뭐가 위험한가? 난 이해할 수 없다.

심지어 적들은 <탑건>이라는 이름도 없애려고 했다. 부어다 제독 사망 다음 날 팰론 기지에 출근한 더그는 <탑건> 학교 건물에 <탑건>이라는 간판이 사라지고, 대신 <N7>이라고 적힌 간판이 달린 것을 알았다. 그것이 그들이 우리 해군 전투기 무기 학교에 붙인 의미 불명의 관료적 명칭이었다.

부어다의 후임 총장으로는 제이 존슨 제독이 임명되었다. 그는 이 글이 쓰여지는 2018년 현재 마지막 조종사 출신 미 해군 참모총장이다. 더그는 처음에 이러한 인사를 불길한 징조로 해석했다. 존슨 제독은 신임 <스트라이크 U> 사령관인 해군 소장 버니 스미스와 친구였기 때문이다. 공격기 부대와 전투기 부대의 합병으로 인해 <탑건>의 조직문화는 약해질 위험이 있었다. 그러나 스미스 소장은 우리 편이었다. 그 역시 <탑건>이 처한 위기를 감지하고, 더그에게 일체의 교육훈련 권한과 책임을 위임했다. 더그는 자신의 <탑건> 교장 취임식에 스미스 소장을 찬조 연설자로 기용해, 그가 취임식에 반드시 나오게 했다. 그리고 본인도 다음과 같은 연설을 해 현장의 분위기를 뒤집어 놓았다. "저는 직을 걸고서라도 이 부대의 기준을 바꾸고야 말겠습니다." 이후 그는 그 말을 잘 지켰다.

결국 팰론 기지의 <스트라이크 U>는 <탑건>에 불필요한 간섭을 하지 않았다. 그러나 교직원 부인들은 팰론 기지의 기존 군인 부인들로부터 냉대를 당해 매우 불편해 했다. 그건 중요한 문제였다. 그런 식의 따돌림은 부인들 뿐 아니라 남편들의 사기도 크게 저하시켰다. 그것이야말로 극소수의 뛰어난 인원들이 <탑건>으로의 전속명령을 거부하는 원인 중 하나였다. <탑건>이 <스트라이크 U>의 일개 부서로 전락하고, 지휘권이 초급 장교들로부터 소장으로 이동하면서 <탑건> 교직원으로서의 특권은 크게 줄어들었다.

더그는 이런 상황을 바꿔야 한다는 것을 절감했다. 그는 교육훈련부장이라는 자신의 직위를 이용하여, <탑건> 교관들에게 타격 교육 과정 작성에도 참여할 것을 요구했다. 더그는 이렇게 말했다. "그 놈들은 우리를 따돌리려고 했어요. 그렇다면 우리가 그 놈들을 친구로 만들어야겠지요." 물론 뭐든지 말은 참 쉽다. <탑건>과 타 부대 간의 불화는 끈질기게 오래 갔다.

그러나 <탑건> 역시 오래 갔다. 더그가 <탑건> 프로그램에 가해지는 상부의 압력을 막고 있는 동안, 그 휘하의 초급 장교들은 언제나 그렇듯이 주어진 임무를 수행했다. 이것이 군 관료들 간의 전쟁을 치르는 방식이다. 조직은 변할 수 있다. 그러나 조직을 구원하는 것은 자부심과 확신을 갖고 원칙을 지키는 사람인 경우가 많다. 나는 더그, 즉 롤랜드 톰슨이야말로 그 어려운 시기에 <탑건>을 지켜낸 사람이라고 생각한다. 그의 휘하 교관이었던 리처드 W. "레트" 버틀러는 6년 후 <탑건> 교장으로 부임했다. 그 때 그는 학교 건물에 붙어 있던 <N7> 간판이 사라지고 <탑건 훈련 부서>라는 간판이 달려 있는 것을 보고 매우 만족했다.

해군 전투 비행대 세계에서도, <탑건>이 미라마에서 네바다로 이전하는 과정에서 매우 큰 존립의 위험을 겪었음은 잘 알려져 있지 않다. 일설에 따르면, 이 때 <탑건>의 교관 중 80%가 전역을 준비했다고 한다. 그러나 더그는 탁월한 지도력으로 협동 타격 전투기 교육훈련 프로그램을 존속시켰다. 그 결과 <탑건>의 교관 대부분은 학교에 남아 있게 되었다. 헌신적인 교장의 영단, 그리고 그 지시를 따른 강인한 초급 장교들이 없었더라면 <탑건>은 진작에 폐교되었을지도 모른다.

이 불필요한 관료적 내부 투쟁에 대해서는 생각하고 싶지 않았다. 특히 오늘처럼 아름다운 밤에는 말이다. 내가 여기 온 것은 마음의 평화를 찾기 위해서다. 가끔씩 내 군생활 최고의 순간을 떠올릴 때면 예전에 가졌던 강한 자부심도 되살아난다. 하지만 여러분도 미처 짐작 못 했던 부분도 있다. 나는 비행을 지극히 사랑한다. 그러나 이제 와서 돌아보면 내 군생활 중 최고의 순간은 인명을 구했을 때였다. 바하 앞바다에서 요트에 탄 부부를, 남중국해에서 죽어가던 베트남 난민들을 구해냈을 때처럼 말이다. 그때야말로 내 군생활 중 최고의 순간이었다.

* * *

아주 오래 전에 했던 일이 현재의 삶을 바꿀 수 있다. 이것이야말로 인생의 큰 아름다움이자 신비일 것이다. 난민들로 가득한 배를 구조한 것이야말로 내 삶의 큰 전환점 중 하나가 되었다. 그 사건 이후 여러 해가 지난 1998년, 나는 워싱턴의 해군본부 정훈공보실장으로부터 전화를 받았다. 그는 내가 1981년에 구조한 난민 중 한 사람이 나를 만나고 싶어한다고 전해 왔다. 구조 당시 13세였던 그는 어머니, 형제 1명, 자매 2명과 함께 돈을 내고 그 낡은 배에 목숨을 걸었다. 그는 우리 항공모함이 자기 배 옆에 왔을 때의 모습을 잊지 못했다. 우리 항공모함 선체 측면과 함교에 크게 적힌 <61>이라는 숫자도 잊지 못했다. 이제 그는 자신을 포함해 138명의 난민을 구조해 준 사람을 찾아 고마움을 전하고 싶어 했다.

나는 기꺼이 허락했다. 물론 잘 해야 전화로 그 사람이랑 통화하고 끝나겠지 싶었지만 말이다. 그러나 해군은 TV 프로그램 <굿 모닝 아메리카(Good Morning America)>에서 우리가 만나는 게 어떻겠느냐고 제안했다. 그때 했던 순간의 작은 선택이 이후의 삶에서 이렇게 큰 결과를 이끌어 낼 수 있다고는 이전에 전혀 생각해 본 적이 없었다. 방송 촬영 현장에서 나를 만나고 싶어했던 베트남인 란 달라트는 내 옆에 앉았다. 그와 첫 인사를 나누면서, 나는 우리 두 사람은 결국 다시 만날 운명이었구나 싶었다.

그는 가족과 함께 루존의 난민 수용소에 몇 달 동안 수용되어 있다가, 미국으로 이민하여 워싱턴 주에 정착했다. 이후 그들은 고향 베트남과 비슷한 따뜻한 기후를 가진 곳을 찾아 남 캘리포니아로 이사한다. 란과 형제들은 공립학교를 다니면서 동료 학생들의 괴롭힘을 심하게 당했다고 한다. <보트 피플>이라는 이름으로 불리우며 모욕을 당했다. 그는 그렇게 거칠고 잔혹한 방식으로 미국에서 청소년기의 끝을 맞았다. 그러나 그와 가족들은 미국이 주는 기회를 놓치지 않았다.

그를 포함한 4남매는 모두 대학을 졸업하고, 이후 크게 성공한 삶을 살았으며 결혼도 해 가정을 이루었다. 란 달라트는 이후 자신의 대학 졸업식과 미 육군 소위 임관식에 와서 연설을 해 달라고 요청했다. 나는 그 요청을 수락했을 뿐 아니라, 그의 형제 토니를 위해서도 똑같이 해 주었다. 토니는 미 육군 특수전 사령부(통칭 <그린 베레>-역자주)에 배속되어, 아프가니스탄 전쟁에서 싸웠다.

란 달라트와 그의 가족들은 미국의 정신과 힘을 내가 만난 어떤 사람들보다도 잘 알고 있었다. 그들은 그러한 가치를 수호하기 위해 목숨까지 걸었다.

내가 란 달라트 가족의 이야기 중에서 제일 좋아했던 부분이 궁금한가? 물론 내 기준에서 본 거니 편향적일 수밖에 없을 것이다. 그 부분은 란이 결혼하여 낳은 첫 아이의 이름을, 내 이름을 따 <댄>이라고 붙였다는 사실이다. 그 일을 떠올릴 때마다 가슴이 벅차오르는 것을 어쩔 수 없다. 1983년 퇴역할 때, 나는 소속되어 있던 전투기 조종사라는 부족과 연이 끊어지기 직전이었다. 가장 고독했던 최악의 순간에도, 나는 대양 항행이 가능한 110피트(33m)짜리 예인선을 사서 개장한 다음 항해를 하겠다는 계획을 세웠다. 그 배를 타고 태평양의 파도를 헤치고 일본이건 필리핀이건 바람과 별빛이 인도하는 곳으로 가고 싶었다. 낭만적으로 들릴지도 모른다. 하지만 지독하게 외로운 항해가 될 것이었다.

메리 베스를 만난 것은 바로 그 시점이었다. 그리고 란 달라트와 그 가족들도 만났다. 해군에서 퇴역한 옛 친구들, 특히 <탑건>의 창설 멤버 거의 전원이 남 캘리포니아에 살고 있었다.

1983년 3월 1일, 나는 외톨이 민간인으로 새 삶을 시작했다. 나는 젊은 시절을 모두 바쳐서 조국을 방위했다. 그러나 퇴역 직후 그 조국은 내게 낯선 땅이나 다름 없었다. 그래도 나는 결국 가족과 친구들에 둘러싸여 행복이 가득한 새로운 삶을 찾았다. 나와 베스의 자손들은 현재 TV 드라마 <더 브래디 번치(The Brady Bunch)>에 나옴직한 대가족을 이루었다. 물론 젊은 시절 함께 전쟁을 치렀던 전우들도 함께다.

나는 요즘도 <탑건>의 창설 멤버들과 자주 만나 저녁을 먹는다. 유감스럽게도 창설 멤버 9명 중 2018년 현재까지 남은 사람은 7명 뿐이지만 말이다. 베스와 나는 다시 만난 날로부터 1년여 후에 덴마크로 날아갔다. 그리고 아버지가 란처럼 가족들과 함께 미국에 오시기 전 세례를 받았던 덴마크 교회에 가서 결혼식을 올렸다.

이후 베스와 나는 1990년대에도, 그리고 21세기가 된 이후에도 그동안 만나지 못했던 시간들을 부지런히 보충해 나갔다. 우리는 함께 일하고, 만들고, 탐험하고 여행하며 축복받은 삶을 살아왔다. 그녀는 내 잃어버린 일부였다. 그리고 나는 오랜 시간이 지나서야 그 일부를 다시 찾았다. 그녀와 함께라면 이제 어떤 것도 두렵지 않다.

하지만 걱정스러운 것은 한 가지 있다. 바로 지금 현역에 있는 해군 전투기 조종사 후배들에 대해서다. 그들의 앞길에는 악운이 기다리고 있기 때문이다.

제22장

미국은 다음 전쟁에서 또 지고 말 것인가? (역사는 F-35와 함께 반복될 것인가)

F-4 팬텀과 마찬가지로, F-14 톰캣 역시 전투 조종사들의 기억 속에 오랫동안 살아 있을 것이다. 이 유명한 항공기는 지난 2006년에 미군에서 퇴역했다. 미 해군은 톰캣을 대체할 F/A-18 호넷, A-6 인트루더를 대체할 A-12 어벤저 II 스텔스 공격기 도입에 주력했다. 그리고 그들은 톰캣을 계속 유지하기에는 돈이 모자라다고 결론지었다. 국방부 장관 딕 체니는 그 사실을 뉴욕 의회 대표단 앞에서 밝혔지만, 그래도 F-14의 수명 연장에는 도움이 안 되었다. 그루먼 항공기 제작사는 롱 아일랜드에 위치해 있다. 결국 국방부가 칼을 빼든 이상, 신뢰성과 경제성을 겸비한 이 항공기는 슬프고도 비싼 퇴역을 할 수밖에 없었다. 체니 국방부 장관이 그루먼 사가 제조한 이 두 상징적인 함재기, 인트루더와 톰캣의 퇴역을 결정했을 때, 미군 앞에는 그 두 항공기가 있을 때보다 더욱 더 돈이 많이 드는 미래가 기다리고 있었다.

미 해군은 맥도널 더글러스, 제네럴 다이나믹스 양사와 48억 달러 규모의

A-12 개발 계약을 체결했다. 그러나 이 계약은 법정 소송으로 끝이 났고, 단 한 대의 항공기도 생산하지 못했다. 소송은 무려 23년 동안 진행되었으며, 계약업체들은 정부에 4억 달러를 반환하는 것으로 끝이 났다. 논쟁의 핵심은 스텔스 기술이었다. 계약업체들은 정부가 요구한 스텔스 성능에 관련된 비밀 자료를 내어주지 않으면 일정에 맞춰 항공기를 납품할 수 없다고 주장했다. 계약업체들은 핵심을 정확히 짚었다. 전 <탑건> 교장 로니 "이글" 맥클룽은 이렇게 말했다. "A-12는 암흑 세계에 있습니다. 너무 비밀이 많다는 뜻이지요. 그 항공기를 만드는 데 필요한 자료는 죄다 금고 속에 있어, 도저히 책상에 가져와 읽을 수가 없습니다." 그럼에도 국방부는 스텔스 성능에 매우 큰 기대를 했던 것 같다.

이글의 말은 계속된다.

"해군은 스텔스 성능을 얻기 위해 영혼까지 팔았어요. 국방부에서는 해군이 스텔스기를 확보하지 못하면, 타격 임무는 공군이 독식할 것 같은 분위기였어요. 하지만 나는 항상 말하고 다녔죠. 동유럽 어디선가의 비밀 지하 연구소에서는 코카콜라처럼 새까만 안경을 쓴 친구들이 모여서 스텔스기를 격추할 방법을 연구하고 있을 거라구요… A-12는 문제가 매우 많았어요. 그걸 취소한 것은 결과적으로 해군을 구한 영단이었어요."*

결국, A-12가 맡을 예정이던 임무는 F/A-18 개량형에게 돌아갔다. <수퍼 호넷>으로도 불리우는 이들 F/A-18 E형과 F형은 주어진 임무를 잘 수행하고 있다. 다만 전투행동반경은 F-14보다 한참 짧다.

유감스럽게도 현재 현역인 F-14는 이란 공군에만 있다. 이 F-14들은 이란에 친미 정권이 들어서 있던 1976년부터 인도되기 시작했다. 미국은 이걸로 소련이 자랑하는 MiG-25 폭스배트에 맞설 수 있어 기뻤다. 그러나 1979년 아야톨라 호메이니의 이슬람 혁명으로 인해 이란은 반미 국가로 돌변했다. 그리고 나서 수십 년 후, 체니 국방 장관은 F-14의 퇴역을 결정했다. 그 이유

* 이러한 맥클룽의 발언은 Barrett Tillman의 책 On Wave and Wing: The 100-Year Quest to Perfect the Aircraft Carrier (Washington DC: Regnery History, 2017), p. 272에서 발췌하였다.

중 하나는 이란 공군 F-14의 부품 조달을 막기 위한 것도 있었다. 그러나 이란은 오늘날까지 어떻게든 F-14의 신뢰성과 정비성을 향상시키고 있다. 또한 시리아를 폭격하는 러시아 폭격기를 F-14로 호위함으로서 건재를 과시하고 있다. 나도 교환 조종사로 미라마 VF-121에 온 이란 공군 조종사들을 만난 기억이 있다. 그들이 한 일은 미국 여자를 쫓아다니고, 멋지고 비싼 새 차를 산 거 말고는 없다. 반면 교육생으로서의 실력은 형편 없었다.

인터넷을 뒤져 보니 F-14의 전성기에 그 항공기를 정비했던 상급 하사관들이 남긴 글을 많이 읽어볼 수 있었다. 그들의 공통적인 반응은 이 한 마디로 요약된다. "아아, F-14가 지금도 해군에 있다면 얼마나 좋을까." 그들 대부분은 정말 똑똑하다. 그들은 해군이 톰캣을 최소한만 개량하여 재생산하기를 원하고 있다. 나 역시 같은 의견이다. 첨단 기술 확보 경쟁은 해군을 여러 모로 퇴보시켜 놓았다. 이란인들은 미 해군의 이런 꼴을 보고 비웃을 거라고 나는 확신한다. 미 해군을 위해 개발된 세계 최고의 전투기를 아직도 운용하면서 말이다.

모든 답을 다 알고 있는 노병에게 새로운 것은 아무 것도 없다. 나는 전직 제트 엔진 정비사로서, 감히 노병들을 대표해서 말하고자 한다. 미 국방부는 스텔스 기술에 현혹된 나머지 나라를 위기로 몰아가고 있다. 미군은 1960년대에 피를 주고 배운 전훈을 잊어버렸다. 미군은 첨단 기술이라는 제단에 스스로의 영혼까지 제물로 바치기 직전이다. 스텔스 기술은 좀비, 그것도 매우 비싼 좀비다. 그 좀비는 우리 군을 해칠 것이다.

F/A-18의 후계기로 예정된 기체는 록히드 마틴에서 제작한 F-35 라이트닝 II다. 이 스텔스 전투기는 '어떠한 임무라도' 수행할 수 있도록 설계되었다. 이 제5세대 전투기는 해군, 해병대, 공군의 요구에 맞추기 위해 3개 하위 모델이 개발 중이다. 이쯤에서 로버트 맥나마라의 F-111 <날개 달린 에드셀>의 실패 이유를 돌이켜 봐야 한다. F-111은 공군과 해군에서 동시에 운용 가능하도록 만들어졌다. 그러나 그 목표는 달성되지 못했다. 그런데 F-35 역시 공군(A형), 해병대(B형. AV-8 해리어 수직이착륙 전투기를 대체할 수 있도록 단거

리 이륙 수직 착륙 기능이 있다.), 해군(C형)에서 모두 운용하도록 만들어지고 있다.

F-35 프로그램 총비용은 이미 1조 달러가 넘었다(이 책의 한글판이 제작되던 중인 2023년 9월 현재는 무려 1조 7천억 달러가 넘어갔다-역자주). F-35는 역사상 가장 많은 돈이 투자된 무기체계가 되었다.** 해군형의 생산 단가(개발비 및 시험비를 제외한 금액)는 이미 3억 3천만 달러가 넘었고, 갈수록 늘어나고 있다.***

이제는 고인이 된 존 내시는 생전에 이런 말을 입버릇처럼 했다. 현대 항공기의 구성품은 고장나기 위해 설계된 것 같다고 말이다. 방위산업체들은 예비 부품을 "현장 교체 장치"라고 부르면서, 그 가격에 엄청난 마진을 붙인다. 결국, 프로그램 총 기간 동안 이런 예비 부품들의 총가격이 항공기 본체 가격을 상회하고 마는 사태도 벌어진다. 사무용품 가게에서 잉크젯 프린터를 75달러에 샀는데, 이 기계를 1년 동안 사용하는 데 필요한 잉크 카트리지의 가격도 75달러라는 식이다. 이는 오늘날의 첨단 항공기 산업에도 그대로 적용된다.

F-35는 너무 비싸다. 기껏 최신형 원자력 초대형 항공모함을 많이 만들어놨더니, 그 비행갑판이 텅텅 빌 것을 걱정해야 할 지경이다. 미국 재무부는 미군이 달라는 만큼의 F-35를 사줄 돈이 없기 때문이다.

F-35의 문제점은 많다. 제동용 갈고리부터 제대로 작동하지 않는다. 산소 공급 체계도 문제다. 너무나도 정밀한 헬멧은 또 어떤가. 이 헬멧에는 최첨단 센서, 정보 전달용 바이저 디스플레이, 고개를 돌린 조종사의 시선에 들어온

** Valerie Insinna, "4 Ways Lockheed's New F-35 Head Wants to Fix the Fighter Jet Program," Defense News, July 14, 2018, www.defensenews.com/digital-show-dailies/farnborough/2018/07/10/4-ways-lockheeds-new-f-35-head-wants-to-fix-the-fighter-jet-program/. 2018년 8월 23일 저자가 접속

*** Winslow Wheeler, "How Much Does an F-35 Actually Cost?" War Is Boring, July 27, 2014. https://medium.com/war-is-boring/how-much-does-an-f-35-actually-cost-21f95d239398. 2018년 8월 23일 저자가 접속

표적을 자동 조준하는 기능 등이 있다. 멋진 헬멧이지만 단가도 무려 40만 달러에 달한다. 하지만 그 진짜 가격이 얼마인지 누가 제대로 알랴? F-35의 총비용은 마치 <계란>의 최정점을 향해 날아가는 F-4 팬텀마냥 끝없이 수직상승 중이다. 오죽하면, F-35에 대해 신뢰를 잃은 조종사들은 이 기종에 <펭귄>이라는 별명을 붙여 주었다. 펭귄은 날지 못하는 새다.

이러한 문제점들을 고칠 수 있는 곳은 없다. 해군도, 타군도, 제작사도, 의회도 못한다. 이 모든 곳들에 옳은 일을 행하지 않을 강력한 핑계가 있다. F-35 제작에 관련된 탐욕스런 하청업체들은 미국 내 거의 모든 의회 지역구에 손을 뻗치고 있다. 즉, 수많은 의회 의원들의 재선이 F-35에 달려 있다는 얘기다. 때문에 F-35는 의회의 전폭적인 지지를 확보하고 있다. 그 실제 능력과 가격이 어떻건 말이다. 때문에 방위산업체에서 F-35에 새로운 기능을 추가하자고 제안하면, 그 기능이 해군의 일선 비행대대에서 필요로 하지 않는 것이더라도, 누구도 안 된다고 하지 않는다. 왜 국방부에 근무하는 현역 해군 소장들이 하원 해군 위원회에 나가서, 쓸데도 없는 부가 기능을 추가해야 한다고 목소리를 높이는가? 그들은 퇴역 후 황금 낙하산이 보장되어 있기 때문이다. 그런 부가 기능을 공급하는 회사의 부사장으로 취임해서 고액 연봉을 받게 되기 때문이다. 그들이 방위산업체의 제안에 이의를 제기하면 그런 횡재를 걷어찰 뿐이다.

과연 우리 군용기에는 스텔스라는 비싼 기능이 필요한가? 이는 매우 중요한 의문이다. 나는 꼭 필요하다고는 대답 못 하겠다. 현재 러시아와 중국은 레이더 전파를 사용하지 않고도 항공기를 탐지하는 새로운 센서를 배치할 예정이다. 이러한 적외선 탐지 추적 장비는 항공기가 비행할 때 표면에서 발생하는 대기 마찰열과 난기류를 추적할 수 있다.

그러나 방위산업체와 극소수 조종사들은 F-35가 '어떠한 임무라도' 수행 가능한 항공기라고 선전한다. 록히드 마틴 사 홈페이지에 나온 글을 인용해 본다. "스텔스 기능과 첨단 센서, 막대한 무장 탑재량과 항속거리를 갖춘 F-35는 역사상 가장 전투력과 생존성과 연결성이 뛰어난 전투기입니다. F-35

는 단순한 제트 전투기가 아닙니다. 데이터를 수집 분석 공유할 수 있는 강력한 전력승수로서, 전투 공간 내의 모든 공중, 수상, 지상 자산의 역량을 강화하고, 모든 장병들의 임무 수행과 무사 귀환을 도울 것입니다."

즉, 전투기인 F-35를 조기경보기처럼도 사용할 수 있다는 얘기다. 그야말로 '어떠한 임무라도' 수행 가능하단 말인가? 그런데 이 글에 근접 공중전에서 이길 수 있다는 소리는 없다. 아마도 그게 핵심일 것이다. F-35 조종 경험이 많은 조종사 치고, 이걸로 근접 공중전이 가능하다고 주장하는 사람은 아무도 없기 때문이다. 지난 1960년대에도 F-4 팬텀이 전투 조종사의 고전적 임무를 변화시킬 거라는 헛소리를 나는 지겹게 들었다. 이 선전 문구를 보니 그 때 생각이 나지 않을 수 없다.

내가 <탑건>에 근무할 때는, 전투 조종사는 월간 비행 시간이 최소 35~40시간은 되어야 전투 준비 태세를 갖춘 것으로 간주되었다. 이제는 도저히 그렇게 못한다. F-35가 지금과 같은 속도로 해군 항공대의 예산을 집어먹는 주제에 생산 속도는 여전히 느리다면, 전투 조종사들은 전투 준비 태세를 갖추는 데 필요한 비행 시간을 채울 수 없다. 이미 지난 몇 년간 수퍼 호넷 조종사들은 비전개시 월간 비행시간이 10~12시간에 불과했다. 항공기의 안전 운항 요령만 배우기에도 시간이 빠듯하다. F-35로 기종이 바뀌면 그 정도도 비행할 수 없다. 때문에 F-35 조종사들은 시뮬레이터로 모자란 비행 시간을 때워야 한다. F-35의 비행 시간당 소요 비용은 그야말로 천문학적이기 때문이다.

그러나 F-35가 지닌 문제의 심각성은 돈이 아닌 시간에서 더욱 확실히 드러난다. 한 마디로 얘기하자면, 미국은 그 항공기를 개발하는 데 무려 26년이나 투자했다.

26년이라는 시간과 막대한 개발비를 투자했는데도 아직 전투 준비 태세를 완비한 항공기가 단 한 대도 실무 부대에 인도되지 않았다. F-35의 개발은 1992년에 시작되었다. 그러나 아직 어느 군에서도 이 항공기는 전력화되지 않았다.**** 이 항공기가 비행하는 모습을 담은 사진만 보고 속아서는 안 된

**** 물론 2015년, 미 해병대에서는 F-35B의 전력화를 선언했다. 항공기 하부체계, 특히 800만 줄에 달하는 소프트웨어에 여전히 문제가 남아 있었음에도 말이다.

다. 생산된 F-35 중 전투 준비 태세를 갖춘 기체는 단 한 대도 없다. 물론 이스라엘은 F-35 수출형을 전투에 사용했다고 주장한다. 그게 사실인지는 알 방법이 없다. 그러나 턱없이 초과된 개발 기간(근 30년!)과 예산을 정당화하기 위해, 해외 고객의 목소리를 빌렸을 수도 있겠다 싶다. 이스라엘, 일본, 한국, 그 외에도 8개의 협력국들이 이 전투기를 구매해 일선에 전개하고자 한다. 유감스럽게도 개발 기간은 너무 길어, 이 중 한 협력국인 튀르키예가 미국 동맹국에서 이탈할 위기까지 갔지만 말이다. 아마 그들은 러시아와의 관계를 강화해 가면서도, 록히드 마틴과의 주요 구성품 공급 계약 역시 계속 이행하려 할 것이다.(튀르키예는 이 원고가 집필된 이후인 2019년 7월 18일, F-35 프로그램에서 완전 배제되었다.-역자주)

26년, 한 세대보다도 긴 시간이다. F-14 톰캣의 개발 기간과 비교해 보라. 해군의 첫 제안서 요구 시점부터 F-14가 함대에 전개되기까지는 불과 4년이 걸렸다. 그렇다. 4년이다. F/A-18 호넷은 9년이었다.

그런데 26년?

미국 정부의 어딘가가 부패한 게 틀림없다. 언젠가 그 때문에 우리는 전쟁에서 또 지고 말 것이다. 그런 비극적인 경험을 해 봐야 비로소 우리 국방부는 그런 부패를 척결할 용기를 낼 것이다.

한편, 전 세계의 항공 전장에서 현재 사용되는 공대공 전투의 기술은 그리 크게 진보하지 않은 것 같다. 즉, 미래도 과거와 큰 차이가 없을 것이다. 최근의 실전 사례를 살펴 보자.

2017년 6월 18일, <탑건> 교육생과 교관을 지낸 해군 소령 마이클 “몹” 트레멜은 F/A-18E 수퍼 호넷을 타고 항공모함 USS <조지 H.W. 부시>에서 발함했다. 그날의 임무는 시리아 락카 근교의 근접 항공 지원이었다. 그는 4대의 수퍼 호넷을 이끌고 내륙으로 들어가, 다른 항공기들과 합류하여 순서에 맞춰 IS(Islamic State, 이슬람 국가) 진지에 폭탄을 투하할 예정이었다. 그때 그와 동료들은 시리아 Su-22 피터 항공기가 접근하는 것을 알게 되었다. 그 항공기는 기수를 돌려 돌아가라는 무수한 경고를 듣지 않고 계속 접근했다. 그 항공기가 연합군 병력에 대한 폭격 항정을 시작하자, 트레멜 소령은 교전에 들어갔다.

교전 규칙을 잘 지키던 그는 적기를 육안 식별하고서야 AIM-9X 사이드와인더 미사일을 발사했다. 적기 조종사도 미사일 발사를 확인하고 플레어를 사출했다. 사이드와인더 미사일은 다양한 첨단 기능이 내장되어 있음에도 플레어에 현혹되어 불명중했다. 트레멜은 무장을 레이더 유도식 AMRAAM(스패로우 미사일의 대체 기종)으로 전환한 후 발사했다. 8분간의 교전 끝에 시리아 항공기는 격추당했고, 트레멜은 적기의 파편을 피해야 했다. 시리아 조종사 알리 파드 대위는 비상 탈출해 낙하산을 개산하고 강하했다. 이는 미 공군이 1999년 봄, 코소보 전쟁에서 3대의 유고슬라비아 MiG-29를 격추한 이래 미군이 처음 거둔 공대공 전투의 승리였다.

이 전투에 참전한 4명의 수퍼 호넷 조종사 중 3명이 <탑건> 졸업생이었다. 따라서 그들은 이 전투의 전훈을 가르칠 자격이 있다. 물론 그 전훈도 다 잘 알려진 것이긴 하지만 말이다. 첫 번째, 간단한 대응책으로도 첨단 기술을 무력화할 수 있다. 미사일은 결코 신뢰성이 높은 무기 체계가 아니다. 그러나 두 번째 전훈이 더 중요하다. 미래전에 대한 희망적인 예측과는 달리, 트레멜은 여전히 적기를 육안 식별한 후에 사격해야 했다. 교전 규칙 때문이다. 첨단 장비에 돈을 퍼부어 봤자 뭐하나. 교전 규칙 때문에 사용할 수 없는데?

설령 F-35의 수많은 문제가 모두 해결되고, 충분한 수가 양산되어 배치된다고 해도, 조종사가 사격 전 적기를 육안 확인해야 한다면 F-35와 그 가시거리 밖 전투 능력은 무용지물이다. 그건 현재까지 40년 넘게 사실이었다. 콘도르가 말했듯이 내가 적기를 볼 수 있다면 적기도 나를 볼 수 있다. 그러면 전투는 근접 공중전으로 들어간다. 그리고 <펭귄>은 근접 공중전에 유리한 기종이 아니다. 물론 <펭귄>에도 기관포가 있긴 있다. 그나마 한 가지 제대로 한 선택이다.

나는 매우 뛰어난 전투 조종사다. 그러나 간단할수록 좋다고 철저히 믿는 옛날식 전투 조종사다. 나는 군생활 내내 그 교훈을 거듭 깨우쳐 왔다. 해군 항공대에서 30년을 복무한 나는 항공기의 엔진과 날개만 봐도 그 항공기의 전투력을 알아낼 수 있다. 내가 아는 기종 중 근접 공중전에서 F-5보다 더 훌륭한 성능을 낼 수 있는 기종은 별로 없다. 노스롭에서 생산한 이 구식 전투기는 <탑건>의 가상적기로도 운용되었다. 아직도 지구상의 어느 곳에서는 현역이다.

밤에 수영장 옆에 드러누워서 하늘을 가로지르는 제트기와 인공위성을 볼 때면, 상상 속에서 나만의 궁극의 제트 전투기를 설계해보곤 한다. F-5와 비슷한, 단순한 구조와 엄청난 속도를 갖춘 1인승기로 하고 싶다. 가볍고 기동성이 뛰어나며 작은 기체로 하고 싶다. 기체가 작아야 전투에서 적에게 잘 발견되기 어렵다. 가격도 싸게 해서 양산하기 쉬워야 한다. 그래야 전투에서 손실되어도 보충하기 쉽다.

조종석 체계는 조종사의 오감을 데이터의 압박에서 해방시키는 쪽으로 설계할 것이다. 제5세대 전투기는 벼라별 다양한 신호음으로 조종사의 감정과 정신을 압박하지만 이 전투기에는 그런 게 없다. 해군은 엄청난 돈을 들여 전투기 조종석에 통합형 지휘통제용 전자기기를 설치했다. 그러나 내가 아는 대부분의 조종사들은 그 기기를 쓰지 않았다. 그러니 내 전투기에는 그런 장비가 필요 없다. 어디 있는지도 모를 제독이 조종사들의 무전 통화를 죄다 듣고 있다가 조종사들에게 잔소리를 직접 퍼붓고 그들의 행동을 필요 이상으로 간섭해서는 안 된다. 조종사는 레이더 통제사와 항공모함, 동료 조종사들과 통화할 수 있다면 그걸로 충분하다.

이 작지만 야무진 전투기의 가격은 600만 달러도 안 될 것이다. 그러니 외국에 수출해야 할 필요도 없다. 물론 영국과 이스라엘에는 수출해 줘야 할 것이지만. 이렇게 돈이 절약되면 정비사들에게 필요한 모든 것을 다 사줄 수 있다. 방위산업체? 그들은 골프 치고 싶으면 자기돈 내고 쳐야 할 것이다.

내게 선도각 계산 조준기가 달린 믿음직한 기관포, 2발씩의 사이드와인더 미사일과 전자전 대응책을 갖춘 F-5N 항공기 수백 대, 그리고 그것들을 조종할 월간 비행 시간 40시간짜리 조종사들을 주어 보라. 그러면 나는 엄청나게 비싼 제5세대 스텔스 전투기를 보유한 어느 나라 공군이건 무력화시킬 수 있다.

전투를 이기는 건 항공기가 아니라 조종사다. 그것이 변치 않는 공중전의 기본이다. 비행이라는 기술은 방치해 두면 녹이 슨다. 부단히 연습해야 최상으로 유지할 수 있다. 그러나 연 단위 예산 설정 절차인 시퀘스터로 인해 줄어든 국방 예산 때문에 요즘은 그것이 불가능해졌다. 그러한 점을 감안한다면, 미래전은 베트남 전쟁만큼 지독해질 수도 있겠구나 싶다. 나와 전우들이 인생 최고의 시절에 싸웠던.

다렐 "콘도르" 개리의 1976년 6월 비행일지를 보면 그 한 달 동안 46회, 65.5시간을 비행했다고 적혀 있다. 5회는 F-4N 팬텀, 17회는 A-4E 스카이호크, 24회는 F-5E 타이거로 비행한 것이다. 그리고 그 모든 비행이 공중전 기동 훈련이었다. 크로스 컨트리 비행 같은 것은 단 한 건도 없었다. 누구나 훈련 비행을 많이 하면 숙련된 전투 조종사가 될 수밖에 없다는 게 콘도르의 지론이다.

내게 해군 항공대를 맡긴다면 휘하의 모든 조종사를 근접 공중전의 전문가로 키울 것이다. 충분한 수의 항공기를 보유하면, 우리는 <파이트 클럽> 시절처럼 행동할 것이다. 누구라도 선임 정비 통제관에게 말만 잘 하면 항공기를 받아내서 어딘가의 공역으로 근접 공중전 훈련을 하러 가던 그 시절처럼 말이다. 우리는 그런 식으로 근접 공중전의 감을 익히고 유지했다. 모든 조종사들에게 월간 45~50시간의 공중전 훈련을 시키고 용장들의 지휘를 받게 한다면 어떤 전쟁에서도 지기 어려울 것이다.

나는 요즘 그런 상상을 자주 해 본다. 그러다가 결국 우리 <탑건>의 격언으로 되돌아간다. "중요한 것은 기계가 아니라 사람이다." 그렇다면 어떤 사람이 전투 조종사로 적합한가? 오랫동안 수천 명의 조종사를 만나 본 결과, 최고의 조종사들은 다음과 같은 공통점을 갖고 있음을 알았다.

훌륭한 조종사는 안정적인 가정 배경과 강한 애국심, 자기주도적 직업윤리를 갖춘 사람이다. 타인을 억압하지 않으면서도 자신감에 충만하고, 그러면서도 자신보다 더욱 위대한 존재를 믿어야 한다. 즉, 어느 정도까지는 자만해도 된다. 내 부하 중에 스스로를 의심하는 놈은 필요 없다. 운동선수 출신이면 더 좋다. 어린 시기에 적절한 코칭을 받으면서 신뢰와 협동심, 목표 설정을 배웠기 때문이다. 이러한 덕목들은 비행에서도 다 필요하다. 그러나 고작 참가상을 받은 게 자랑인 양 떠드는 자는 필요 없다. 진정한 성취가 없는데도 스스로를 높이는 자는 동료, 또는 자신을 추락시키고 만다. 실력은 B급인 학생이라도 이기고자 하는 의지가 충만하다면, 출세 제일주의자인 A+급 학자보다 낫다. 그런 사람들과 함께라면 언제라도 이길 수 있다.

마지막으로 비행의 역사와 관련 학문에 깊은 관심을 가진 자여야 한다. 훌륭한 조종사들은 자기 계발을 게을리하지 않는다. 해군 초급 장교 시절, 나는 제2차 세계대전 참전 조종사들을 만나 그들의 무용담과 전훈을 들을 수 있었다. 나는 구할 수 있는 모든 공중전 회고록을 독파했다. 그 책들에서 얻은 많은 자잘한 지식은 이후 내가 조종사로 살아가는 데 큰 도움이 되었다. 조종사는 언제나 삶과 죽음 사이에서 줄타기를 하고 있다. 지미 둘리틀이 내게 스카치를 사 준 것은, 그가 내게서 그런 동업자 의식을 느꼈기 때문이라고 생각한다. 역사에는 위기 속에서 살아남을 수 있는 교훈이 가득하다. 해 아래 새 것은 절대 없다.

성공한 지도자들은 이런 특성을 지닌 부하들을 알아보고 격려를 아끼지 않았다. 규칙을 어기거나 항공기를 못쓰게 만드는 위험을 감수하고서라도 말이다. 우리는 미라마에서 매일 그렇게 살았다. 영화 <탑 건>에도 그 점은 작품 전반을 관통하여 잘 재현되어 있다. 그 영화는 비치 발리볼 장면, 낭만적인 석양 속 모터사이클 주행 장면, 미친 것 같은 위험한 공중 기동 장면을 통해 여러 중요한 메시지를 전달하고 있다. 그 영화를 보면 내 젊은 시절이 생각난다. 그리고 그런 회상은 현재의 우리를 지지해 주는 힘이 된다고 생각한다. 우리가 원하기만 한다면.

이상이 내게 절대 권력이 있다면 만들어 볼 해군 항공대의 모습이다. 그러나 내겐 그만한 권력이 없기 때문에, 오직 망상에 그칠 수밖에 없다. 마지막으로 한 가지만 더 얘기할 게 있다.

나는 사관후보생 시절에 산 1950년대형 레이밴 선글라스를 몇 년 전까지 가지고 있다가, 어느 해에 렌즈를 교체해서 손녀에게 크리스마스 선물로 주었다. 구입한 지 50년이 지나자 새것을 사야 겠다는 생각이 들었다. 이스라엘 친구에게서 받은 다윗의 별 목걸이는 내 막내 아이인 캔디스에게 주었다. 그러나 죽은 선배 조종사의 락커에서 발견한 작은 쥐 인형은 아직 가지고 있다. 그 쥐는 나와 함께 모든 전투 파견에 참가했다. 지금은 우리 집 책장에서 편안한 은퇴 생활을 즐기고 있다. 가끔씩 나는 쥐 인형을 보고 이렇게 말한다. 정말 힘든 여정이었지. 그렇지, 작은 친구?

그 인형 주변에는 책들, 그리고 내가 군생활 중 얻은 귀한 물건들이 가득하다. 그러나 내가 가장 귀하게 여기는 것은 물건이 아니다. 미라마에서 <탑건> 창설 멤버들과 함께 보냈던 시간이다. 그들과의 평생 우정이야말로 내 진짜 보물이다. <탑건>은 언제나 내 경력의 중심에 있을 것이고, 내 인생 최대의 성취로 남아 있을 것이다. <탑건> 창설 멤버들, 그리고 전능하신 하느님의 도우심이 없었다면 절대 이룰 수 없었던 일이다.

감사의 말

이 책이 만들어지는 데는 약 18개월이 걸렸다. 발단은 혼피셔 리터러리 매니지먼트 사(출판 저작권 중개기업)의 사장인 짐 혼피셔가 <탑건> 창설 멤버인 샌 디에고의 다렐 개리와 만나, <탑건> 창설 50주년 기념 서적을 만들어 출간할 것을 논의하면서였다. 나는 1968년부터 1969년까지 <탑건>의 초대 교장으로 재직하면서 개교 준비 및 초기 운영을 맡았다. 때문에 짐은 나야말로 회고록의 형식을 빌려 <탑건>의 역사를 서술할 적격자로 여겼다. 짐은 이 발상이 구체화되는 것을 도왔다. 우리가 만든 제안서를 뉴욕으로 가져가, 해세트 출판사를 통해 출간될 수 있도록 했다.

집필 첫 해, 나는 뛰어난 해군 항공 역사가인 바레트 틸먼과 함께 일할 영광스러운 기회를 얻었다. 바레트는 수십 권의 책과 수백 편의 기사를 써 상을 받았으며, 그 글들은 해군 항공 역사의 금문자로 남아 있다. 주어진 집필 기간은 너무나도 짧았지만, 우리는 그 동안 철저히 연구하여 원고를 집필하고,

그 내용의 정확성을 검증했다. 훌륭한 역사가인 틸먼과 함께 내 군생활과 베트남 참전 시절을 반추할 수 있던 일생 일대의 기회였다. 그는 해군 항공대에 관해서라면 모르는 것이 없었다. 우리는 갈수록 친한 친구가 되어 갔다.

초고를 출판사에 보내자, 일부 내용을 추가하기로 결정되었다. 이 책 제작 기간 중 마지막 2개월간, 존 R. 브루닝 2세가 최종 마무리를 해 주었다. 바쁜 일정 속에서 원고를 매일 함께 손보면서 나는 존과도 급속하게 친구가 되었다. 함께 일하면서 그에게서 많은 것을 배울 수 있어 기뻤다. 그는 21권에 달하는 군사 서적을 단독, 또는 공동으로 집필했다. 그 중에는 <House to House>, <Outlaw Platoon>, <Level Zero Heroes>, <The Trident>, <Indestructible> 등도 있다. 그는 아프가니스탄 전쟁을 치른 미군 지상군 부대에 대해 정통하다. 매우 특별한 미국의 인재다.

출판 저작권 중개업자인 짐 혼피셔는 프로젝트를 시종일관 진두지휘하면서 최종고의 완성을 도왔다. 그는 <The Fleet at Flood Tide>, <Neptune's Inferno>, <Ship of Ghosts>, <The Last Stand of the Tin Can Sailors> 등의 작품으로 새뮤엘 엘리어트 모리슨 상을 받은 작가이기도 하다. 그는 뛰어난 글솜씨와 지치지 않는 지구력으로 나의 글에 대해 조언을 해 주어, 이 이야기가 올바로 표현될 수 있도록 도왔다.

이런 뛰어난 프로들과 함께 내 해군 생활을 반추하고 기록한 것이야말로 일생 일대의 기회였다. 그들의 헌신과 도움이 없었더라면 해군 전투기 무기학교의 진정한 전통과 역사는 표현될 수 없었을 것이다. 그들이야말로 이 임무의 성공을 도운 훌륭한 요기 조종사들이다.

해세트 출판사의 편집장 모로 디프레타는 이 책을 매우 지지했고, 원고를 매우 잘 손봐 주었다. 그의 매우 유능한 조수인 데이비드 램, 부편집장 미셸 에일리, 영업부장 마이클 바스, 홍보주임 사라 팰터, 그 밖의 해셰트 출판사 편집부 전원에게도 감사를 표한다. 그들 모두는 이 책을 대중에게 알리는 데 결정적인 역할을 했다.

'창설 멤버'라고도 불리우는 <탑건> 개교 당시 교관진들은 나와 힘을 합쳐

<탑건>을 개교했다. 우리는 그 이후 지금까지 피를 나눈 형제가 되었다. 다렐 개리, 멜 홈즈, 짐 룰리프슨, 존 내시, 제리 사와츠키, 스티브 스미스, J.C. 스미스, 짐 라잉, 처크 힐데브랜드. 그 위대한 애국자들에게도 감사를 표한다. 그 이후 42명의 교장과 무수히 많은 교관들, 정비사들이 힘써준 덕택에 해군 전투기 무기 학교의 이름은 전 세계에 알려졌다. 위험을 감내하고 스스로를 희생하면서 학교를 위해 헌신했던 그들과 그 가족들의 노고에 감사를 표한다. 조국의 부름을 받은 우리는 모두 주어진 임무를 훌륭하게 해냈다. 나는 오랫동안 그런 우리의 이야기를 세상에 알리고 싶었다. 부디 그 이야기가 세상에 올바르게 전달되기를 바란다. <탑건>을 거친 이들, 그리고 지금 <탑건>에 있는 이들. 그들은 모두 최강 중의 최강이다.

미 해군의 모든 장병들에게도 특별한 감사를 표한다. 그들은 모두 최고다. 그 중에서도 USS <레인저>의 주임 원사를 지냈던 데이비드 M. 홉스는 더욱 뛰어나다.

이 책은 가족들이 없었으면 나올 수 없었다. 내 할아버지이신 아더 램프는 언제나 내 삶의 이정표가 되어 주셨다. 올라와 헨리에타도 언제나 나를 응원해 주었다.

마지막으로, 내 사랑 메리 베스를 거론하겠다. 이 책을 그녀에게 바치고 싶다. 그녀는 오랫동안 나를 지지해 주고 사랑해 주었다. 그녀 덕택에 이 책은 완성될 수 있었다.

용어 해설

영문약자	뜻풀이
AAA	Antiaircraft artillery 대공포
AAW	Antiair warfare 대공전
ACM	Air combat maneuvering 공중전 기동
ACMI	Air combat maneuvering instrumentation 공중전 기동 훈련체계
ACMR	Air combat maneuvering range 공중전 기동 훈련장
AIM	Air intercept missile 공대공 미사일
AirLant	Commander, Aircraft, Atlantic Fleet 대서양 함대 항공 사령관
AirPac	Commander, Aircraft, Pacific Fleet 태평양 함대 항공 사령관
AOR	Underway replenishment ship 군수지원함
Bandit	Hostile aircraft 적기
BarCAP	Barrier Combat Air Patrol 방호 전투 공중 초계
Bogey	Unidentified aircraft 미식별기
BOQ	Bachelor officers' quarters 독신 장교 숙소
CAG	Air wing commander 비행단장
CAP	Combat Air Patrol 전투 공중 초계
CCA	Carrier controlled approach 항공모함 통제 접근
CINCLANT	Commander in chief, Atlantic Fleet 대서양 함대 사령관
CINCPAC	Commander in chief, Pacific Fleet 태평양 함대 사령관
CNO	Chief of Naval Operations 해군 참모총장

CO ·············· Commanding officer 지휘관

ComFit ········ Commander Fighter and Airborne Early Warning Wing 전투 공중 조기 경보 비행단장

CV ·············· Aircraft carrier 항공모함

CVN ··········· Nuclear-powered aircraft carrier 원자력 항공모함

CVW ··········· Carrier air wing 항공모함 탑재 비행단

DCNO ········ Deputy Chief of Naval Operations 해군 참모차장

ECM ··········· Electronic countermeasures 전자전 대응책

FAGU··········· Fleet Air Gunnery Unit 함대 항공대 공중 사격 학교

FAST ··········· Fleet air superiority training 함대 제공 훈련

FRS·············· Fleet replacement squadron (RAG 참조) 함대 보충 비행대대

GCA ··········· Ground controlled approach 지상 통제 접근

IFF ·············· Identification friend or foe transponder 피아 식별기

IP ·············· Instructor pilot 교관 조종사

JO ·············· Junior officer 초급 장교

LSO ··········· Landing signal officer 착함 신호 장교

MCAS ········ Marine Corps Air Station 해병 항공 기지

MiGCAP ····· MiG combat air patrol 대MiG 전투 공중 초계

NAS ··········· Naval air station 해군 항공 기지

NFWS ········ Naval Fighter Weapons School 해군 전투기 무기 학교, <탑건>의 정식 명칭.

NAWDC ····· Naval Air Warfare Development Center (구 NSAWC) 해군 항공전 개발 본부

NSAWC········ Naval Strike Air Warfare Center 해군 타격 항공전 본부

OP-05 ········ 해군 참모총장 직할 해군 항공작전 차장실

RAG ··········· Replacement air group 보충 비행전대(FRS 참조)

RIO·············· Radar-intercept officer 레이더 요격 장교

ROE ………… Rules of engagement 교전 규칙

SAM ………… Surface to air missile 지대공 미사일

TarCAP ……… Target Combat Air Patrol 표적 전투 공중 초계

VA …………… Attack squadron 공격 비행대대

VAW ………… Airborne early warning squadron 공중 조기 경보 비행대대

VF …………… Fighter squadron 전투 비행대대

VF(AW) ……… All-weather fighter squadron 전천후 전투 비행대대

VFA ………… Strike fighter squadron 타격 전투기 비행대대

VS …………… Antisubmarine aircraft or squadron
대잠 항공기 또는 대잠 비행대대

VX …………… Developmental squadron 개발 비행대대

WestPac …… Western Pacific 서태평양

XO …………… Executive officer 부지휘관(군함에서는 부장)

역대 <탑건> 교장

NOTE : 1971년 이후부터 직책명이 담당관에서 지휘관으로 변경됨

재임기간	담당관
1969	댄 A. "양키" 페더슨
1969 - 1971	존 C. "J.C." 스미스

재임기간	지휘관
1971-1972	로저 E. "벅샷" 박스
1972-1973	데이비드 E. "프로스티" 프로스트
1973-1975	로널드 E. "머그스" 맥코운
1975	존 K. "선샤인" 레디
1975-1976	제임스 H. "코브라" 룰리프슨
1976-1978	먼로 "호크" 스미스
1978-1979	제리 L. "썬더" 언루
1979-1981	로니 K. "이글" 맥클룽
1981	로이 "아웃로" 캐시 2세
1982-1983	어니스트 "래칫" 크리스텐슨
1983-1984	크리스토퍼 T. "부머" 윌슨
1984	조셉 "조독" 도트리 2세
1984-1985	토머스 G. "오터" 오터바인
1985-1986	대니엘 L. "더티" 쉬웰

1986-1988 ·············· 프레데릭 G. “윅스” 루드윅 2세

1988-1989 ·············· 제이 B. “스푸크” 예이클리 3세

1989-1990 ·············· 러셀 M. “버드” 테일러 2세

1990-1992 ·············· 제임스 A. “루키” 로브

1992-1993 ·············· 로버트 L. “푸크” 맥클레인

1993-1994 ·············· 리처드 “위즐” 갤러거

1994-1996 ·············· 토머스 “트로츠” 트로터

1996-1997 ·············· 롤랜드 G. “더그” 톰슨

1997-1999 ·············· 제럴드 S. “스퍼드” 갤롭

1999-2001 ·············· 윌리엄 “사이즈” 사이즈모어

2001-2003 ·············· 대니엘 “딕스” 딕슨

2003-2004 ·············· 리처드 W. “레트” 버틀러

2004-2005 ·············· 토머스 M. “트림” 다우닝

2005-2006 ·············· 마이크 R. “트리거” 선더스

2006-2007 ·············· 키스 T. “오피” 테일러

2007-2008 ·············· 마이클 D. “다이스” 노이만

2008-2009 ·············· 대니엘 L. “운드라” 치버

2009-2010 ·············· 폴 S. “도프” 올린

2010-2011 ·············· 매튜 L. “요들” 리

2011-2012 ·············· 스티븐 T. “소닉” 헤이마노우스키

2012-2013 ·············· 케빈 M. “프로톤” 맥롤린

2013-2014 ·············· 제임스 D. “크루저” 크리스티

2014-2015 ·············· 에드워드 S. “스티비” 스미스

2015-2016 ·············· 마이클 A. “초퍼” 로브놀트

2016-2018 ·············· 앤드류 “그랜드” 마리너

2018- ······················ 크리스토퍼 “팝스” 파파이오아누

텀블벅 후원자 여러분에 대한 감사의 말

다음 명단에 실린 고액 후원자님들을 비롯한, 텀블벅 후원자 127분의 후원 덕택에 이 책의 정식 한글판이 나올 수 있었습니다. 그 분들의 후원에 진심으로 감사를 표합니다.

성함은 텀블벅 닉네임 또는 후원자님들이 별도로 알려주신 이름을 사용하였으며, 배열 순서는 가나다순입니다.

--, Astra Noctuae, Choi Hyeon Ho, Chris, HEY0314,
lightcastle, Sam LEE (이성준), 광평, 김선민, 김승원, 김진성,
김태연, 김황전, 깡순아빔 배숙이, 네오파즈, 동글이, 무즈, 바승섭,
박병일, 박우진, 박중규, 배승철, 서병준, 안진영, 알비씨, 엉부이,
박유상, 이태진, 임현수(MACROSS), 장우혁, 정형두, 푸른 신록,
한수현, 함재명, 허남윤

그리고 **조방실** 후원자님이 이 책의 완성을 보지 못하고 2024년 1월 27일에 타계하셨습니다. 삼가 고인의 명복을 기원하며 이 책을 그 분의 영전에 바칩니다. 고인의 생전에 책을 완성치 못해 죄송하고 안타까운 마음 금할 길이 없습니다.

어려운 중에도 후원해주신 고인의 귀중한 뜻을 늘 잊지 않겠습니다.

— 도서출판 에니텔 대표
이동훈 올림

작품 해설 겸 역자 후기

역자가 <탑 건>이라는 영화의 존재를 처음 알게 된 것은 대충 1980년대가 막 끝나갈 때 쯤이었다. 역자는 그 영화를 1987년 개봉 당시 극장에서 보지는 못했다. 극장에 가기에는 너무 어리고 순수했기 때문이었다. 하지만 그 영화를 다룬 다큐멘터리를 TV에서 보고, 동네 극장에 개봉 이후에도 무려 3년 넘게 붙어 있던 포스터를 보고 "아, F-14 톰캣이 나오는 뭔가 대단한 영화가 있기는 있구나." 싶었다.

아닌게 아니라 <탑 건>은 정말 대단한 영화였다. 미 해군 전투기 무기 학교, 통칭 <탑건>의 교관과 교육생들의 생활을 꽤나 낭만적으로 묘사한 그 작품은, 본문에서도 언급되다시피 미군의 탁월한 모병 수단이자, 주적 소련에 대한 심리전 도구로 제 몫을 톡톡히 했다. 개봉된 해 미 해군 조종사 지원 경쟁률이 500%나 치솟았다. 심지어 미국과 같은 강력한 해군 항공대도 대양 해군도 없던 우리나라에서도 해군과 공군의 입대 경쟁률이 치솟았을 정도니 말 다했다. 당연히 공군 조종사들 사이에서도 필수 감상 작품이었고, 이 영화의 대사를 모두 원어로 외우던 항공기 매니아도 있을 정도였다. 무려 36년만에 나온 후속편인 <탑 건 매버릭>도 미국 관객 7800만 명, 한국 관객 820만 명을 동원하며 히트했고, 이후에도 잊을 만 하면 극장 재개봉이 이루어지고 있다.

본가인 미국에서는 영화 <탑 건>은 물론, 그 실제 배경인 <탑건> 스쿨에 대해 실로 많은 책이 나와 있다. 하지만 우리나라에서는 너무나 어이없게도 그 동안 이 매력적인 주제를 다룬 책이 거의 나오지 않았다.

<탑건> 스쿨의 개교 원인은 베트남 전쟁 당시 미 항공 부대의 졸전이었다. 1950~1960년대 미군은 미사일로 대표되는 첨단기술 만능주의에 현혹되어, 전투 조종사들에게 공중전의 기본인 근접 공중전을 교육하지 않았다. 게다가 베트남 전쟁이 확전되어 6·25 전쟁때처럼 중국군 및 소련군과 교전을 벌이게 되고, 자칫 핵전쟁으로까지 비화되는 것을 경계했던 미국 정부는 다양한 교전 규칙들로 자국 항공 부대의 손발을 묶어 놓아, 자랑하던 첨단 병기인 미사일을 효과적으로 사용할 수 없게 했다. 그 결과 제2차 세계대전과 6·25 전쟁에서 10:1 이상에 달했던 미 항공 부대의 격추 교환비는 베트남 전쟁 초반 2:1로까지 떨어졌다. <탑건>은 바로 이러한 현실을 타개하기 위해 개교되었다.

저자를 포함한 <탑건> 창설 멤버들이 내놓은 해법은 온고지신(溫故知新)이었다. 그 때까지 미 항공 부대 내에서는 음성적으로나마 근접 공중전이 교육되고 있었고, <탑건> 창설 멤버 중 상당수가 그런 방식으로 근접 공중전 기술을 배워 보전해 왔던 것이다.

그러나 그들이 사용하는 항공기는 근접 공중전을 전혀 감안하지 않고 만들어져 내장 기관포도 없던 F-4 팬텀이었다. 따라서 <탑건> 창설 멤버들은 철저한 연구를 통해 이 기종에 걸맞는 근접 공중전 방법을 창안해 내고, 이를 조종사들에게 교육시켰다. 이러한 노력에 힘입어 베트남 전쟁 후반 미 해군 항공대의 격추 교환비는 다시 10:1 이상으로 올라갔다. 반면 공군은 근접 공중전을 위해 기관포를 내장한 F-4 팬텀을 만들었음에도, 효과적인 전술전기 교육이 없어 격추 교환비를 회복하지 못하고 말았다.

세상에 난데 없이 생기는 것은 없다. 미군 상층부는 <탑건> 스쿨이 세운 높은 성과에 주목했고, F-4의 후계 기종인 F-14 개발에는 <탑건> 교관진의 의견도 강하게 반영되었다. 이렇게 만들어진 F-14는 1981년 시드라만 사건에서 리비아 공군 전투기들을 전혀 피해 없이 격추시켰고(이 사건은 미 해군 소속 F-14의 첫 격추 기록이기도 했다. 단, F-14 기종 전체의 첫 격추 기록은 그 전해인 1980년, 이란-이라크 전쟁을 치르고 있던 이란 공군의 F-14가 세웠다), 이는 1983년 <캘리포니아> 지의 <탑건> 소개 기사 게재, 그리고 영화 <탑건>의 제작으로까지 이어지게 되었다. 미국을 대표하는 문화 상품 중 하나인 영화 <탑 건> 이면에는, 미군의 소수 청년 장교들이 이룩한 군사적 업적이 있었던 것이다.

이러한 <탑건> 스쿨의 성공 사례는 남의 일로만 보아넘길 수 없다. 우리나라를 지키기 위해 진정으로 무엇이 필요한지 자문하게 한다. 싸움의 기본기를 잊지 말고, 그 기본기를 변화한 세상에 맞게 다듬을 수 있어야 하고, 그러기 위해서는 현장의 목소리를 존중하는 유연한 조직문화를 만들어야 한다는 <탑건>의 교훈은 50여 년이 지난 지금도 유효하다. 과연 우리 군은 이러한 교훈을 얼마나 실천하고 있는가? 2019년에 육군에서 총검술 폐지까지 논할 정도로 기본기를 무시하고 있고, 형편 없는 초급 간부 대우로 인해 우수한 인재가 군에 들어오지도, 남아 있지도 않는 것이 21세기 우리 군의 현실이 아닌가?

이 책의 말미에서 저자는 "미국은 값비싼 첨단 군사기술에만 의존하고, 사람의 중요성을 무시하다가 베트남에서 패전했다. 그러한 역사가 반복될까 두렵다."고 말하고 있다. 첨단 군사기술, 물론 중요하다. 특히 인구 절벽에 시달리는 우리 군에서 그 중요성은 미군보다도 더 크다. 그러나 아무리 좋은 기술이라도 그 기술을 쓰는 인간이 개념이 빠지면 소용 없다. 기술은 결국 싸움에 쓰이는 도구고, 그 도구가 제 역할을 다 하는 것은 인간의 책임이다. 우리에게는 주어진 첨단기술을 제대로 이해하고, 그것을 싸움의 현장에 최대한 적용할 수 있는 뛰어난 인적자원이 필요하다. 그러한 인적자원을 생산하고 유지하기 위해 우리 군은 무엇을 하고 있는가?

이 책이 나오는 데에는 많은 이들의 도움이 있었다. 늘 곁에서 부족한 역자를 도와주는 부모님과 아내 정숙 씨, 아이들. 제작에 큰 조언과 도움을 아끼지 않은 동료 출판인인 행북 임태순 대표님과 올드스쿨퍼블리케이션 박유상 대표님. 판권을 대행해 준 듀란 킴 에이전시에 감사를 표한다.

이 책을 시작으로, 관련 주제에 대해 더 많은 양서가 국내에도 소개되어 한국인의 인식의 지평을 넓히기를 바라며, 이만 졸문을 마무리하고자 한다. 그리고 그 작업에는 역자도 보잘 것 없는 실력으로나마 참여하고 싶다.

— <탑건> 창설 55주년 즈음에

역자 이동훈

색인

Ⓐ~Ⓩ

ⓩ

ⓩ

ⓚ

ⓣ

탑건 : 초대 교장의 회고록

초판 1쇄 인쇄일: 2024/04/20

초판 1쇄 발행일: 2024/04/30

저자: 댄 페더슨

역자: 이동훈

편집인: 올드스쿨퍼블리케이션

발행인: 이동훈

발행처: 도서출판 에니텔

주소: 경기도 고양시 덕양구 고양동 푸른마을로 56, 507동 101호

홈페이지: cafe.naver.com/enitel

이메일: enitel@hanmail.net, enitel00@naver.com

출판사 신고 번호: 395-2023-000104

사업자 등록 번호: 752-90-01907

ISBN: 979-11-986914-0-8 (03390)